3-1

중 학 수 학

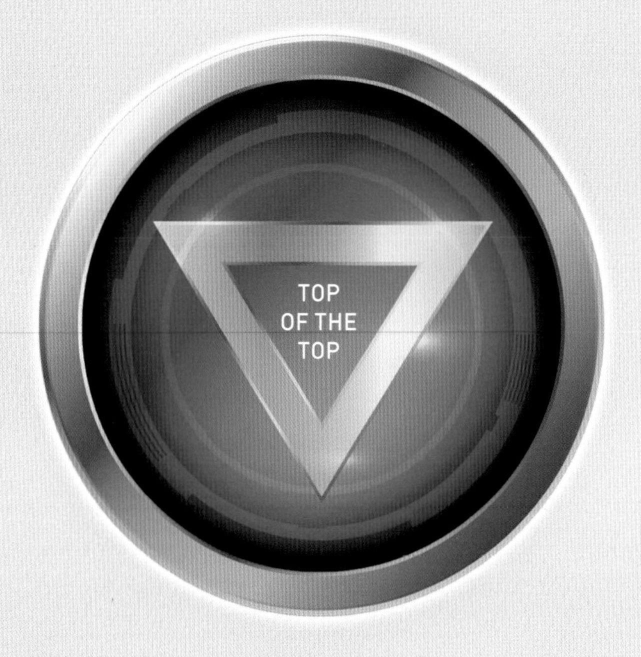

1등급 비밀!

최강 TOT

1등급 비밀! TOP OF THE TOP

1등급 비밀!

최강

3-1

중학수학

강남 상위권의 비밀을 담은 교재

학업성취도 우수 중학교의
기출 문제 중 변별력이 있는
우수 문제를 선별하여 담았습니다.

작은 차이로 실력을 높이는 교재

작은 차이로 실수를 유발했던 기출 문제를 통해
개념은 더욱 정확히 이해하게 하고,
함정에 빠질 위험은 줄였습니다.

진짜 수학 잘하는 학생이 보는 교재

수학적 사고력이 필요한 문제, 창의적이고 융합적인
문제를 함께 담아 사고력 및 응용력을 높였습니다.

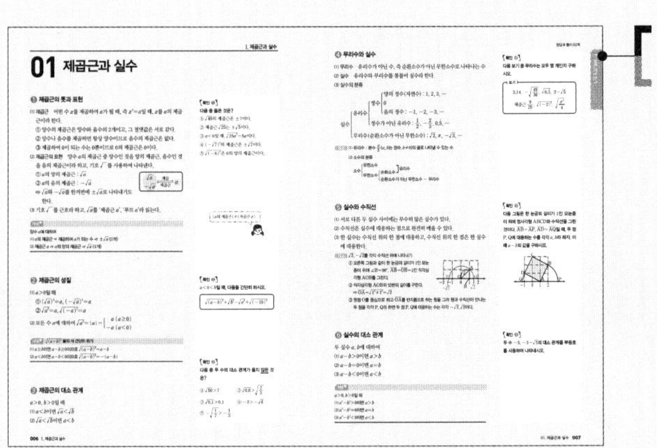

핵심 개념 & 확인 문제

중단원별 핵심 개념과 함께
쉽지만 그냥 넘길 수 없는 확인 문제를 담았습니다.

STEP 1 억울하게 울리는 문제

'왜 틀렸지?' 하고 문제를 다시 보면
그때서야 함정이 보이는 실수 유발 문제를 담았습니다.

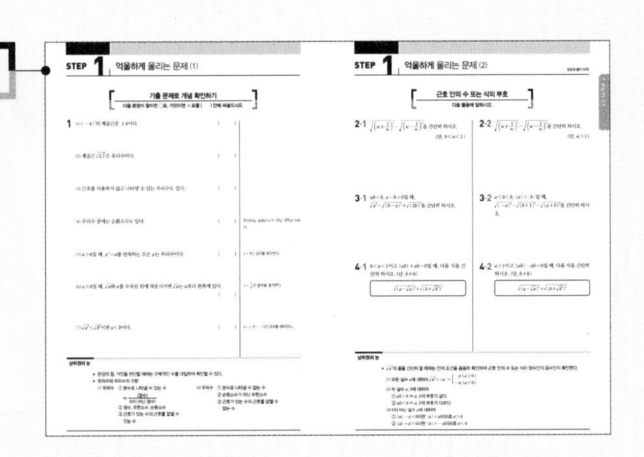

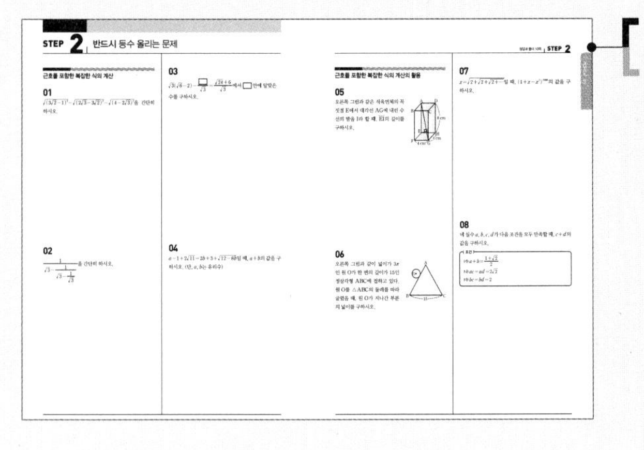

STEP 2 반드시 등수 올리는 문제

상위권 학생을 위한 여러 가지 유형의
변별력 문제를 담았습니다.

STEP 3 전교1등 확실하게 굳히는 문제

종합적 사고력이 필요한 창의 융합 문제 및
서술형 문제를 담았습니다.

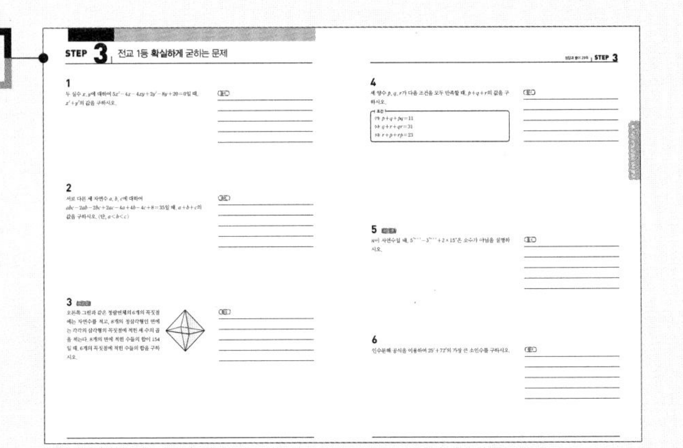

차례 >>

CONTENTS

I

제곱근과 실수

01 제곱근과 실수

❶ 제곱근의 뜻과 표현

(1) 제곱근　어떤 수 x를 제곱하여 a가 될 때, 즉 $x^2=a$일 때, x를 a의 제곱근이라 한다.

① 양수의 제곱근은 양수와 음수의 2개이고, 그 절댓값은 서로 같다.

② 양수나 음수를 제곱하면 항상 양수이므로 음수의 제곱근은 없다.

③ 제곱하여 0이 되는 수는 0뿐이므로 0의 제곱근은 0이다.

(2) 제곱근의 표현　양수 a의 제곱근 중 양수인 것을 양의 제곱근, 음수인 것을 음의 제곱근이라 하고, 기호 $\sqrt{\ }$ 를 사용하여 나타낸다.

① a의 양의 제곱근 : $\sqrt{a}$

② a의 음의 제곱근 : $-\sqrt{a}$

➡ $\sqrt{a}$와 $-\sqrt{a}$를 한꺼번에 $\pm\sqrt{a}$로 나타내기도 한다.

($\sqrt{a}$, $-\sqrt{a}$ —제곱→ a, a —제곱근→ $\sqrt{a}$, $-\sqrt{a}$)

(3) 기호 $\sqrt{\ }$ 를 근호라 하고, $\sqrt{a}$를 '제곱근 a', '루트 a'라 읽는다.

개념+

양수 a에 대하여

(1) a의 제곱근 ➡ 제곱하여 a가 되는 수 ➡ $\pm\sqrt{a}$ (2개)

(2) 제곱근 a ➡ a의 양의 제곱근 ➡ $\sqrt{a}$ (1개)

[확인 ❶]

다음 중 옳은 것은?

① $\sqrt{49}$의 제곱근은 ±7이다.

② 제곱근 $\sqrt{25}$는 $\pm\sqrt{5}$이다.

③ $a<0$일 때, $\sqrt{25a^2}=5a$이다.

④ $(-\sqrt{7})^2$의 제곱근은 $\pm\sqrt{7}$이다.

⑤ $\sqrt{(-6)^2}$은 6의 양의 제곱근이다.

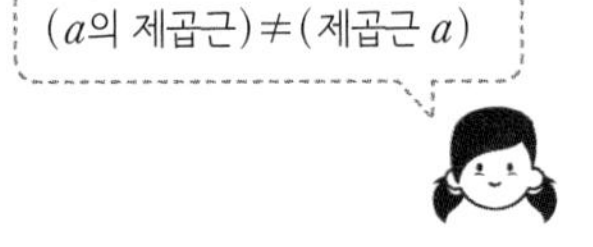

❷ 제곱근의 성질

(1) $a>0$일 때

① $(\sqrt{a})^2=a$, $(-\sqrt{a})^2=a$

② $\sqrt{a^2}=a$, $\sqrt{(-a)^2}=a$

(2) 모든 수 a에 대하여 $\sqrt{a^2}=|a|=\begin{cases} a & (a\geq0) \\ -a & (a<0) \end{cases}$

개념+ $\sqrt{(a-b)^2}$ 꼴의 식 간단히 하기

(1) $a\geq b$이면 $a-b\geq0$이므로 $\sqrt{(a-b)^2}=a-b$

(2) $a<b$이면 $a-b<0$이므로 $\sqrt{(a-b)^2}=-(a-b)$

[확인 ❷]

$a<0<b$일 때, 다음을 간단히 하시오.

$$\sqrt{(a-b)^2}+\sqrt{b^2}-\sqrt{a^2}+\sqrt{(-2b)^2}$$

❸ 제곱근의 대소 관계

$a>0$, $b>0$일 때

(1) $a<b$이면 $\sqrt{a}<\sqrt{b}$

(2) $\sqrt{a}<\sqrt{b}$이면 $a<b$

[확인 ❸]

다음 중 두 수의 대소 관계가 옳지 않은 것은?

① $\sqrt{50}>7$　② $\sqrt{0.8}>\sqrt{\frac{2}{3}}$

③ $\sqrt{0.1}>0.1$　④ $-2>-\sqrt{6}$

⑤ $-\sqrt{\frac{1}{7}}>-\frac{1}{3}$

❹ 무리수와 실수

(1) 무리수 　유리수가 아닌 수, 즉 순환소수가 아닌 무한소수로 나타내는 수

(2) 실수 　유리수와 무리수를 통틀어 실수라 한다.

(3) 실수의 분류

- 실수
  - 유리수
    - 정수
      - 양의 정수(자연수) : $1, 2, 3, \cdots$
      - 0
      - 음의 정수 : $-1, -2, -3, \cdots$
    - 정수가 아닌 유리수 : $\frac{1}{2}, -\frac{2}{3}, 0.\dot{5}, \cdots$
  - 무리수(순환소수가 아닌 무한소수) : $\sqrt{2}, \pi, -\sqrt{3}, \cdots$

참고 (1) 유리수 : 분수 $\frac{a}{b}$(a, b는 정수, $b \neq 0$)의 꼴로 나타낼 수 있는 수

(2) 소수의 분류

- 소수
  - 유한소수 ┐ 유리수
  - 무한소수
    - 순환소수 ┘
    - 순환소수가 아닌 무한소수 — 무리수

[확인 ❹]

다음 보기 중 무리수는 모두 몇 개인지 구하시오.

보기

3.14, $-\sqrt{\frac{49}{36}}$, $\sqrt{0.\dot{3}}$, $2-\sqrt{5}$

제곱근 $\frac{9}{25}$, $\sqrt{(-2)^2}$, $\sqrt{\frac{\pi^2}{4}}$

❺ 실수와 수직선

(1) 서로 다른 두 실수 사이에는 무수히 많은 실수가 있다.

(2) 수직선은 실수에 대응하는 점으로 완전히 메울 수 있다.

(3) 한 실수는 수직선 위의 한 점에 대응하고, 수직선 위의 한 점은 한 실수에 대응한다.

참고 $\sqrt{2}$, $-\sqrt{2}$를 각각 수직선 위에 나타내기

① 오른쪽 그림과 같이 한 눈금의 길이가 1인 모눈종이 위에 $\angle B=90°$, $\overline{AB}=\overline{OB}=1$인 직각삼각형 AOB를 그린다.

② 직각삼각형 AOB의 빗변의 길이를 구한다.
➡ $\overline{OA}=\sqrt{1^2+1^2}=\sqrt{2}$

③ 원점 O를 중심으로 하고 $\overline{OA}$를 반지름으로 하는 원을 그려 원과 수직선이 만나는 두 점을 각각 P, Q라 하면 두 점 P, Q에 대응하는 수는 각각 $-\sqrt{2}$, $\sqrt{2}$이다.

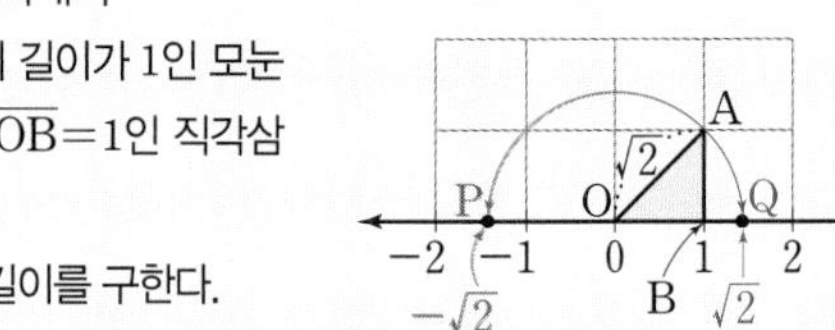

[확인 ❺]

다음 그림은 한 눈금의 길이가 1인 모눈종이 위에 정사각형 ABCD와 수직선을 그린 것이다. $\overline{AB}=\overline{AP}$, $\overline{AD}=\overline{AQ}$일 때, 두 점 P, Q에 대응하는 수를 각각 a, b라 하자. 이때 $a-b$의 값을 구하시오.

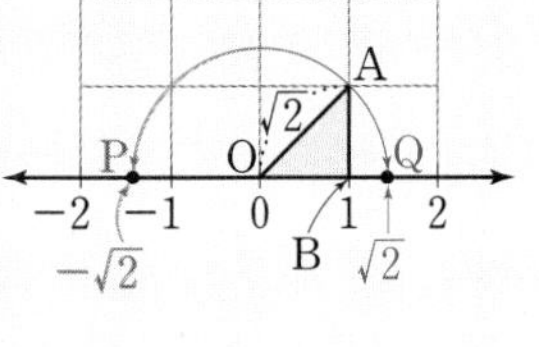

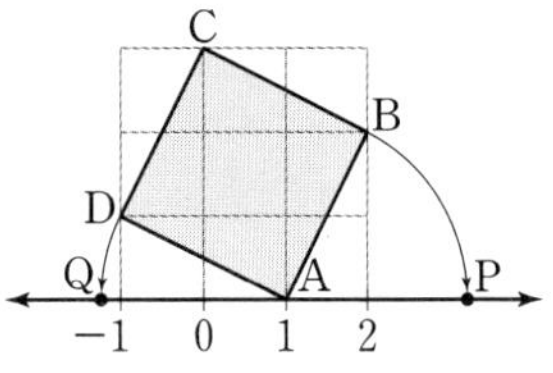

❻ 실수의 대소 관계

두 실수 a, b에 대하여

(1) $a-b>0$이면 $a>b$

(2) $a-b=0$이면 $a=b$

(3) $a-b<0$이면 $a<b$

개념+

$a>0$, $b>0$일 때

(1) $a^2-b^2>0$이면 $a>b$

(2) $a^2-b^2=0$이면 $a=b$

(3) $a^2-b^2<0$이면 $a<b$

[확인 ❻]

두 수 -5, $-3-\sqrt{5}$의 대소 관계를 부등호를 사용하여 나타내시오.

STEP 1 억울하게 울리는 문제 (1)

기출 문제로 개념 확인하기

다음 문장이 참이면 ○표, 거짓이면 ×표를 (   ) 안에 써넣으시오.

1 (1) $(-4)^2$의 제곱근은 ± 4이다. (   )

(2) 제곱근 $\sqrt{2.\dot{7}}$은 유리수이다. (   )

(3) 근호를 사용하지 않고 나타낼 수 있는 무리수도 있다. (   )

(4) 무리수 중에는 순환소수도 있다. (   )

무리수는 순환소수가 아닌 무한소수이다.

(5) $a>0$일 때, $x^2=a$를 만족하는 모든 x는 무리수이다. (   )

$a=4$인 경우를 생각한다.

(6) $a>0$일 때, $\sqrt{a}$와 a를 수직선 위에 대응시키면 $\sqrt{a}$는 a보다 왼쪽에 있다. (   )

$a=\frac{1}{4}$인 경우를 생각한다.

(7) $\sqrt{a^2}<\sqrt{b^2}$이면 $a<b$이다. (   )

$a=2$, $b=-3$인 경우를 생각한다.

상위권의 눈

▶ 문장의 참, 거짓을 판단할 때에는 구체적인 수를 대입하여 확인할 수 있다.

▶ 유리수와 무리수의 구분

(1) 유리수
① 분수로 나타낼 수 있는 수 ➡ $\frac{(\text{정수})}{(0\text{이 아닌 정수})}$
② 정수, 유한소수, 순환소수
③ 근호가 있는 수의 근호를 없앨 수 있는 수

(2) 무리수
① 분수로 나타낼 수 없는 수
② 순환소수가 아닌 무한소수
③ 근호가 있는 수의 근호를 없앨 수 없는 수

STEP 1 억울하게 울리는 문제 (2)

정답과 풀이 02쪽

근호 안의 수 또는 식의 부호

다음 물음에 답하시오.

2-1 $\sqrt{\left(n+\frac{1}{n}\right)^2}-\sqrt{\left(n-\frac{1}{n}\right)^2}$을 간단히 하시오. (단, $0<n<1$)

2-2 $\sqrt{\left(n+\frac{1}{n}\right)^2}-\sqrt{\left(n-\frac{1}{n}\right)^2}$을 간단히 하시오. (단, $n>1$)

3-1 $ab<0$, $a-b>0$일 때, $\sqrt{a^2}-\sqrt{(b-a)^2}+\sqrt{(2b)^2}$을 간단히 하시오.

3-2 $a<0<b$, $|a|>|b|$일 때, $\sqrt{(-a)^2}-\sqrt{(b+1)^2}-\sqrt{(a+b)^2}$을 간단히 하시오.

4-1 $0<a<1$이고 $|ab|+ab=0$일 때, 다음 식을 간단히 하시오. (단, $b\neq 0$)

$$\sqrt{(a-\sqrt{a})^2}+\sqrt{(b+\sqrt{b^2})^2}$$

4-2 $a>1$이고 $|ab|-ab=0$일 때, 다음 식을 간단히 하시오. (단, $b\neq 0$)

$$\sqrt{(a-\sqrt{a})^2}+\sqrt{(b+\sqrt{b^2})^2}$$

상위권의 눈

▶ $\sqrt{a^2}$의 꼴을 간단히 할 때에는 먼저 조건을 꼼꼼히 확인하여 근호 안의 수 또는 식이 양수인지 음수인지 확인한다.

(1) 모든 실수 a에 대하여 $\sqrt{a^2}=|a|=\begin{cases} a & (a\geq 0) \\ -a & (a<0) \end{cases}$

(2) 두 실수 a, b에 대하여
① $ab>0$ ➡ a, b의 부호가 같다.
② $ab<0$ ➡ a, b의 부호가 다르다.

(3) 0이 아닌 실수 a에 대하여
① $|a|-a=0$이면 $|a|=a$이므로 $a>0$
② $|a|+a=0$이면 $|a|=-a$이므로 $a<0$

억울하게 울리는 문제 (3)

정답과 풀이 03쪽

제곱근의 응용

다음 물음에 답하시오.

5-1 $\sqrt{45-x}$가 자연수가 되도록 하는 가장 큰 자연수 x의 값을 구하시오.

5-2 $\sqrt{45-x}$가 정수가 되도록 하는 자연수 x의 최댓값을 M, 최솟값을 m이라 할 때, $M+m$의 값을 구하시오.

6-1 자연수 x에 대하여 $\sqrt{x}$ 이하의 자연수의 개수를 $N(x)$라 하자. 예를 들어 $1<\sqrt{3}<2$이므로 $N(3)=1$이다. 이때 다음 식의 값을 구하시오.

$$N(4)+N(5)+N(6)+\cdots+N(15)$$

6-2 자연수 x에 대하여 $\sqrt{x}$보다 작은 자연수의 개수를 $N(x)$라 하자. 예를 들어 $1<\sqrt{3}<2$이므로 $N(3)=1$이다. 이때 다음 식의 값을 구하시오.

$$N(4)+N(5)+N(6)+\cdots+N(15)$$

7-1 두 수 12, 15 사이에 있는 수 중에서 $\sqrt{n}$의 꼴로 나타낼 수 있는 수의 개수를 구하시오. (단, n은 자연수)

7-2 두 수 12, 15 사이에 있는 수 중에서 $\sqrt{n}$의 꼴로 나타낼 수 있는 무리수의 개수를 구하시오. (단, n은 자연수)

상위권의 눈

- $\sqrt{A}$가 정수가 되도록 하는 조건을 구할 때에는 근호 안의 수가 0이 되는 경우도 꼭 따져야 한다.
- 문제의 조건에서 'a 이상 (또는 이하)'이라는 표현이 나오면 a의 값은 포함된다.
  'a보다 작은 (또는 큰)', 'a 미만 (또는 초과)'이라는 표현이 나오면 a의 값은 포함되지 않는다.

STEP 2 반드시 등수 올리는 문제

정답과 풀이 04쪽

제곱근의 뜻과 표현

01

다음 그림과 같은 정사각형 A, B, C의 넓이가 각각 S_1, S_2, S_3일 때, $S_1=1$, $S_2=\frac{1}{3}S_1$, $S_3=\frac{1}{3}S_2$이다. 이때 정사각형 C의 한 변의 길이를 구하시오.

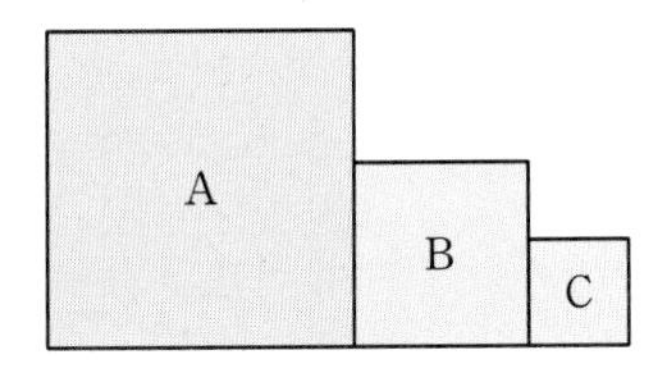

02

다음 그림과 같은 △ABC에서 $\overline{AB}=5$ cm, $\overline{BC}=8$ cm이고 △ABC의 넓이가 16 cm^{2}일 때, $\overline{AC}$의 길이를 구하시오.

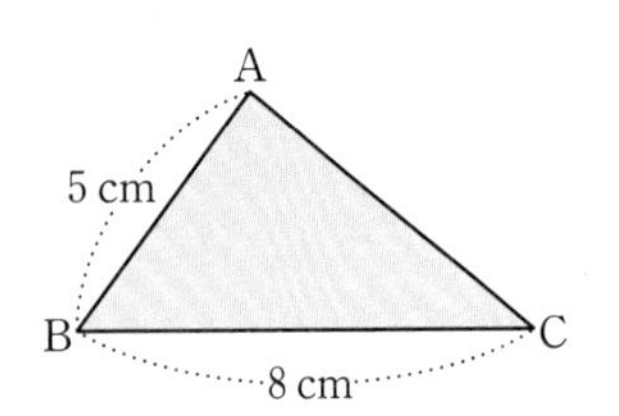

제곱근의 성질

03

$a<0$일 때, 다음 중 옳은 것은?

① $-\sqrt{a^2}=-a$
② $\sqrt{(-a)^2}=a$
③ $-\sqrt{(-a)^2}=a$
④ $(\sqrt{-a})^2=a$
⑤ $(-\sqrt{-a})^2=a$

04

부등식 $5x+6>3(x+4)$를 만족하는 x에 대하여 다음 식을 간단히 하시오.

$$\sqrt{9(x+3)^2}-\sqrt{4x^2}+\sqrt{(3-x)^2}$$

05

다음 등식을 만족하는 자연수 n의 최솟값을 구하시오.
(단, a는 자연수)

$$\sqrt{1}\times\sqrt{2}\times\sqrt{3}\times\cdots\times\sqrt{n-1}\times\sqrt{n}=\sqrt{a}\times10^2$$

06

다음 보기 중 $f(x)=\sqrt{(x-1)^2}-\sqrt{x^2}$에 대한 설명으로 옳은 것을 모두 고르시오.

보기

ㄱ $x\geq1$이면 $f(x)=1$

ㄴ $0\leq x<1$이면 $f(x)=-2x+1$

ㄷ $x<0$이면 $f(x)=1$

ㄹ $f(x)=0$이면 $x=\frac{1}{2}$

07

0이 아닌 세 실수 a, b, c에 대하여 $|a|+a=0$, $|ab|=ab$, $|c|-c=0$일 때, 다음 식을 간단히 하시오.

$$\sqrt{b^2}-\sqrt{(c-b)^2}-|a+b|+|a-c|$$

제곱근의 응용

08

다음은 $\sqrt{78-3n}$이 자연수가 되게 하는 자연수 n의 값을 구하는 과정이다. (가), (나), (다)에 들어갈 수의 합을 구하시오.

자연수 k에 대하여 $\sqrt{78-3n}=k$라 하면
$78-3n=k^2$이므로 $n=\frac{78-k^2}{3}$이다.
이때 n은 자연수이므로 $78-k^2$은 3의 배수이다.
즉 k는 [(가)]의 배수이다.
또 $78-k^2>0$이므로 $k=$[(나)] 또는 $k=6$이다.
따라서 $n=$[(다)] 또는 $n=14$이다.

09

$\sqrt{7^{2030}+7^{2029}n}$이 자연수가 되도록 하는 자연수 n의 값 중 세 번째로 작은 수를 구하시오.

10

연속하는 세 짝수 a, b, c와 자연수 k에 대하여 $\sqrt{2a+b+2c}=k$가 성립한다. $a+b+c\leq 300$일 때, 순서쌍 (a, b, c)를 모두 구하시오. (단, $a<b<c$)

11

200 이하의 자연수 n에 대하여 $\sqrt{n}$, $\sqrt{2n}$, $\sqrt{3n}$, $\sqrt{5n}$이 모두 무리수가 되게 하는 n의 값의 개수를 구하시오.

제곱근의 대소 관계

12

$f(n)=4-(\sqrt{n}$ 이하의 자연수의 개수)라 할 때, 다음 식의 값을 구하시오. (단, n은 자연수)

$$f(7)+f(8)+f(9)+\cdots+f(19)$$

실수와 수직선

13

다음 그림에서 □ABCF, □CDEF는 모두 한 변의 길이가 1인 정사각형이고 $\overline{CA}=\overline{CP}$, $\overline{BE}=\overline{BQ}$이다. 점 P에 대응하는 수가 $2-\sqrt{2}$일 때, 점 Q에 대응하는 수를 a라 하자. 이때 $(a-1)^2$의 값을 구하시오.

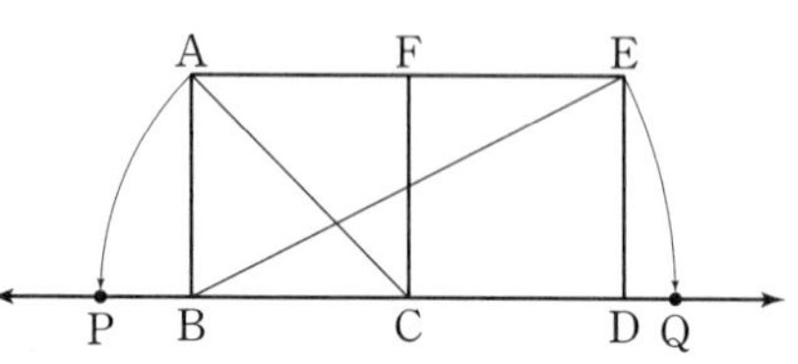

14

오른쪽 그림에서 □ABCD는 한 변의 길이가 1인 정사각형이다. 수직선 위의 세 점 B, C, E에 대응하는 수를 각각 p, q, r라 하고 $\overline{BD}=\overline{BE}$일 때, 다음 보기 중 옳은 것을 모두 고르시오.

보기
㉠ p가 유리수이면 q는 유리수, r는 무리수이다.
㉡ p가 무리수이면 q는 무리수, r는 무리수이다.
㉢ q가 유리수이면 r는 무리수이다.

실수의 대소 관계

15

다음 세 실수의 대소 관계를 부등호를 사용하여 나타내시오.

$A=2\sqrt{5}+1,\quad B=8-\sqrt{5},\quad C=3\sqrt{2}+1$

16

다음 수를 크기가 작은 것부터 차례로 나열할 때, 세 번째에 오는 수를 구하시오.

$1,\quad 4-\sqrt{5},\quad \sqrt{3}-1,\quad 2-\sqrt{3},\quad 1-\sqrt{6}$

STEP 3 전교 1등 확실하게 굳히는 문제

정답과 풀이 07쪽

1 창의력

오른쪽 그림과 같이 모눈종이 위에 가로와 세로의 간격이 각각 1인 점들이 찍혀 있다. 이 점들 중 세 개를 골라 그 점을 꼭짓점으로 하는 직각삼각형을 만들 때, 다음 보기 중 옳은 것을 모두 고르시오.

보기
- ㉠ 세 변의 길이가 모두 유리수인 직각삼각형을 만들 수 있다.
- ㉡ 세 변의 길이가 모두 무리수인 직각삼각형을 만들 수 있다.
- ㉢ 직각삼각형의 넓이는 항상 유리수이다.

풀이

2 융합형

'모든 물체는 무게에 관계없이 똑같이 떨어진다.'라는 주장을 한 갈릴레이 갈릴레오는 피사의 탑에서 낙하 실험을 하였다고 알려져 있으나 이 실험은 실제의 실험이 아니고 갈릴레이의 머릿속에서 이루어진 실험이었다. 진공 상태에서 물체를 가만히 놓아 낙하시킬 때, 처음 높이를 h m, 지면에 떨어지기 직전의 속력을 초속 v m라 하면 h와 v 사이에는 다음과 같은 식이 성립한다.

$$v=\sqrt{2\times 9.8\times h}$$

이때 v가 자연수가 되도록 하는 자연수 h의 값 중 가장 큰 두 자리의 자연수와 그때의 v의 값을 각각 구하시오.

풀이

3

다음 조건을 모두 만족하는 세 자연수 a, b, c의 순서쌍 (a, b, c)를
모두 구하시오.

풀이

| 조건 |
(가) $a=\sqrt{\frac{1125}{b}}$　　　(나) $b=\sqrt{\frac{10125}{c}}$

4

A, B, C 세 사람이 각각 주사위를 한 번씩 던져 나온 눈의 수를 $a, b,$
c라 하자. 이때 $\sqrt{a}-\sqrt{b}+\sqrt{\frac{c}{a+b}}$가 무리수일 확률을 구하시오.

풀이

5

다음 조건을 모두 만족하는 자연수 x의 값을 구하시오.

풀이

조건

(가) $10\sqrt{2}<\sqrt{x}<10\sqrt{5}$

(나) $x+1$과 $\frac{x}{3}+1$은 모두 제곱수이다.

6 서술형

자연수 n에 대하여

$f(n)=$($\sqrt{n}$을 소수점 아래 첫째 자리에서 반올림한 값)

이라 하자. 예를 들어 $1<\sqrt{2}<\frac{3}{2}$이므로 $f(2)=1$이다. 이때 다음 식의 값을 구하시오.

$$f(1)+f(2)+f(3)+\cdots+f(10)$$

풀이

02 근호를 포함한 식의 계산

❶ 제곱근의 곱셈과 나눗셈

(1) 제곱근의 곱셈과 나눗셈　$a>0$, $b>0$이고 m, n이 유리수일 때

① $\sqrt{a}\sqrt{b}=\sqrt{ab}$

② $m\sqrt{a}\times n\sqrt{b}=mn\sqrt{ab}$

③ $\dfrac{\sqrt{a}}{\sqrt{b}}=\sqrt{\dfrac{a}{b}}$

④ $m\sqrt{a}\div n\sqrt{b}=\dfrac{m}{n}\sqrt{\dfrac{a}{b}}$ (단, $n\neq0$)

(2) 근호가 있는 식의 변형　$a>0$, $b>0$일 때

① $\sqrt{a^2b}=a\sqrt{b}$

② $\sqrt{\dfrac{a}{b^2}}=\dfrac{\sqrt{a}}{b}$

(3) 분모의 유리화　분수의 분모에 근호가 있을 때, 분모와 분자에 각각 0이 아닌 같은 수를 곱하여 분모를 유리수로 고치는 것

$a>0$, $b>0$일 때, $\dfrac{\sqrt{a}}{\sqrt{b}}=\dfrac{\sqrt{a}\times\sqrt{b}}{\sqrt{b}\times\sqrt{b}}=\dfrac{\sqrt{ab}}{b}$

개념+

$a<0$, $b>0$일 때

(1) $\sqrt{a^2b}=\sqrt{a^2}\sqrt{b}=-a\sqrt{b}$ ($\because a<0$이므로 $\sqrt{a^2}=-a$)

(2) $\sqrt{\dfrac{b}{a^2}}=\dfrac{\sqrt{b}}{\sqrt{a^2}}=-\dfrac{\sqrt{b}}{a}$ $\left(\because a<0\text{이므로 } \dfrac{1}{\sqrt{a^2}}=-\dfrac{1}{a}\right)$

[확인 ❶]

다음을 간단히 하시오.

(1) $\sqrt{\dfrac{2}{3}}\div\dfrac{\sqrt{5}}{\sqrt{6}}\times\dfrac{\sqrt{15}}{\sqrt{8}}$

(2) $2\sqrt{\dfrac{3}{11}}\times3\sqrt{\dfrac{2}{15}}\div2\sqrt{\dfrac{50}{33}}\times\sqrt{125}$

근호 안의 수를 근호 밖으로 꺼낼 때, 근호 안의 수는 가장 작은 자연수가 되도록 제곱인 인수를 모두 꺼내.

❷ 제곱근의 덧셈과 뺄셈

제곱근의 덧셈과 뺄셈은 다항식의 덧셈과 뺄셈에서 동류항끼리 모아서 계산하듯이 근호 안의 수가 같은 것끼리 모아서 계산한다.

$a>0$이고 m, n이 유리수일 때

(1) $m\sqrt{a}+n\sqrt{a}=(m+n)\sqrt{a}$

(2) $m\sqrt{a}-n\sqrt{a}=(m-n)\sqrt{a}$

개념+ 유리수가 될 조건 & 무리수가 서로 같을 조건

a, b, c, d가 유리수이고 $\sqrt{m}$이 무리수일 때

(1) $a+b\sqrt{m}$이 유리수 ➡ $b=0$

(2) $a+b\sqrt{m}=0$ ➡ $a=0$, $b=0$

(3) $a+b\sqrt{m}=c+d\sqrt{m}$ ➡ $a=c$, $b=d$

[확인 ❷]

다음을 간단히 하시오.

(1) $\sqrt{27}-\dfrac{5}{\sqrt{2}}-\dfrac{3}{\sqrt{3}}+\sqrt{50}$

(2) $\dfrac{\sqrt{18}}{3}-\dfrac{\sqrt{3}}{2\sqrt{6}}+3\sqrt{8}+\dfrac{5}{\sqrt{8}}$

❸ 근호를 포함한 복잡한 식의 계산

(1) 근호가 있는 식의 분배법칙　$a>0, b>0, c>0$일 때

① $\sqrt{a}(\sqrt{b}\pm\sqrt{c})=\sqrt{ab}\pm\sqrt{ac}$

② $(\sqrt{a}\pm\sqrt{b})\sqrt{c}=\sqrt{ac}\pm\sqrt{bc}$

(2) 분모의 유리화　$a>0, b>0, c>0$일 때

$$\frac{\sqrt{b}+\sqrt{c}}{\sqrt{a}}=\frac{(\sqrt{b}+\sqrt{c})\times\sqrt{a}}{\sqrt{a}\times\sqrt{a}}=\frac{\sqrt{ab}+\sqrt{ac}}{a}$$

(3) 근호를 포함한 복잡한 식의 계산

① 괄호가 있으면 분배법칙을 이용하여 괄호를 푼다.

② 나눗셈은 곱셈으로 바꾸어 계산한다. 이때 약분이 되는 것은 약분한다.

③ 근호 안에 제곱인 인수가 있으면 근호 밖으로 꺼낸다.

④ 분수의 분모에 무리수가 있으면 분모를 유리화한다.

⑤ 곱셈, 나눗셈을 먼저 한 후 덧셈, 뺄셈을 한다.

[확인 ❸]
다음을 간단히 하시오.

$$\frac{\sqrt{6}-2}{\sqrt{2}}-(2\sqrt{6}+6)\div\sqrt{3}$$

❹ 제곱근을 어림한 값

a가 제곱근표에 있는 수일 때, 제곱근표에 없는 수의 제곱근을 어림한 값은 제곱근의 성질 $\sqrt{k^2a}=k\sqrt{a}$를 이용하여 구한다.

(1) 근호 안의 수가 100 이상인 수

➡ $\sqrt{100a}=10\sqrt{a}$, $\sqrt{10000a}=100\sqrt{a}$, …의 꼴로 고쳐서 계산한다.

(2) 근호 안의 수가 0과 1 사이의 수

➡ $\sqrt{\frac{a}{100}}=\frac{\sqrt{a}}{10}$, $\sqrt{\frac{a}{10000}}=\frac{\sqrt{a}}{100}$, …의 꼴로 고쳐서 계산한다.

[확인 ❹]
$\sqrt{3}=1.732$, $\sqrt{30}=5.477$일 때, 다음 제곱근을 어림한 값을 구하시오.

(1) $\sqrt{300}$　(2) $\sqrt{0.3}$
(3) $\sqrt{3000}$　(4) $\sqrt{0.0003}$

❺ 무리수의 정수 부분과 소수 부분

무리수 $\sqrt{a}$의 소수 부분을 구하기 위해서는 먼저 $n<\sqrt{a}<n+1$을 만족하는 정수 n을 구한다. $n<\sqrt{a}<n+1$(n은 정수)일 때

(1) $\sqrt{a}$의 정수 부분 ➡ n

(2) $\sqrt{a}$의 소수 부분 ➡ $\sqrt{a}-n$

개념+

- 무리수는 순환소수가 아닌 무한소수이므로 (무리수)=(정수 부분)+(소수 부분)으로 나타낼 수 있다. 이때 (소수 부분)=(무리수)−(정수 부분)이다.
- 무리수의 소수 부분은 항상 0보다 크고 1보다 작다.

[확인 ❺]
$3-\sqrt{3}$의 정수 부분을 a, 소수 부분을 b라 할 때, $a-b$의 값을 구하시오.

STEP 1 억울하게 울리는 문제 (1)

기출 문제로 개념 확인하기

다음 물음에 답하시오.

1 다음 문장에서 알맞은 것을 골라 ◯를 하시오.

(1) 무리수와 유리수의 평균은 (유리수 , 무리수)이다.

(무리수)+(유리수)=(무리수)

(2) 자연수 n이 제곱수이면 $\sqrt{n}$은 (유리수 , 무리수)이다.

(3) n이 자연수이면 $\sqrt{n+1}-\sqrt{n}$은 (유리수 , 무리수)이다.

(4) $y=x+\sqrt{5}$를 만족하는 유리수 x, y는 (존재한다 , 존재하지 않는다).

$y=x+\sqrt{5}$에서 x를 좌변으로 이항한다.

2 다음 문장이 참이면 ○표, 거짓이면 ×표를 ( ) 안에 써넣으시오.

(1) 무리수의 제곱은 항상 유리수이다. ( )

(2) 유리수와 무리수의 곱은 무리수이다. ( )

0은 유리수이다.

(3) a, b가 무리수이면 $a+b$는 무리수이다. ( )

$a=\sqrt{2}$, $b=-\sqrt{2}$인 경우를 생각해 본다.

(4) a, b가 유리수이면 $a+b\sqrt{2}$는 무리수이다. ( )

$a=1$, $b=0$인 경우를 생각해 본다.

상위권의 눈

▶ (1) (유리수)+(유리수)=(유리수)
(2) (유리수)+(무리수)=(무리수)
(3) (무리수)+(무리수)=(무리수 또는 0)
(4) (유리수)×(유리수)=(유리수)
(5) (유리수)×(무리수)=(무리수 또는 0)
(6) (무리수)×(무리수)=(유리수 또는 무리수)

STEP 1 억울하게 울리는 문제 (2)

정답과 풀이 09쪽

근호를 포함한 식의 계산

다음 물음에 답하시오.

3-1 $a=\left(\sqrt{45}-\frac{5}{\sqrt{5}}+5\right)\div\sqrt{5}$,
$b=\sqrt{5}(3+2\sqrt{5})-(8+4\sqrt{5})$일 때, $a+b$의 값을 구하시오.

3-2 $A=\sqrt{18}-\frac{5}{\sqrt{3}}$, $B=\sqrt{3}+\frac{6}{5\sqrt{2}}$일 때,
$\sqrt{3}A+\frac{1}{\sqrt{3}}(3A-5B)$를 간단히 하시오.

4-1 $a>0$, $b>0$이고 $ab=24$일 때,
$a\sqrt{\frac{3b}{a}}+b\sqrt{\frac{a}{3b}}$의 값을 구하시오.

4-2 $a<0$, $b<0$이고 $ab=24$일 때,
$a\sqrt{\frac{3b}{a}}+b\sqrt{\frac{a}{3b}}$의 값을 구하시오.

5-1 $2\sqrt{5}+1$의 소수 부분을 a라 할 때, $(a+4)^2$의 값을 구하시오.

5-2 $4-\sqrt{5}$의 정수 부분을 a, 소수 부분을 b라 할 때, $(\sqrt{10}-\sqrt{5})a-b$의 정수 부분을 구하시오.

상위권의 눈

▶ $a\sqrt{b}$의 계산
(1) $a>0$, $b>0$일 때, $a\sqrt{b}=\sqrt{a^2b}$
(2) $a<0$, $b>0$일 때, $a\sqrt{b}=-\sqrt{a^2b}$

STEP 2 반드시 등수 올리는 문제

근호를 포함한 복잡한 식의 계산

01

$\sqrt{(3\sqrt{2}-1)^2}-\sqrt{(2\sqrt{3}-3\sqrt{2})^2}-\sqrt{(4-2\sqrt{3})^2}$을 간단히 하시오.

02

$\dfrac{1}{\sqrt{3}-\dfrac{1}{\sqrt{3}-\dfrac{1}{\sqrt{3}}}}$을 간단히 하시오.

03

$\sqrt{3}(\sqrt{6}-2)-\dfrac{\square}{\sqrt{3}}=\dfrac{\sqrt{24}+6}{\sqrt{3}}$에서 $\square$ 안에 알맞은 수를 구하시오.

04

$a-1+2\sqrt{11}=2b+3+\sqrt{12-8b}$일 때, $a+b$의 값을 구하시오. (단, a, b는 유리수)

근호를 포함한 복잡한 식의 계산의 활용

05

오른쪽 그림과 같은 직육면체의 꼭짓점 E에서 대각선 AG에 내린 수선의 발을 I라 할 때, $\overline{EI}$의 길이를 구하시오.

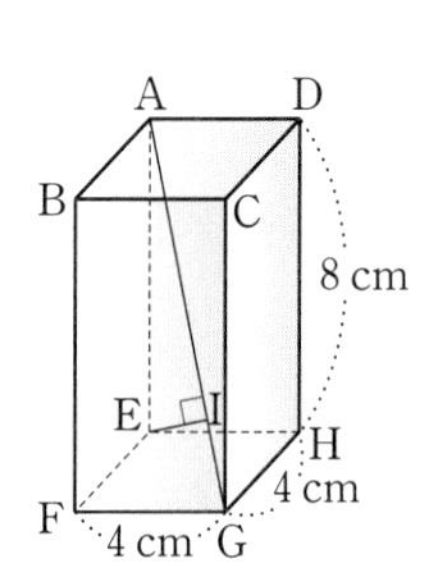

06

오른쪽 그림과 같이 넓이가 3π인 원 O가 한 변의 길이가 15인 정삼각형 ABC에 접하고 있다. 원 O를 △ABC의 둘레를 따라 굴렸을 때, 원 O가 지나간 부분의 넓이를 구하시오.

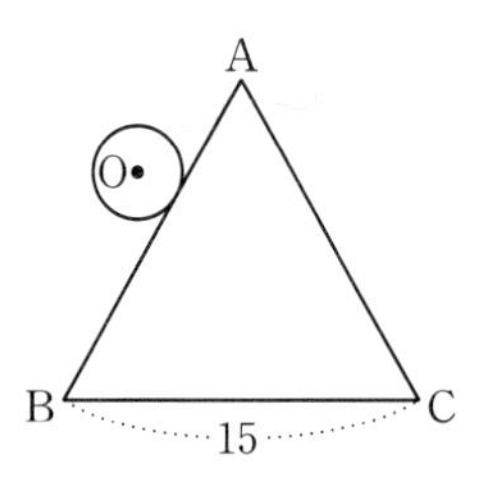

07

$x=\sqrt{2+\sqrt{2+\sqrt{2+\cdots}}}$일 때, $(1+x-x^2)^{2000}$의 값을 구하시오.

08

네 실수 a, b, c, d가 다음 조건을 모두 만족할 때, $c+d$의 값을 구하시오.

조건

(가) $a+b=\dfrac{1+\sqrt{2}}{2}$

(나) $ac=ad=2\sqrt{2}$

(다) $bc=bd=2$

09

두 자연수 x, y에 대하여 $\sqrt{x}+\sqrt{y}=\sqrt{425}$일 때, 다음 중 x의 값으로 알맞지 않은 것은?

① 17　② 68　③ 153
④ 204　⑤ 272

10

연립방정식 $\begin{cases} \sqrt{2}x+\sqrt{5}y=1 \\ \sqrt{5}x-\sqrt{2}y=-1 \end{cases}$의 해가 $x=a$, $y=b$일 때, $\dfrac{a-b}{a+b}$의 값을 구하시오.

제곱근을 어림한 값

11

다음 제곱근표를 이용하여 $\sqrt{0.28}+\dfrac{7}{\sqrt{7}}+\sqrt{4.48}$을 어림한 값을 구하시오.

수	0	1	2	3	4	5
4.0	2.000	2.002	2.005	2.007	2.010	2.012
5.0	2.236	2.238	2.241	2.243	2.245	2.247
6.0	2.449	2.452	2.454	2.456	2.458	2.460
7.0	2.646	2.648	2.650	2.651	2.653	2.655

12

다음 제곱근표를 이용하여 $\sqrt{352}=a$, $\sqrt{b}=0.1908$일 때, $100a+10000b$의 값을 구하시오.

수	0	1	2	3	4
3.5	1.871	1.873	1.876	1.879	1.881
3.6	1.897	1.900	1.903	1.905	1.908
3.7	1.924	1.926	1.929	1.931	1.934
3.8	1.949	1.952	1.954	1.957	1.960

13

$\sqrt{6.86}=2.619$임을 이용하여 $(261.9)^2-1$을 어림한 값을 구하시오.

14

$\sqrt{3}=a$, $\sqrt{30}=b$라 할 때, 다음 중 $\sqrt{0.3}+\sqrt{3.6}$의 값을 a, b를 사용하여 나타낸 것은?

① $\frac{b}{a}+\frac{ab}{5}$ ② $\frac{a}{b}+\frac{ab}{10}$ ③ $\frac{b^2}{a}+\frac{a^2b}{10}$

④ $\frac{a^2}{b}+\frac{ab^2}{10}$ ⑤ $\frac{a^2}{b}+\frac{ab}{5}$

무리수의 정수 부분과 소수 부분

15

$6-3\sqrt{2}$의 정수 부분을 a, 소수 부분을 b라 할 때, $\frac{6}{\sqrt{2}}a+b$의 값을 구하시오.

16

$\sqrt{2021^2+1}$의 소수 부분을 a라 할 때, $(a+2021)^2$을 10으로 나눈 나머지를 구하시오.

17

자연수 n에 대하여 $\sqrt{n}-1$의 정수 부분을 $f(n)$이라 할 때, 다음 물음에 답하시오.

(1) $f(n)=5$인 자연수 n의 개수를 구하시오.

(2) $f(1)+f(2)+f(3)+\cdots+f(40)$의 값을 구하시오.

새로운 기호가 주어진 경우

18

두 유리수 a, b에 대하여 $<a, b>=\sqrt{3}a-2b$라 할 때, $<3a, b>=<2b, -2a>-7$을 만족하는 유리수 a, b의 값을 각각 구하시오.

19

a보다 크지 않은 최대의 정수를 $[a]$라 하자. $x=4-2\sqrt{3}$일 때, $\left[\frac{x-1}{x-[2x]}+\frac{x}{4}\right]$의 값을 구하시오.

20

a보다 작지 않은 최소의 정수를 $<a>$라 하자.
$x_1=\sqrt{3}+<\sqrt{3}>$, $x_{n+1}=x_n-<x_n>$일 때, $x_1+x_2+x_3$의 값을 구하시오. (단, n은 자연수)

STEP 3 전교 1등 확실하게 굳히는 문제

정답과 풀이 14쪽

1

다음 그림과 같이 수직선 위에 정사각형 ABCD가 놓여 있다. □ABCD를 수직선을 따라 오른쪽으로 1회전 시키면 □A′B′C′D′에 위치한다. 점 B에 대응하는 수는 -1, 점 C에 대응하는 수는 1일 때, 점 A가 움직인 거리를 구하시오.

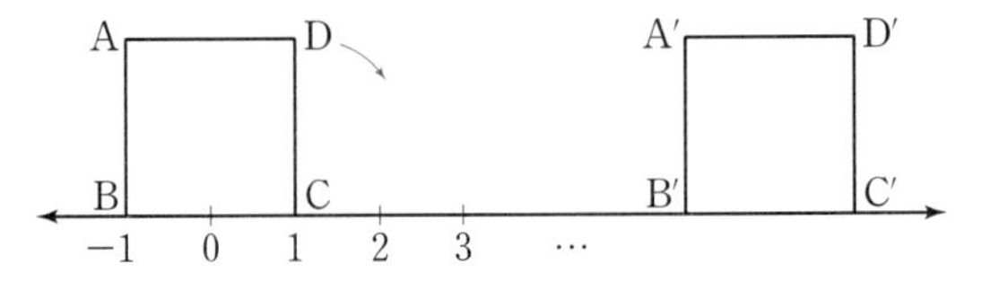

풀이

2 창의+융합

기준점 0으로부터 거리가 $\sqrt{a}$인 점을 a로 나타내는 자가 있다. 예를 들어 눈금 3은 기준점 0으로부터 거리가 $\sqrt{3}$인 점이다. 다음 그림과 같이 3개의 자를 눈금이 일치하도록 붙여 놓았을 때, x의 값을 구하시오.

풀이

3 창의력

다음 [그림 1]과 같이 한 눈금의 길이가 1인 모눈종이 위에 그려진 실선을 따라 자른 후, 자른 조각 5개를 사용하여 [그림 2]와 같이 (그림) 모양의 도형을 만들었다. 이때 이 도형의 둘레의 길이를 구하시오.

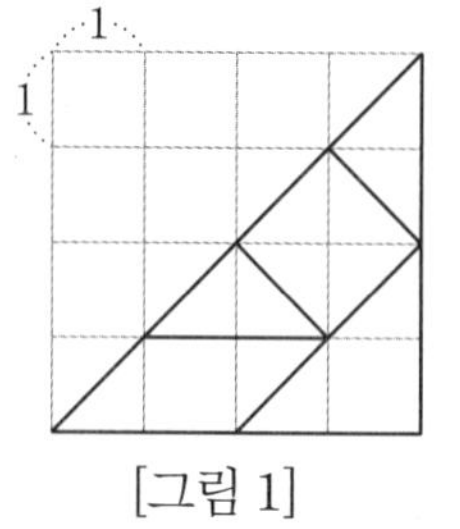

[그림 1]

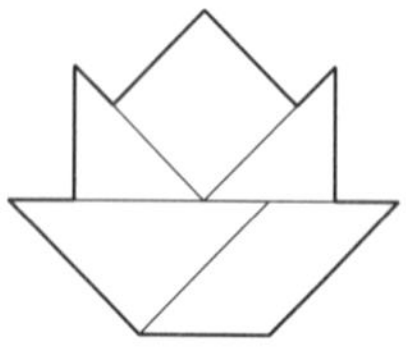

[그림 2]

풀이

4

$\sqrt{y}=\sqrt{3x}-\sqrt{2}$를 만족하는 자연수 x, y의 값 중 가장 작은 x, y의 값을 각각 구하시오.

풀이

5

오른쪽 표는 자연수 x와 x^2의 값을 나타낸 것이다. 이 표를 이용하여 $\sqrt{19}$를 소수로 나타내었을 때, 소수점 아래 둘째 자리의 숫자를 구하시오.

x	x^2
434	188356
435	189225
436	190096
437	190969
438	191844

풀이

6 융합형

우리가 일상생활에서 자주 사용하는 A1 용지, A2 용지, A3 용지, …와 B1 용지, B2 용지, B3 용지, …는 서로 닮았다. 이때 서로 닮은 두 용지 사이의 넓이의 비율은 다음과 같다.

(A1 용지의 넓이) : (A2 용지의 넓이)
=(A2 용지의 넓이) : (A3 용지의 넓이)
=…=2 : 1
(B1 용지의 넓이) : (B2 용지의 넓이)
=(B2 용지의 넓이) : (B3 용지의 넓이)
=…=2 : 1
(A1 용지의 넓이) : (B1 용지의 넓이)
=(A2 용지의 넓이) : (B2 용지의 넓이)
=…=2 : 3

용지를 바꾸어 인쇄할 때는 두 용지 사이의 가로 또는 세로의 비율을 이용하는데 A4 용지를 B5 용지로 바꾸어 인쇄하려면 몇 %로 인쇄해야 하는지 구하시오. (단, $\sqrt{3}=1.732$로 계산한다.)

풀이

7 서술형

다음 조건을 모두 만족하는 모든 x의 값의 합이 12일 때, 자연수 n의 값을 구하시오.

풀이

| 조건 |

(가) nx는 자연수이다.

(나) $\sqrt{nx}$의 정수 부분은 3이다.

8

자연수 n에 대하여 $\sqrt{n}=f(n)+g(n)$이라 할 때, 다음 중 옳은 것은? (단, $f(n)$은 정수이고 $0\leq g(n)<1$)

풀이

① 두 자연수 a, b에 대하여 $a<b$이면 $f(a)<f(b)$이다.

② 두 자연수 a, b에 대하여 $f(a)<f(b)$이면 $a<b$이다.

③ 두 자연수 a, b에 대하여 $f(a)=f(b)$이면 $a=b$이다.

④ 두 자연수 a, b에 대하여 $a<b$이면 $g(a)<g(b)$이다.

⑤ 두 자연수 a, b에 대하여 $g(a)<g(b)$이면 $a<b$이다.

Ⅱ

다항식의 곱셈과 인수분해

01. 다항식의 곱셈

02. 인수분해

01 다항식의 곱셈

❶ 곱셈 공식

(1) 다항식과 다항식의 곱셈

분배법칙을 이용하여 전개한 후 동류항끼리 모아서 간단히 한다.

$$(a+b)(c+d)=\underset{①}{ac}+\underset{②}{ad}+\underset{③}{bc}+\underset{④}{bd}$$

(2) 곱셈 공식

① $(a+b)^2=a^2+2ab+b^2$, $(a-b)^2=a^2-2ab+b^2$

② $(a+b)(a-b)=a^2-b^2$

③ $(x+a)(x+b)=x^2+(a+b)x+ab$

④ $(ax+b)(cx+d)=acx^2+(ad+bc)x+bd$

개념+

• 전개식이 같은 다항식

① $(-a+b)^2=(a-b)^2$, $(-a-b)^2=(a+b)^2$

② $(-a+b)(-a-b)=(a-b)(a+b)$

• 곱셈 공식의 확장

① $(a+b+c)^2=a^2+b^2+c^2+2ab+2bc+2ca$

② $(a+b)^3=a^3+3a^2b+3ab^2+b^3$, $(a-b)^3=a^3-3a^2b+3ab^2-b^3$

③ $(a+b)(a^2-ab+b^2)=a^3+b^3$, $(a-b)(a^2+ab+b^2)=a^3-b^3$

[확인 ❶]

$(x+3)(x^2+bx+9)=x^3+a$일 때, $a+b$의 값을 구하시오. (단, a, b는 상수)

❷ 복잡한 식의 전개

(1) 치환을 이용한 식의 전개

➡ 공통부분을 하나의 문자로 치환하여 전개한다.

(2) (　)(　)(　)(　) 꼴의 전개

➡ 공통부분이 나오도록 두 개씩 적당히 짝을 지어 전개한다.

개념+ 치환을 이용한 식의 전개

① 공통부분을 하나의 문자로 치환하고 곱셈 공식을 이용하여 전개한다.

② 치환한 문자에 원래의 식을 대입하여 간단히 한다.

[확인 ❷]

$(a+3b-4c)(a-3b+4c)$를 전개하시오.

❸ 곱셈 공식을 이용한 분모의 유리화

곱셈 공식 $(a+b)(a-b)=a^2-b^2$을 이용하여 분모를 유리화한다.

$a>0, b>0$일 때,

$$\frac{c}{\sqrt{a}+\sqrt{b}}=\frac{c(\sqrt{a}-\sqrt{b})}{(\sqrt{a}+\sqrt{b})(\sqrt{a}-\sqrt{b})}=\frac{c\sqrt{a}-c\sqrt{b}}{a-b}\ (\text{단}, a\neq b)$$

[확인 ❸]

$\frac{3}{5+2\sqrt{6}}-\frac{2}{5-2\sqrt{6}}$를 간단히 하시오.

❹ 곱셈 공식을 이용한 수의 계산

(1) 수의 제곱의 계산

$(a+b)^2=a^2+2ab+b^2$ 또는 $(a-b)^2=a^2-2ab+b^2$을 이용한다.

(2) 두 수의 곱의 계산

$(a+b)(a-b)=a^2-b^2$ 또는 $(x+a)(x+b)=x^2+(a+b)x+ab$를 이용한다.

(3) 제곱근의 계산

제곱근을 문자로 생각하여 곱셈 공식을 이용한다.

예 $(\sqrt{3}+\sqrt{2})(\sqrt{3}-\sqrt{2})=(\sqrt{3})^2-(\sqrt{2})^2=3-2=1$

개념+ 제곱근의 계산에서 이용하는 곱셈 공식

$a>0, b>0$일 때

① $(\sqrt{a}+\sqrt{b})^2=a+2\sqrt{ab}+b$

② $(\sqrt{a}-\sqrt{b})^2=a-2\sqrt{ab}+b$

③ $(\sqrt{a}+\sqrt{b})(\sqrt{a}-\sqrt{b})=a-b$

[확인 ❹]

곱셈 공식을 이용하여 다음을 계산하시오.

$$(\sqrt{20}+3\sqrt{2})^3(\sqrt{18}-2\sqrt{5})^3$$

❺ 곱셈 공식의 변형

(1) 곱셈 공식의 변형

① $a^2+b^2=(a+b)^2-2ab$ ② $a^2+b^2=(a-b)^2+2ab$

③ $(a+b)^2=(a-b)^2+4ab$ ④ $(a-b)^2=(a+b)^2-4ab$

(2) 두 수의 곱이 1인 식의 변형

① $x^2+\frac{1}{x^2}=\left(x+\frac{1}{x}\right)^2-2$ ② $x^2+\frac{1}{x^2}=\left(x-\frac{1}{x}\right)^2+2$

③ $\left(x+\frac{1}{x}\right)^2=\left(x-\frac{1}{x}\right)^2+4$ ④ $\left(x-\frac{1}{x}\right)^2=\left(x+\frac{1}{x}\right)^2-4$

개념+ 곱셈 공식의 변형의 확장

① $a^2+b^2+c^2=(a+b+c)^2-2(ab+bc+ca)$

② $a^3+b^3=(a+b)^3-3ab(a+b)$, $a^3-b^3=(a-b)^3+3ab(a-b)$

[확인 ❺]

$a+b=-2, ab=-1$일 때, $\frac{b}{a}+\frac{a}{b}$의 값을 구하시오.

STEP 1 억울하게 울리는 문제 (1)

식의 전개

다음 물음에 답하시오.

1-1 $(4x^3-x^2+3x-2)(2x^2-x+k)$의 전개식에서 x^2의 계수가 -3일 때, 상수 k의 값을 구하시오.

1-2 $(x^3+2x^2+3x)(x^2+ax+b)$의 전개식에서 x^3의 계수가 6이고, x^2의 계수가 7일 때, 상수 a, b의 값을 각각 구하시오.

2-1 $(1+3x^2+4x^3)^2$의 전개식에서 모든 항의 계수와 상수항의 총합을 구하시오.

2-2 $(x^2+2x+k)^2$의 전개식에서 상수항을 제외한 모든 항의 계수의 총합이 81일 때, 상수 k의 값을 구하시오.

3-1 $(x+a)(x+b)$를 전개하면 x^2+cx+8일 때, 상수 c의 최댓값을 구하시오. (단 a, b는 정수)

3-2 $(x+a)(x+b)$를 전개하면 $x^2+kx-15$일 때, 다음 중 상수 k의 값으로 알맞지 않은 것은? (단, a, b는 정수)

① -14 ② -2 ③ 1 ④ 2 ⑤ 14

상위권의 눈

▶ 특정한 항의 계수를 구할 때에는 필요한 부분만 전개하여 계수를 구한다.
예 $(x+2y-z)(2x-y+3z)$에서 xy항의 계수는 $-xy+4xy=3xy$에서 3이다.

▶ x에 대한 다항식 $a_0+a_1x+a_2x^2+\cdots+a_nx^n$에서 모든 항의 계수와 상수항의 합 $a_0+a_1+a_2+\cdots+a_n$은 주어진 다항식에 $x=1$을 대입한 값과 같다.

억울하게 울리는 문제 (2)

정답과 풀이 16쪽

곱셈 공식의 활용과 변형

다음 물음에 답하시오.

4-1 $256=a$라 할 때, 다음을 a를 사용하여 나타내면?

$(2+1)(2^2+1)(2^4+1)(2^8+1)(2^{16}+1)-1$

① a^3-2 ② a^3 ③ a^4-2
④ a^4 ⑤ a^5-2

4-2 $(6+1)(6^2+1)(6^4+1)(6^8+1)$을 간단히 하면?

① $\frac{6^8-1}{5}$ ② $\frac{6^{16}-1}{5}$ ③ $6^{16}-1$
④ $6^{16}+1$ ⑤ $4(6^{16}-1)$

5-1 $a-b=3$, $a^2+b^2=17$일 때, a^4+b^4의 값을 구하시오.

5-2 $a-b=4$, $ab=1$일 때, 다음 식의 값을 구하시오.

$(a+4)(b+4)(a-4)(b-4)-32$

6-1 $x^2-5x+1=0$일 때, $x^2+\frac{1}{x^2}$의 값을 구하시오.

6-2 $x^2-3x-1=0$일 때, $x^2-x+\frac{1}{x}+\frac{1}{x^2}$의 값을 구하시오.

상위권의 눈

▶ 곱셈 공식의 변형을 이용하여 주어진 식의 값을 구할 수 있다.
① $a^2+b^2=(a+b)^2-2ab=(a-b)^2+2ab$
② $x^2+\frac{1}{x^2}=\left(x+\frac{1}{x}\right)^2-2=\left(x-\frac{1}{x}\right)^2+2$

▶ $x^2+ax\pm1=0\,(a\neq0)$에서 $x\neq0$이므로 양변을 x로 나누면
$x+a\pm\frac{1}{x}=0 \Rightarrow x\pm\frac{1}{x}=-a$

STEP  반드시 등수 올리는 문제

다항식과 다항식의 곱셈

01

$(3x+Ay-B)(x-Ay+2B)$의 전개식에서 xy의 계수가 -4이고, y의 계수가 6일 때, x의 계수를 구하시오.

(단, A, B는 상수)

02

자연수 a를 6으로 나누면 나머지가 2이고, 자연수 b를 6으로 나누면 나머지가 5이다. 이때 ab를 6으로 나눈 나머지를 구하시오.

03

가로의 길이가 $x+y$, 세로의 길이가 $x-3y+1$, 높이가 2인 직육면체 모양의 상자를 다음 그림과 같은 규칙으로 쌓을 때, 〈5단계〉의 상자 전체의 부피는 $Ax^2+Bxy+Cy^2+Dx+Ey$이다. 이때 $A-B+D$의 값을 구하시오. (단, A, B, C, D, E는 상수)

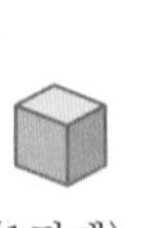
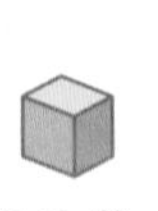
〈1단계〉

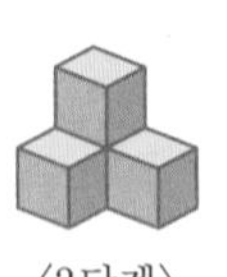
〈2단계〉

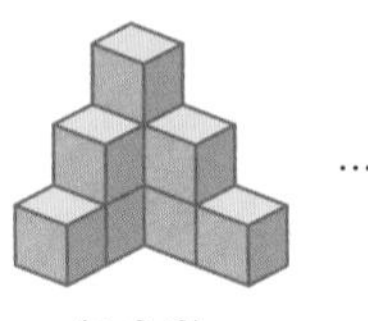
〈3단계〉

…

곱셈 공식

04

$<x, y>=(x-y)^2$으로 나타낼 때, 다음 식을 간단히 하시오.

$$<2a, 3b>-2\times<-a, -2b>$$

05

경아는 $(2x-3)(x-1)$을 전개하는데 -3을 A로 잘못 보아 $2x^2+x+B$로 전개하였고, 준호는 $(x+2)(3x-1)$을 전개하는데 3을 C로 잘못 보아 $2x^2+Dx-2$로 전개하였다. 이때 $A+B+C+D$의 값을 구하시오.

(단, A, B, C, D는 상수)

06

$(x-y)^2=2$일 때, 다음 등식을 만족하는 상수 a, b의 값을 각각 구하시오.

$$(x+y)^2(x^2+y^2)^2(x^4+y^4)^2=a(x^{16}+y^{16})-(xy)^b$$

07

$\sqrt{x}+\frac{1}{\sqrt{x}}=\sqrt{5}$일 때, 다음 식의 값을 구하시오.

(단, $x>0$)

$$(x-6)(x-4)(x+1)(x+3)$$

곱셈 공식을 이용한 수의 계산

08

$\frac{2027\times2033+2039}{2030}$의 값을 구하시오.

09

$A=\frac{32^2-26\times29}{30}$, $B=10003\times9997$일 때,
$A+B=10^m$이다. 이때 자연수 m의 값을 구하시오.

10

$9\times11\times101\times10001\times100000001$이 n자리의 자연수일 때, n의 값을 구하시오.

11

$(\sqrt{2}-2)^2(\sqrt{2}-1)^5(1+\sqrt{2})^7$을 간단히 하시오.

12

$a=3+2\sqrt{2}$, $b=3-2\sqrt{2}$이고 $R_n=\frac{1}{2}(a^n+b^n)$일 때, R_4의 값을 구하시오. (단, n은 자연수)

13

$\frac{1}{\sqrt{4}+\sqrt{2}}+\frac{1}{\sqrt{6}+\sqrt{4}}+\frac{1}{\sqrt{8}+\sqrt{6}}+\cdots+\frac{1}{\sqrt{100}+\sqrt{98}}$을 간단히 하시오.

14

$f(x)=\sqrt{x}+\sqrt{x+1}$일 때, 다음 식의 값을 구하시오.

$$\frac{1}{f(1)}+\frac{1}{f(2)}+\frac{1}{f(3)}+\cdots+\frac{1}{f(15)}$$

곱셈 공식의 변형

15

$x+y=3$, $xy+5=0$일 때, $\frac{y}{x-2}+\frac{x}{y-2}$의 값을 구하시오.

16

$x>0$, $y>0$이고 $x-y=4$, $x^2+y^2=28$일 때, $\frac{\sqrt{x}+\sqrt{y}}{\sqrt{x}-\sqrt{y}}$의 값을 구하시오.

17

$x^2-x-1=0$일 때, $x^{16}+\frac{1}{x^{16}}$의 값의 일의 자리의 숫자를 구하시오.

18

$(x-1):(x+1)=(y+1):(y-1)$, $x^2+y^2=6$일 때, $(x-y)^2$의 값을 구하시오.

19

$a+b=3$, $ab=-1$, $x-y=4$, $xy=2$일 때, $(ax+by)^2+(bx+ay)^2$의 값을 구하시오.

20

$(x+1)^2+(y+2)^2=15$, $x+y=1$일 때, $10(x+1)(y+2)$의 값을 구하시오.

STEP 3 전교 1등 확실하게 굳히는 문제

정답과 풀이 21쪽

1 융합형

오른쪽 그림과 같은 직사각형 ABCD에서 두 점 M, N은 각각 $\overline{AB}$, $\overline{BC}$의 중점이고 $\overline{BF}=\overline{CD}=a$, $\overline{AE}=\overline{CF}=b$이다. 직사각형 ABCD의 내부에 네 점 E, M, N, F를 각각 지나고 직사각형의 각 변과 평행하거나 수직이 되도록 선분을 그었을 때, 색칠한 두 직사각형의 넓이를 각각 S, T라 하자. 이때 $T-S$를 a, b에 대한 식으로 나타내면? (단, $a>2b$)

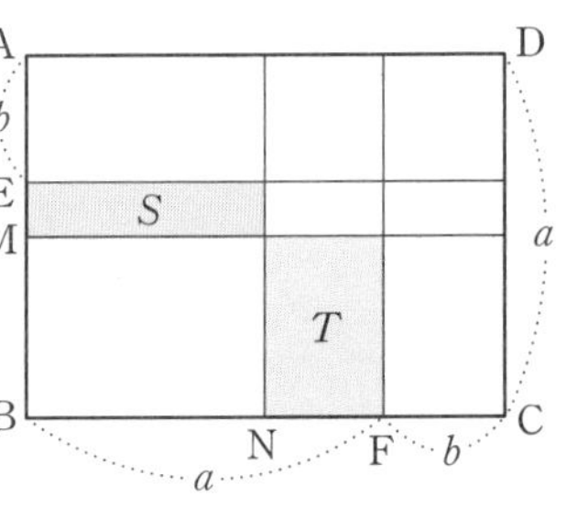

① $\frac{a^2}{2}$ ② a^2 ③ $\frac{b^2}{2}$
④ b^2 ⑤ $\frac{a^2+b^2}{2}$

풀이

2 창의+융합

직육면체 A의 가로의 길이, 세로의 길이, 높이를 각각 2 cm씩 늘여서 새로운 직육면체 B를 만들었다. 직육면체 A의 모든 모서리의 길이의 합이 68 cm이고 직육면체 A의 겉넓이가 172 cm^{2}일 때, 두 직육면체 A, B의 부피의 차를 구하시오.

풀이

3

다음 조건을 만족하는 네 수 a, b, x, y에 대하여 b^2+y^2의 값을 구하시오.

조건

(가) $a^2+b^2-1=0$

(나) $x^2+y^2-1=0$

(다) $a : b=y : x$

풀이

4

$f(x)=1+\frac{1}{2^x}$일 때, 다음 식을 만족하는 두 자연수 m, n에 대하여 $m-n$의 값을 구하시오.

$$f(1)\times f(2)\times f(4)\times f(8)=\frac{2^m-1}{2^n}$$

풀이

5 서술형

$x_1=\sqrt{6}-2$이고 $\frac{1}{x_n}$의 소수 부분을 x_{n+1}이라 할 때, x_{5050}의 값을 구하시오. (단, n은 자연수)

풀이

6 창의력

$x+y=2$, $xy=-1$일 때, 다음 식을 만족하는 자연수 n의 값을 구하시오.

$$\left\{\left(x-\frac{1}{x}\right)^n-\left(y-\frac{1}{y}\right)^n\right\}^2-\left\{\left(x-\frac{1}{x}\right)^n+\left(y-\frac{1}{y}\right)^n\right\}^2=-1024$$

풀이

02 인수분해

❶ 인수분해

(1) 인수　하나의 다항식을 두 개 이상의 다항식의 곱으로 나타낼 때, 각각의 다항식

참고 다항식에서 1과 자기 자신도 그 다항식의 인수이다.

(2) 인수분해　하나의 다항식을 두 개 이상의 인수의 곱으로 나타내는 것

$$x^2+3x+2 \underset{\text{전개}}{\overset{\text{인수분해}}{\rightleftarrows}} (x+1)(x+2)$$

($(x+1)$, $(x+2)$: 인수)

(3) 공통으로 들어 있는 인수를 이용한 인수분해　분배법칙을 이용하여 공통으로 들어 있는 인수로 묶어 인수분해한다. 이때 공통으로 들어 있는 인수가 남지 않도록 모두 묶어낸다.

➡ $ma+mb+mc=m(a+b+c)$

[확인 ❶]

다음 식에 대한 설명 중 옳지 않은 것은?

$$6a^2b+12a^3b^2 \underset{㉡}{\overset{㉠}{\rightleftarrows}} 6a^2b(1+2ab)$$

① ㉠의 과정을 인수분해라 한다.
② ㉡의 과정을 전개라 한다.
③ $6a^2b$는 $6a^2b$와 $12a^3b^2$에 공통으로 들어 있는 인수이다.
④ $1+2ab$는 $6a^2b+12a^3b^2$의 인수이다.
⑤ $6a^2b+12a^3b^2$의 인수는 2개이다.

❷ 인수분해 공식

(1) 인수분해 공식

① $a^2+2ab+b^2=(a+b)^2$
② $a^2-2ab+b^2=(a-b)^2$
③ $a^2-b^2=(a+b)(a-b)$
④ $x^2+(a+b)x+ab=(x+a)(x+b)$
⑤ $acx^2+(ad+bc)x+bd=(ax+b)(cx+d)$

(2) 완전제곱식　다항식의 제곱으로 된 식 또는 이 식에 상수를 곱한 식

(3) 완전제곱식이 되기 위한 조건

① x^2+ax+b가 완전제곱식이 되기 위한 b의 조건

➡ $b=\left(\frac{a}{2}\right)^2$

② x^2+ax+b^2이 완전제곱식이 되기 위한 a의 조건

➡ $a=\pm 2b$

③ x^2의 계수가 1이 아닐 때, 완전제곱식이 되기 위한 조건

➡ $(mx)^2\pm 2\times mx\times n+n^2=(mx\pm n)^2$

개념+ 외워두면 편리한 인수분해 공식(고 1 과정)

(1) $a^2+b^2+c^2+2ab+2bc+2ca=(a+b+c)^2$
(2) $a^3+3a^2b+3ab^2+b^3=(a+b)^3$, $a^3-3a^2b+3ab^2-b^3=(a-b)^3$
(3) $a^3+b^3=(a+b)(a^2-ab+b^2)$, $a^3-b^3=(a-b)(a^2+ab+b^2)$
(4) $a^3+b^3+c^3-3abc=(a+b+c)(a^2+b^2+c^2-ab-bc-ca)$

[확인 ❷]

다음 식을 인수분해하시오.

(1) $2a^2b-6ab^2+4abc$

(2) a^3b-9ab^3

(3) $12x^2-12xy+3y^2$

(4) $6x^2+25xy+14y^2$

인수분해할 때에는 공통으로 들어 있는 인수가 남지 않도록 모두 묶어 낸다.

정답과 풀이 23쪽

❸ 복잡한 식의 인수분해

(1) 치환을 이용하는 경우　공통부분이 있으면 공통부분을 한 문자로 치환하여 인수분해한다.

(2) 항이 4개인 경우

① 공통부분이 생기도록 (2항)+(2항)으로 묶어 인수분해한다.

② a^2-b^2의 꼴이 생기도록 (1항)+(3항) 또는 (3항)+(1항)으로 묶어 인수분해한다.

(3) 항이 5개 이상인 경우

① 문자가 여러 개이고 차수가 다른 경우

➡ 차수가 가장 낮은 한 문자에 대하여 내림차순으로 정리한 후 인수분해한다.

② 문자가 여러 개이고 차수가 같은 경우

➡ 어느 한 문자에 대하여 내림차순으로 정리한 후 인수분해한다.

참고　내림차순으로 정리 : 한 문자에 대하여 차수가 높은 항부터 낮은 항의 순서로 정리하는 것

개념+　(　)(　)(　)(　)+k 꼴의 인수분해

공통부분이 생기도록 일차식을 2개씩 묶어 전개한 후 인수분해한다. 이때 공통부분이 생기려면 두 일차식의 상수항의 합이 같아야 한다.

[확인 ❸]

다음 식을 인수분해하시오.

(1) $(x+2y+1)(x+2y+2)-6$

(2) $2xy-2x-y+1$

(3) $x^2-2x+1-a^2$

(4) $x^2+x+xy-y-2$

치환하여 인수분해한 후 원래의 식을 꼭 대입하여 정리해야 해!

❹ 인수분해 공식의 활용

(1) 수의 계산

인수분해 공식을 이용할 수 있도록 수의 모양을 바꾸어 계산한다.

① 공통으로 들어 있는 인수로 묶어 내기

➡ $ma+mb=m(a+b)$

② 완전제곱식 이용하기

➡ $a^2+2ab+b^2=(a+b)^2$, $a^2-2ab+b^2=(a-b)^2$

③ 제곱의 차 이용하기

➡ $a^2-b^2=(a+b)(a-b)$

(2) 식의 값

주어진 식을 인수분해한 후 주어진 수를 대입하여 식의 값을 구한다.

[확인 ❹]

다음 물음에 답하시오.

(1) $1.9\times5.5+1.9\times4.5$를 계산하시오.

(2) $38^2+4\times38+4$를 계산하시오.

(3) 96^2-4^2을 계산하시오.

(4) $x=1+\sqrt{2}$, $y=1-\sqrt{2}$일 때, $x^2-2xy+y^2$의 값을 구하시오.

STEP 1 억울하게 울리는 문제 (1)

여러 가지 인수분해

다음 식을 인수분해하시오.

1 (1) $(5x-2)(x-4)-2(2-5x)(x-3)$

(2) $x^2+\frac{5}{6}x-1$

> 인수분해하려는 다항식의 계수가 분수이면 $\frac{1}{(\text{분모의 최소공배수})}$로 묶어 인수분해한다.

(3) $(x^2-x-9)(x^2-x+1)+21$

(4) $(a-1)(a-2)(a+3)(a+4)-6$

> $(\quad)(\quad)(\quad)(\quad)+k$ 꼴의 인수분해는 공통부분이 생기도록 일차식을 2개씩 묶어 전개한다.

(5) $2x^2+4xy+2y^2-5x-5y-12$

> 문자가 여러 개이고 차수가 같은 경우에는 어느 한 문자에 대하여 내림차순으로 정리한 후 인수분해한다.

(6) $a(b^2+c^2)+b(c^2+a^2)+c(a^2+b^2)+2abc$

(7) $xyz-xy-xz+x-yz+y+z-1$

STEP 1 억울하게 울리는 문제 (2)

정답과 풀이 23쪽

인수분해 공식의 활용

다음 물음에 답하시오.

2-1 $0<x<1$일 때, 다음을 간단히 하시오.

$$\sqrt{\left(x+\frac{1}{x}\right)^2-4}+\sqrt{(-x)^2}-\sqrt{\left(x-\frac{1}{x}\right)^2+4}$$

2-2 $1<4x<3$일 때, $\sqrt{x^2-\frac{1}{2}x+\frac{1}{16}}+\sqrt{4x^2-6x+\frac{9}{4}}$를 간단히 하시오.

3-1 자연수 $2^{16}-1$이 1과 10 사이의 두 자연수에 의하여 나누어떨어질 때, 이 두 자연수를 구하시오.

3-2 자연수 $5^{16}-1$이 20과 30 사이의 두 자연수에 의하여 나누어떨어질 때, 이 두 자연수를 구하시오.

4-1 $f(x)=1-\frac{1}{x^2}$일 때, $f(2)\times f(3)\times f(4)\times\cdots\times f(100)$의 값을 구하시오.

4-2 $\frac{4}{1^2-3^2}+\frac{6}{2^2-4^2}+\cdots+\frac{2(n+1)}{n^2-(n+2)^2}=-50$일 때, 자연수 n의 값을 구하시오.

상위권의 눈

- 인수분해 공식을 이용할 수 있도록 주어진 수나 식의 모양을 변형한다.
- 지수법칙: m, n이 자연수일 때
  (1) $a^m\times a^n=a^{m+n}$, $(a^m)^n=a^{mn}$
  (2) $(ab)^n=a^nb^n$, $\left(\frac{a}{b}\right)^n=\frac{a^n}{b^n}$ (단, $b\neq0$)
  (3) $a^m\div a^n=\begin{cases} a^{m-n} & (m>n) \\ 1 & (m=n) \\ \frac{1}{a^{n-m}} & (m<n) \end{cases}$ (단, $a\neq0$)

STEP 1 억울하게 울리는 문제 (3)

정답과 풀이 25쪽

인수분해 공식을 이용하여 소수 구하기

다음 물음에 답하시오.

5-1 자연수 n에 대하여 $n^2-4n-21$이 소수일 때, 이 소수를 구하시오.

6-1 $(x+y)^2-2(x+y)-24$가 소수가 되도록 하는 자연수 x, y의 순서쌍 (x, y)를 모두 구하시오.

7-1 $2y^2-5y-18+4xy-5x+2x^2$이 소수가 되도록 하는 자연수 x, y의 순서쌍 (x, y)를 모두 구하시오.

5-2 자연수 n에 대하여 $4n^2-7n-2$가 소수일 때, 이 소수를 구하시오.

6-2 $(x+y)^2-2(x+y)-35$가 소수가 되도록 하는 자연수 x, y의 순서쌍 (x, y)의 개수를 구하시오. (단, $x>y$)

7-2 $x^2+6y^2+5xy-4x-17y-45$가 소수가 되도록 하는 자연수 x, y의 순서쌍 (x, y)의 개수를 구하시오.

상위권의 눈

- 소수는 1보다 큰 자연수 중에서 1과 자기 자신만을 약수로 가지는 수이다.
  따라서 두 수의 곱 AB가 소수가 되려면 $A=1$ 또는 $B=1$이어야 한다.
- 구한 답을 주어진 식에 다시 대입했을 때, 주어진 식이 소수가 되는지 꼭 확인한다.

STEP 2 반드시 등수 올리는 문제

정답과 풀이 26쪽

인수분해

01

$\frac{2}{3}a^2-\square+6b^2$이 완전제곱식이 될 때, $\square$ 안에 알맞은 식을 구하시오.

02

$6x^2+kx-5$를 인수분해하면 $(2x+a)(bx+c)$가 될 때, 가능한 상수 k의 값을 모두 구하시오.

(단, a, b, c는 정수)

03

50개의 이차식 x^2+x-1, x^2+x-2, $\cdots$, x^2+x-50 중에서 x의 계수가 1이고 상수항이 정수인 두 일차식의 곱으로 인수분해되는 이차식의 개수를 구하시오.

04

$8n^3-2n$의 꼴로 나타낼 수 있는 가장 큰 세 자리의 자연수를 구하시오. (단, n는 자연수)

05

n^2-2n+6이 어떤 정수의 제곱이 되도록 하는 정수 n의 값을 모두 구하시오.

복잡한 식의 인수분해

06

삼각형의 세 변의 길이 a, b, c에 대하여 $a^2(b-c)+b^2(c-a)+c^2(a-b)=0$이 성립할 때, 이 삼각형은 어떤 삼각형이 되는지 구하시오.

07

$(4-x^2)(1-y^2)-8xy$를 인수분해하였더니 $(xy+x+ay+b)(xy-x+cy+d)$가 되었다. 이때 $a+b+c+d$의 값을 구하시오. (단, a, b, c, d는 정수)

08

두 개의 주사위 A, B를 동시에 던져서 나온 눈의 수를 각각 x, y라 할 때, $\sqrt{xy-3x-y+3}$이 자연수가 될 확률을 구하시오.

09

$3x^2-xy-2y^2+8x+7y+k$가 모든 항의 계수와 상수항이 정수인 두 일차식의 곱으로 인수분해될 때, 상수 k의 값을 구하시오.

인수분해 공식을 이용한 수의 계산

10

인수분해 공식을 이용하여 다음을 계산하시오.

(1) $\dfrac{2022\times2025^2+2022\times2\times2025\times3+9\times2022}{2025^2-9}$

(2) $\sqrt{291+\dfrac{1}{289}}$

11

$11\times13\times15\times17+16=N^2$을 만족하는 자연수 N의 값을 구하시오.

12

5개의 연속하는 자연수 a, b, c, d, e가 있다. $e^2-a^2=128$일 때, d^2-b^2의 값을 구하시오. (단, $a<b<c<d<e$)

13

다음과 같이 96을 두 자연수의 제곱의 차로 나타내는 방법은 4가지이다. 이때 225를 두 자연수의 제곱의 차로 나타내는 방법은 모두 몇 가지인지 구하시오.

[방법 1] $96=2^5\times3=2^4\times(2\times3)=16\times6$
$=(11+5)(11-5)=11^2-5^2$

[방법 2] $96=2^5\times3=2^3\times(2^2\times3)=8\times12$
$=(10-2)(10+2)=10^2-2^2$

[방법 3] $96=2^5\times3=2^2\times(2^3\times3)=4\times24$
$=(14-10)(14+10)=14^2-10^2$

[방법 4] $96=2^5\times3=2\times(2^4\times3)=2\times48$
$=(25-23)(25+23)=25^2-23^2$

인수분해 공식을 이용하여 식의 값 구하기

14

$a+b=\sqrt{7}$이고 $a^2-b^2+4b-4=12$일 때, $a-b$의 값을 구하시오.

15

$x=\frac{1}{\sqrt{3}-2}$, $y=\frac{1}{\sqrt{3}+2}$일 때, 다음 식의 값을 구하시오.

$$x^3-x^2y-xy^2+y^3$$

16

$x=2-\sqrt{7}$, $y=3\sqrt{7}-4$일 때, 다음 식의 값을 구하시오.

$$\frac{3x^2+y^2+4xy+6x+2y}{x+y+2}$$

17

$x=3+\sqrt{10}$, $y=3-\sqrt{10}$일 때, $(x^{2n}+y^{2n})^2-(x^{2n}-y^{2n})^2$의 값을 구하시오.

(단, n은 자연수)

18

$x^2+y^2=60$, $xy=10$일 때, $\dfrac{\sqrt{4x^2y^2-8xy^3+4y^4}}{4y}$의 값을 구하시오. (단, $x>y>0$)

인수분해 공식의 도형에의 활용

19

다음 그림과 같이 한 변의 길이가 각각 a, b인 두 정사각형이 붙어 있다. $\overline{AC}$의 중점을 D라 할 때, $\overline{AD}$, $\overline{DB}$를 각각 한 변으로 하는 정사각형의 넓이를 S_1, S_2라 하자. 이때 S_1-S_2를 a, b에 대한 식으로 나타내면? (단, $a>b>0$)

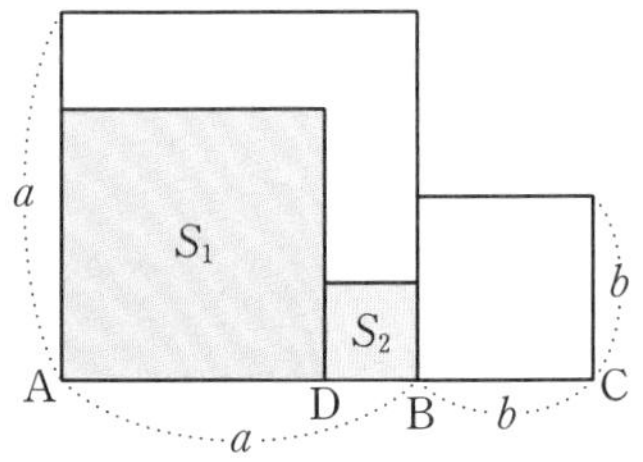

① $a-b$ ② $a+b$ ③ ab
④ a^2-b^2 ⑤ a^2+b^2

20

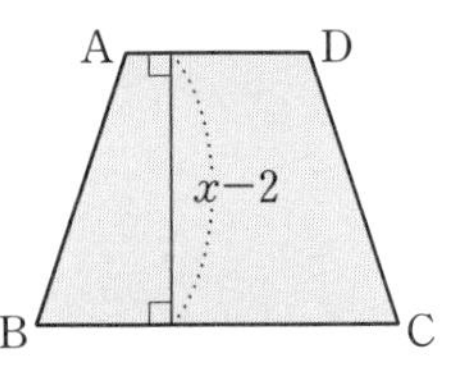

오른쪽 그림과 같은 사다리꼴 ABCD의 높이는 $x-2$이고 윗변과 아랫변의 길이의 차는 6이다. 사다리꼴 ABCD의 넓이가 $2x^2+7x-22$일 때, 윗변의 길이는? (단, 아랫변의 길이가 윗변의 길이보다 길다.)

① $x+5$ ② $x+8$ ③ $2x+5$
④ $2x+8$ ⑤ $2x+14$

21

오른쪽 그림과 같이 4개의 직사각형의 넓이를 차례대로 S_1, S_2, S_3, S_4라 하자. S_1, S_2, S_3, S_4가 다음 조건을 모두 만족할 때, S_3+S_4의 값을 구하시오. (단, $x\neq y$)

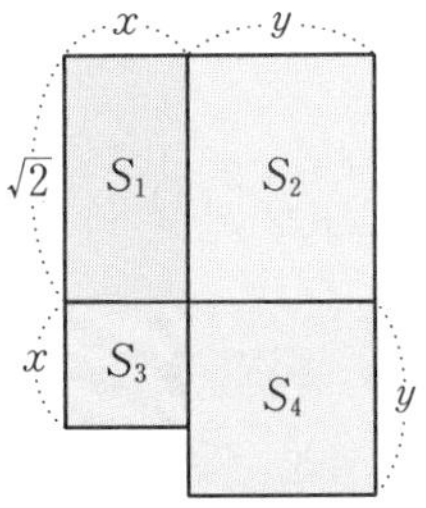

조건

(가) $S_1+S_4=\sqrt{3}$
(나) $S_2+S_3=\sqrt{3}$

STEP 3 전교 1등 확실하게 굳히는 문제

1

두 실수 x, y에 대하여 $5x^2-4x-4xy+2y^2-8y+20=0$일 때, x^2+y^2의 값을 구하시오.

풀이

2

서로 다른 세 자연수 a, b, c에 대하여
$abc-2ab-2bc+2ac-4a+4b-4c+8=35$일 때, $a+b+c$의 값을 구하시오. (단, $a<b<c$)

풀이

3 융합형

오른쪽 그림과 같은 정팔면체의 6개의 꼭짓점에는 자연수를 적고, 8개의 정삼각형인 면에는 각각의 삼각형의 꼭짓점에 적힌 세 수의 곱을 적는다. 8개의 면에 적힌 수들의 합이 154일 때, 6개의 꼭짓점에 적힌 수들의 합을 구하시오.

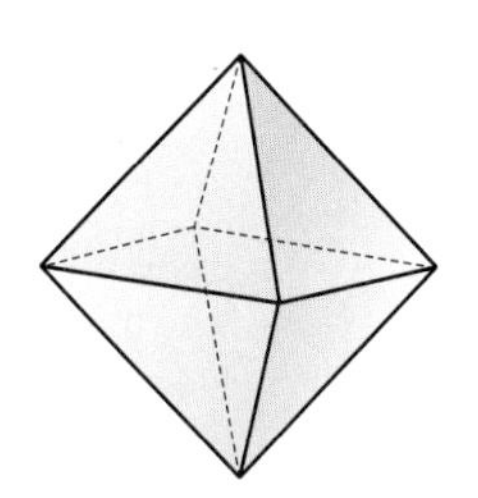

풀이

4

세 양수 p, q, r가 다음 조건을 모두 만족할 때, $p+q+r$의 값을 구하시오.

조건

(가) $p+q+pq=11$

(나) $q+r+qr=31$

(다) $r+p+rp=23$

풀이

5 서술형

n이 자연수일 때, $5^{2n+1}-3^{2n+1}+2\times 15^{n}$은 소수가 아님을 설명하시오.

풀이

6

인수분해 공식을 이용하여 $25^{2}+72^{2}$의 가장 큰 소인수를 구하시오.

풀이

7

다음을 만족하는 자연수 n의 값을 구하시오.

$$\frac{3^4}{9^4-1}+\frac{3^8}{9^8-1}+\frac{3^{16}}{9^{16}-1}+\cdots+\frac{3^{128}}{9^{128}-1}=\frac{1}{n}-\frac{1}{9^{128}-1}$$

풀이

8 창의력

다음 그림과 같이 크기가 다른 직사각형 모양의 색종이 A, B, C가 각각 5장, 11장, 8장 있다.

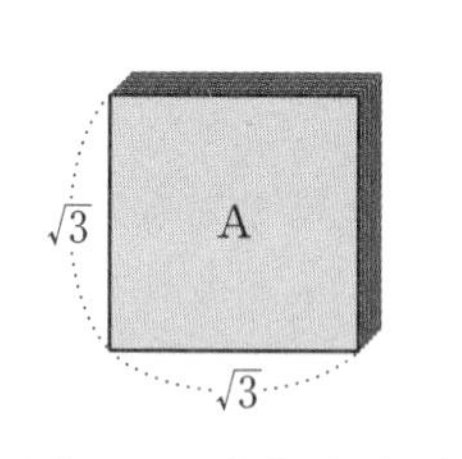

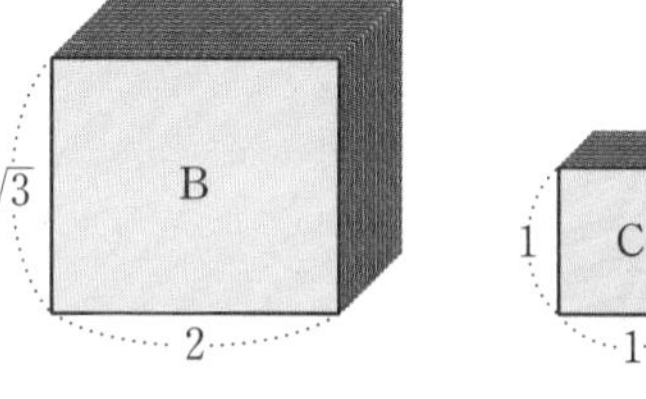

이들을 모두 사용하여 겹치지 않게 빈틈없이 이어 붙여서 하나의 직사각형을 만들었다. 이 직사각형의 둘레의 길이가 $a+b\sqrt{3}$일 때, $a+b$의 값을 구하시오. (단, a, b는 자연수)

풀이

III

이차방정식

01 이차방정식의 풀이

❶ 이차방정식

(1) x에 대한 이차방정식　등식에서 우변에 있는 모든 항을 좌변으로 이항하여 정리한 식이 (x에 대한 이차식)$=0$의 꼴로 나타나는 방정식

$$ax^2+bx+c=0\ (\text{단, } a, b, c\text{는 상수, } a\neq 0)$$

(2) 이차방정식의 해(근)　x에 대한 이차방정식 $ax^2+bx+c=0$(단, $a\neq 0$)을 참이 되게 하는 x의 값

참고　x에 대한 이차방정식에서 미지수 x에 대한 특별한 조건이 없을 때에는 x의 값의 범위를 실수 전체로 생각한다.

(3) 이차방정식을 푼다　이차방정식의 해를 모두 구하는 것

개념+　이차방정식이 되기 위한 조건

등식 $ax^2+bx+c=0$이 x에 대한 이차방정식이 되려면 $a\neq 0$이어야 한다.
이때 b나 c는 0이어도 된다.

[확인 ❶]
다음 보기 중 이차방정식인 것을 모두 고르시오.

| 보기 |
㉠ $x^2-5=3x-x^2$
㉡ $2x^2+4=3x+2x^2$
㉢ $(x-1)(x+3)=-x^2+x$
㉣ $x(x^2-2x)=x^2-2x$

❷ 인수분해를 이용한 이차방정식의 풀이

(1) $AB=0$의 성질　두 수 또는 두 식 A, B에 대하여 다음이 성립한다.

$$AB=0\text{이면 } A=0 \text{ 또는 } B=0$$

개념+

두 수 또는 두 식 A, B에 대하여 $AB=0$이면 다음 세 가지 중 하나가 성립한다.
(1) $A=0$이고 $B=0$
(2) $A=0$이고 $B\neq 0$
(3) $A\neq 0$이고 $B=0$
위의 (1)~(3) 중 어느 하나가 성립한다는 의미로 $A=0$ 또는 $B=0$이라 한다.

(2) 인수분해를 이용한 이차방정식의 풀이
① 주어진 이차방정식을 (x에 대한 이차식)$=0$의 꼴로 정리한다.
② 좌변을 인수분해한다. ➡ $a(x-\alpha)(x-\beta)=0$
③ $AB=0$이면 $A=0$ 또는 $B=0$임을 이용하여 해를 구한다.
➡ $x-\alpha=0$ 또는 $x-\beta=0$　　$\therefore x=\alpha$ 또는 $x=\beta$

[확인 ❷]
다음 이차방정식의 한 근이 -2일 때, 상수 a의 값을 구하시오.

$$(a-1)x^2+a(a+8)x+18=0$$

이차방정식의 x에 -2를 대입해 봐.

정답과 풀이 32쪽

❸ 이차방정식의 중근

(1) 이차방정식의 중근　이차방정식의 두 해가 중복일 때, 이 해를 주어진 이차방정식의 중근이라 한다.

(2) 이차방정식이 중근을 가질 조건

① (완전제곱식)$=0$의 꼴로 나타낼 수 있는 이차방정식은 중근을 갖는다.

② 이차방정식 $x^2+ax+b=0$이 중근을 가질 조건

➡ $b=\left(\frac{a}{2}\right)^2$

개념+ 이차방정식 $ax^2+bx+c=0$(단, $a\neq0$)이 중근을 가질 조건

이차방정식의 양변을 a로 나누면 $x^2+\frac{b}{a}x+\frac{c}{a}=0$

위의 식이 중근을 가지려면 $\frac{c}{a}=\left(\frac{b}{2a}\right)^2$

$\therefore b^2-4ac=0$

[확인 ❸]
다음 이차방정식이 중근을 가질 때, 상수 k의 값을 모두 구하시오.

$$x^2-2(k+2)x+2k+7=0$$

❹ 제곱근을 이용한 이차방정식의 풀이

(1) 이차방정식 $x^2=k(k\geq0)$의 해

➡ $x=\pm\sqrt{k}$

(2) 이차방정식 $(x+p)^2=q(q\geq0)$의 해

➡ $x=-p\pm\sqrt{q}$

개념+

이차방정식 $(x+p)^2=q$에서

(1) $q>0$이면 $x=-p\pm\sqrt{q}$

(2) $q=0$이면 $x=-p$

(3) $q<0$이면 해는 없다.

따라서 이차방정식 $(x+p)^2=q$가 해를 가지려면 $q\geq0$이어야 한다.

[확인 ❹]
이차방정식 $(x+3)^2=\frac{k-1}{2}$이 해를 갖도록 하는 상수 k의 값의 범위를 구하시오.

❺ 완전제곱식을 이용한 이차방정식의 풀이

이차방정식 $ax^2+bx+c=0$(단, $a\neq0$)의 좌변이 인수분해가 되지 않을 때는 $(x+p)^2=q$의 꼴로 바꾸어 제곱근을 이용하여 푼다.

(1) x^2의 계수로 양변을 나누어 x^2의 계수를 1로 만든다.

(2) 상수항을 우변으로 이항한다.

(3) 양변에 $\left\{\frac{(x\text{의 계수})}{2}\right\}^2$을 더한다.

(4) 좌변을 완전제곱식으로 바꾼다.

(5) 제곱근을 이용하여 해를 구한다.

[확인 ❺]
이차방정식 $2x^2-12x+a=0$을 완전제곱식을 이용하여 풀었더니 해가 $x=\frac{6\pm\sqrt{22}}{2}$일 때, 유리수 a의 값을 구하시오.

STEP 1 억울하게 울리는 문제 (1)

기출 문제로 개념 확인하기

다음 물음에 답하시오.

1 다음 문장에서 알맞은 것을 골라 ◯를 하시오.

(1) 방정식 $(a^2-4a)x^2+ax-1=5x^2+x$가 x에 대한 이차방정식이 되도록 하는 상수 a의 조건은 $a\neq-1$ (이고 , 또는) $a\neq5$이다.

> 두 수 또는 두 식 A, B에 대하여 $AB\neq0$이면 $A\neq0$이고 $B\neq0$

(2) x에 대한 이차방정식 $ax^2+bx+c=0$(a, b, c는 상수, $a\neq0$)은 $b^2-4ac=0$일 때, 중근을 (갖는다 , 갖지 않는다).

(3) 이차방정식 $ax^2+p=0$(a, p는 상수, $a\neq0$)에서 $ap>0$이면 해가 (있다 , 없다).

> $ap>0$이면 $\frac{p}{a}>0$

(4) 이차방정식 $x^2-3x-1=0$의 한 근이 m이면 $m^{1000}-3m^{999}-m^{998}+1$의 값은 (1 , 2)이다.

> $x=m$을 $x^2-3x-1=0$에 대입하면 $m^2-3m-1=0$

2 다음 문장이 참이면 ○표, 거짓이면 ×표를 ( ) 안에 써넣으시오.

(1) $ax^2+bx+c=0$(a, b, c는 상수)의 꼴로 나타나는 방정식을 x에 대한 이차방정식이라 한다. ( )

> x에 대한 이차방정식이 되려면 우변에 있는 모든 항을 좌변으로 이항하여 정리한 식에서 x^2항은 반드시 있어야 한다.

(2) 이차방정식 $x^2=k$(k는 상수)의 해는 $x=\pm\sqrt{k}$이다. ( )

> $k<0$이면 이차방정식 $x^2=k$의 해는 없다.

(3) 이차방정식 $(x+p)^2=q$(p, q는 상수)에서 $q\leq0$이면 해가 없다. ( )

(4) 이차방정식 $(x+p)^2=q$(p, q는 상수)에서 $q>0$이면 서로 다른 두 근이 존재한다. ( )

STEP 1 억울하게 울리는 문제 (2)

정답과 풀이 32쪽

이차방정식의 해

다음 물음에 답하시오.

3-1 이차방정식 $x^2-5x+1=0$의 한 근이 p일 때, $3p^2-15p+2$의 값을 구하시오.

3-2 이차방정식 $x^2+4x-1=0$의 한 근이 p일 때, $\frac{1}{2}p^2+2p-\frac{5}{2}$의 값을 구하시오.

4-1 이차방정식 $x^2-8x+10=0$의 두 근이 m, n일 때, $(m^2-8m+9)(n^2-8n+1)$의 값을 구하시오.

4-2 이차방정식 $3x^2+4x-5=0$의 두 근이 α, β일 때, $(3\alpha^2+4\alpha-7)(9-8\beta-6\beta^2)$의 값을 구하시오.

5-1 이차방정식 $x^2-6x+1=0$의 한 근을 α라 할 때, $\alpha^2+\frac{1}{\alpha^2}$의 값을 구하시오.

5-2 이차방정식 $x^2-6x+2=0$의 한 근을 α라 할 때, $\alpha^2+\frac{4}{\alpha^2}$의 값을 구하시오.

상위권의 눈

▶ 이차방정식 $x^2+kx+1=0$(k는 상수)의 한 근이 α일 때, 식의 값 구하기

(1) $x=\alpha$를 주어진 이차방정식에 대입하면 $\alpha^2+k\alpha+1=0$ ➡ $\alpha^2+k\alpha=-1$

(2) $\alpha^2+k\alpha+1=0$의 양변을 α로 나누면 $\alpha+k+\frac{1}{\alpha}=0$ ➡ $\alpha+\frac{1}{\alpha}=-k$

▶ 두 수의 곱이 1인 식의 변형

(1) $x^2+\frac{1}{x^2}=\left(x+\frac{1}{x}\right)^2-2=\left(x-\frac{1}{x}\right)^2+2$

(2) $\left(x+\frac{1}{x}\right)^2=\left(x-\frac{1}{x}\right)^2+4$, $\left(x-\frac{1}{x}\right)^2=\left(x+\frac{1}{x}\right)^2-4$

STEP 1 억울하게 울리는 문제 (3)

정답과 풀이 33쪽

이차방정식이 중근을 가질 조건

다음 물음에 답하시오.

6-1 이차방정식 $x^2+(m+3)x+3m=0$이 중근을 갖도록 하는 상수 m의 값을 구하시오.

6-2 이차방정식 $x^2-6x+m=0$이 중근을 가질 때, 이차방정식 $3x^2-(2m-1)x+24=0$을 푸시오.
(단, m은 상수)

7-1 이차방정식 $2x^2-4x+k=0$이 중근을 가질 때, 이차방정식 $(k-1)x^2+3x-4=0$을 푸시오.
(단, k는 상수)

7-2 이차방정식 $4x^2+(k-1)x+k+4=0$이 중근 m을 가질 때, $k+2m$의 값을 구하시오.
(단, $k<0$)

8-1 이차방정식 $mx^2-12x+m+5=0$이 중근을 갖도록 하는 상수 m의 값을 모두 구하시오.
(단, $m\neq0$)

8-2 이차방정식 $m(x^2-x)=3(x^2-x)-2$가 중근을 갖도록 하는 상수 m의 값을 구하시오.
(단, $m\neq3$)

상위권의 눈

▶ 이차방정식 $x^2+ax+b=0$이 중근을 가질 조건 ➡ $b=\left(\frac{a}{2}\right)^2$

▶ 이차방정식의 이차항의 계수가 1이 아닐 때에는 양변을 이차항의 계수로 나누어 이차항의 계수를 1로 만든다.
즉 이차방정식 $ax^2+bx+c=0$이 중근을 갖는다. ➡ 이차방정식 $x^2+\frac{b}{a}x+\frac{c}{a}=0$이 중근을 갖는다.
➡ $\frac{c}{a}=\left(\frac{b}{2a}\right)^2$, 즉 $b^2-4ac=0$

STEP 2 반드시 등수 올리는 문제

정답과 풀이 34쪽

이차방정식의 해

01

이차방정식 $x^2-2x-5=0$의 한 근을 α, 이차방정식 $2x^2-3x-3=0$의 한 근을 β라 할 때, $3\alpha^2-4\beta^2-6\alpha+6\beta$의 값을 구하시오.

02

이차방정식 $2x^2-(3k-1)x-2=0$의 한 근을 α라 할 때, $\alpha-\frac{1}{\alpha}=k$이다. 이때 상수 k의 값을 구하시오.

03

이차방정식 $x^2-4x+1=0$의 한 근이 a일 때, $(a-1)^2+\frac{8}{a^2+1}$의 값을 구하시오.

04

이차방정식 $x^2-5x+1=0$의 한 근을 a라 할 때, $a^5-7a^4+11a^3-a^2-5a-4$의 값을 구하시오.

05

m, n이 10보다 작은 자연수이고 이차방정식 $x^2-2mx+3n=0$의 한 근이 $m-\sqrt{n}$일 때, 순서쌍 (m, n)의 개수를 구하시오.

인수분해를 이용한 이차방정식의 풀이

06

이차방정식 $x^2-3ax+8=0$의 한 근이 2이고 다른 한 근은 이차방정식 $x^2+(b-3)x-2b=0$의 근일 때, $a+b$의 값을 구하시오. (단, a, b는 상수)

07

x에 대한 이차방정식 $x^2+(a-2)x-2a=0$의 두 근 사이에 있는 정수가 3개가 되도록 하는 정수 a의 값을 모두 구하시오.

08

이차방정식 $ax^2+\frac{5}{3}bx-5a+3b=0$의 한 근이 -1일 때, 다른 한 근을 구하시오. (단, a, b는 상수)

09

x에 대한 이차방정식
$(2-a)x^2+(a^2+3a-1)x+(a+1)=0$의 x^2의 계수와 상수항을 서로 바꾸어 풀었더니 이차방정식의 한 근이 1이었다. 이때 처음 이차방정식의 해를 구하시오.
(단, a는 상수)

10

두 실수 a, b에 대하여 $a◎b=a-b+ab$라 할 때, 방정식 $(x+1)◎(x-3)=x-1$의 두 근 α, β에 대하여 다음 식의 값을 구하시오. (단, $\alpha>\beta$)

$$\alpha-3\beta+(\alpha-3\beta)^2+(\alpha-3\beta)^3+\cdots+(\alpha-3\beta)^{2029}$$

11

$f(x)=x^2+5x$에 대하여 $F(a, b)=2f(a)-f(b)$라 할 때, $F(k-1, k+1)=6$을 만족하는 양수 k의 값을 구하시오.

12

$\langle x\rangle$는 자연수 x의 약수의 개수를 나타낼 때,
$\langle x\rangle^2+3\langle x\rangle-10=0$을 만족하는 모든 자연수 x의 값의 합을 구하시오. (단, x는 10 이하의 자연수)

13

다음 세 이차방정식은 각각 서로 다른 두 개의 근을 갖는다. 세 이차방정식의 공통인 근이 양수일 때, $2a+b$의 값을 구하시오. (단, a, b는 상수)

(가) $x^2-(1+a)x+a=0$
(나) $x^2-2(a-3b)x-12ab=0$
(다) $x^2-(b-3)x-3b=0$

이차방정식의 중근

14

이차방정식 $9x^2+(3-5k)x+4=0$이 중근 $x=m$을 가질 때, $5k-3m$의 값을 구하시오. (단, $k<0$)

15

두 이차방정식 $2x^2+mx-m=0$, $mnx^2+nx+1=0$이 모두 중근을 가질 때, $m-n$의 값을 구하시오. (단, m, n은 상수)

16

이차방정식 $x^2+px+16q=0$이 중근을 가질 때, p의 값이 최대가 되도록 q의 값을 정하려고 한다. 이때 두 상수 p, q의 값을 각각 구하시오. (단, p, q는 두 자리의 자연수)

17

x에 대한 이차방정식 $bx^2+(a+c)x+\frac{ac}{b}=0$이 중근을 가질 때, $\overline{AB}=c$, $\overline{BC}=a$, $\overline{CA}=b$인 $\triangle ABC$는 어떤 삼각형인지 구하시오.

완전제곱식을 이용한 이차방정식의 풀이

18

x에 대한 이차방정식 $x^2-n^2-2n-1=0$의 두 근을 a_n, b_n이라 할 때, $\frac{1}{a_2}-\frac{1}{b_{11}}$의 값을 구하시오.

(단, n은 자연수이고 $a_n<b_n$)

19

이차방정식 $(2x-5)^2=24k$의 해가 유리수가 되도록 하는 두 자리의 자연수 k의 값을 모두 구하시오.

20

두 실수 a, b에 대하여 $a\diamond b=ab-a-b^2$이라 할 때, 방정식 $(x+4)\diamond(2x-1)=-11$을 완전제곱식을 이용하여 푸시오.

STEP 3 전교 1등 확실하게 굳히는 문제

1

이차방정식 $x^2-4x+1=0$의 한 근을 $\frac{a-b}{a+b}$라 할 때, $\frac{a^2}{b^2}$의 값을 구하시오.

풀이

2 서술형

이차방정식 $ax^2+3ax+b=0$의 한 근을 α, 이차방정식 $bx^2+3ax+a=0$의 한 근을 β라 할 때, $\alpha \neq \frac{1}{\beta}$이다. 이때 $\alpha^2+\frac{2\alpha}{\beta}+\frac{1}{\beta^2}$의 값을 구하시오. (단, a, b는 상수이고 $ab<0$)

풀이

3 창의력

이차방정식 $(2029x)^2-2028\times2030x-1=0$의 두 근 중 큰 근을 m이라 하고, 이차방정식 $x^2+2028x-2029=0$의 두 근 중 작은 근을 n이라 할 때, $m-n$의 값을 구하시오.

풀이

4

$f(x)=x^2-2x-1$에 대하여 방정식
$\{f(x)\}^2+f(x)-2=2x^2-4x-2$의 모든 근의 합을 구하시오.

풀이

5

$f(x)=\frac{1}{\sqrt{x+1}+\sqrt{x}}$에 대하여
$p=f(1)+f(2)+f(3)+\cdots+f(80)$이라 할 때, p는 x에 대한 이차방정식 $(a-1)x^2-(a^2-1)x+8(a-1)=0$의 한 근이다. 이 이차방정식의 다른 한 근을 q라 할 때, $p+q+a$의 값을 구하시오.
(단, a는 상수)

풀이

6

다음은 $\sqrt{676}$의 값을 구하는 과정이다.

풀이

> $676=(10a+b)^2$(a, b는 한 자리의 자연수)이라 하면
> $676=100a^2+20ab+b^2$에서
> b^2의 일의 자리의 숫자는 6이어야 하므로
> $b=4$ 또는 $b=6$
> (i) $b=4$일 때,
> $676=100a^2+80a+16$
> $100a^2+80a-660=0$, $5a^2+4a-33=0$
> $(a+3)(5a-11)=0$ $\quad\therefore a=-3$ 또는 $a=\frac{11}{5}$
> 이때 a는 한 자리의 자연수이어야 하므로 조건에 맞지 않다.
> (ii) $b=6$일 때,
> $676=100a^2+120a+36$
> $100a^2+120a-640=0$, $5a^2+6a-32=0$
> $(a-2)(5a+16)=0$ $\quad\therefore a=2$ 또는 $a=-\frac{16}{5}$
> 이때 a는 한 자리의 자연수이어야 하므로 $a=2$
> (i), (ii)에서 $a=2$, $b=6$이므로 $\sqrt{676}=\sqrt{26^2}=26$

위와 같은 방법으로 $\sqrt{4489}$의 값을 구하시오.

7

n이 정수일 때, $n\le x<n+1$이면 $[x]=n$이라 하자. 방정식
$\left[x-\frac{1}{2}\right]^2-4\left[x+\frac{1}{2}\right]-1=0$을 만족하는 x의 값의 범위를 구하시오.

풀이

8 융합형

1부터 40까지의 숫자가 하나씩 적힌 공이 들어 있는 주머니가 있다. 이 주머니에서 2개의 공을 차례로 꺼내어 처음에 나온 공에 적힌 수를 a, 두 번째에 나온 공에 적힌 수를 b라 하자. 이때 이차방정식 $x^2+ax+b=0$이 중근을 갖게 될 확률을 구하시오.

(단, 꺼낸 공은 다시 넣지 않는다.)

풀이

9

이차방정식 $x^2+\frac{1}{2}mx+n=0$이 중근을 가질 때, x에 대한 이차방정식 $(17n-m^2)x^2+8nx+m^2=0$의 해를 a라 하자. 이때 가능한 $a+m+n$의 값을 모두 구하시오. (단, m, n은 한 자리의 자연수)

풀이

02 이차방정식의 활용

❶ 이차방정식의 근의 공식

(1) 근의 공식

이차방정식 $ax^2+bx+c=0$(단, $a\neq0$)의 해는 다음과 같다.

$$x=\frac{-b\pm\sqrt{b^2-4ac}}{2a}\ (\text{단, } b^2-4ac\geq0)$$

(2) 일차항의 계수가 짝수일 때의 근의 공식(짝수 공식)

이차방정식 $ax^2+2b'x+c=0$(단, $a\neq0$)의 해는 다음과 같다.

$$x=\frac{-b'\pm\sqrt{b'^2-ac}}{a}\ (\text{단, } b'^2-ac\geq0)$$

[확인 ❶]
다음 이차방정식을 푸시오.

(1) $3x^2-5x+1=0$

(2) $2x^2-8x+5=0$

❷ 복잡한 이차방정식의 풀이

(1) 괄호가 있는 이차방정식

➡ 괄호를 풀어 전개하고 $ax^2+bx+c=0$의 꼴로 정리한 후 푼다.

(2) 계수가 소수인 이차방정식

➡ 양변에 10의 거듭제곱을 곱하여 계수를 정수로 바꾼 후 푼다.

(3) 계수가 분수인 이차방정식

➡ 양변에 분모의 최소공배수를 곱하여 계수를 정수로 바꾼 후 푼다.

(4) 공통부분이 있는 이차방정식

➡ 공통부분을 치환하여 푼다.

[확인 ❷]
다음 이차방정식을 푸시오.

(1) $0.2x^2+x-0.5=0$

(2) $\frac{1}{3}x^2+\frac{1}{2}x-1=0$

(3) $0.3(x-2)^2=0.4(x-1)(x+3)$

(4) $(x+1)^2-2(x+1)-24=0$

❸ 이차방정식의 근의 개수

이차방정식 $ax^2+bx+c=0$의 근의 개수는 b^2-4ac의 값의 부호에 따라 결정된다.

(1) $b^2-4ac>0$ ➡ 서로 다른 두 근을 갖는다.(근이 2개)

(2) $b^2-4ac=0$ ➡ 한 근(중근)을 갖는다.(근이 1개)

(3) $b^2-4ac<0$ ➡ 근이 없다.(근이 0개)

개념+ 이차방정식의 판별식

이차방정식 $ax^2+bx+c=0$의 근의 공식 $x=\frac{-b\pm\sqrt{b^2-4ac}}{2a}$에서 근호 안의 수 b^2-4ac를 이차방정식의 판별식이라 하고 보통 D로 나타낸다. 이때 일차항의 계수가 짝수인 이차방정식 $ax^2+2b'x+c=0$에서는 D 대신 $\frac{D}{4}=b'^2-ac$를 이용하면 편리하다.

[확인 ❸]
x에 대한 이차방정식 $x^2-(2m-1)x+m^2-1=0$이 근을 가질 때, 상수 m의 값의 범위를 구하시오.

❹ 이차방정식의 근과 계수의 관계

이차방정식 $ax^2+bx+c=0$의 두 근을 α, β라 할 때

(1) 두 근의 합　$\alpha+\beta=-\dfrac{b}{a}$

(2) 두 근의 곱　$\alpha\beta=\dfrac{c}{a}$

개념+

이차방정식 $ax^2+bx+c=0$ $(a\neq0)$에서 $x=\dfrac{-b\pm\sqrt{b^2-4ac}}{2a}$이므로

(1) (두 근의 합)$=\dfrac{-b+\sqrt{b^2-4ac}}{2a}+\dfrac{-b-\sqrt{b^2-4ac}}{2a}$

$=\dfrac{-2b}{2a}=-\dfrac{b}{a}$

(2) (두 근의 곱)$=\dfrac{-b+\sqrt{b^2-4ac}}{2a}\times\dfrac{-b-\sqrt{b^2-4ac}}{2a}$

$=\dfrac{b^2-(b^2-4ac)}{4a^2}=\dfrac{4ac}{4a^2}=\dfrac{c}{a}$

[확인 ❹]

이차방정식 $2x^2-4x-3=0$의 두 근을 α, β라 할 때, 다음 식의 값을 구하시오.

(1) $\alpha^2+\beta^2$

(2) $(2\alpha-1)(2\beta-1)$

❺ 이차방정식 구하기

(1) 이차방정식 구하기

① 두 근이 α, β이고 x^2의 계수가 a인 이차방정식

➡ $a(x-\alpha)(x-\beta)=0$, 즉 $a\{x^2-(\alpha+\beta)x+\alpha\beta\}=0$ (→ $\alpha+\beta$: 두 근의 합, $\alpha\beta$: 두 근의 곱)

② 중근이 α이고 x^2의 계수가 a인 이차방정식

➡ $a(x-\alpha)^2=0$

③ 두 근의 합이 m, 두 근의 곱이 n이고 x^2의 계수가 a인 이차방정식

➡ $a(x^2-mx+n)=0$

(2) 계수가 유리수인 이차방정식의 근

a, b, c가 유리수일 때, 이차방정식 $ax^2+bx+c=0$(단, $a\neq0$)의 한 근이 $p+q\sqrt{m}$이면 다른 한 근은 $p-q\sqrt{m}$이다.

(단, p, q는 유리수, $\sqrt{m}$은 무리수)

[확인 ❺]

다음 물음에 답하시오.

(1) 이차방정식 $x^2-3x-2=0$의 두 근을 α, β라 할 때, $\alpha+\beta$, $\alpha\beta$를 두 근으로 하고 x^2의 계수가 1인 이차방정식을 구하시오.

(2) 이차방정식 $4x^2+ax+b=0$이 중근 -3을 가질 때, $a+b$의 값을 구하시오.

(단, a, b는 상수)

❻ 이차방정식의 활용

이차방정식의 활용 문제를 푸는 순서는 다음과 같다.

(1) 미지수 정하기　문제의 뜻을 이해하고, 구하려고 하는 것을 미지수 x로 놓는다.

(2) 방정식 세우기　x에 대한 이차방정식을 세운다.

(3) 방정식 풀기　이차방정식을 풀어 해를 구한다.

(4) 답 정하기　구한 해 중에서 문제의 뜻에 맞는 것을 답으로 정한다.

참고　이차방정식을 세워 해를 구하는 이차방정식의 활용 문제에서 두 근 중 문제의 상황에 맞지 않는 근이 있는지 반드시 확인한다.

[확인 ❻]

n각형의 대각선이 54개일 때, n의 값을 구하시오.

STEP 1 억울하게 울리는 문제 (1)

복잡한 이차방정식의 풀이

다음 이차방정식을 푸시오.

1 (1) $0.04x^2+0.25=0.01x+0.3$

양변에 10의 거듭제곱을 곱하여 계수를 정수로 바꾼다.

(2) $\frac{3}{4}x^2-\frac{2}{3}x+\frac{1}{12}=0$

양변에 분모의 최소공배수 12를 곱하여 계수를 정수로 바꾼다.

(3) $\frac{(x-1)^2}{2}=\frac{x(x-5)}{3}+\frac{7}{6}$

(4) $\frac{x(3x-2)}{10}=0.2(x-1)(2x+3)$

(5) $\frac{7}{10}(x+2)(x-2)=0.3(x+4)^2-0.8(x+5)+\frac{6}{5}$

(6) $(x-99)^2+8(x-99)-20=0$

$x-99=A$로 놓는다.

(7) $x^2=\sqrt{x^2}+2$

$x\geq 0$일 때와 $x<0$일 때로 나누어 생각한다.

(8) $x^2+|3x-2|=2$

$3x-2\geq 0$일 때와 $3x-2<0$일 때로 나누어 생각한다.

STEP 1 억울하게 울리는 문제 (2)

정답과 풀이 40쪽

이차방정식 구하기

다음 물음에 답하시오.

2-1 이차방정식 $2x^2+3x-1=0$의 두 근을 α, β라 할 때, $\alpha+\beta$, $\alpha\beta$를 두 근으로 하고 x^2의 계수가 4인 이차방정식을 구하시오.

2-2 $\alpha+\beta=3$, $\alpha^2+\beta^2=10$일 때, α, β를 두 근으로 하고 x^2의 계수가 2인 이차방정식을 구하시오.

3-1 이차방정식 $x^2-x-1=0$의 두 근을 α, β라 할 때, $\alpha+1$, $\beta+1$을 두 근으로 하고 x^2의 계수가 1인 이차방정식은 $x^2+ax+b=0$이다. 이때 $a-b$의 값을 구하시오. (단, a, b는 상수)

3-2 이차방정식 $x^2+ax+b=0$의 두 근을 α, β라 할 때, $\alpha+1$, $\beta+1$을 두 근으로 하고 x^2의 계수가 1인 이차방정식은 $x^2-6x+1=0$이다. 이때 두 상수 a, b의 값을 각각 구하시오.

4-1 이차방정식 $x^2+ax+b=0$의 한 근이 $2-\sqrt{3}$일 때, a^2+b^2의 값을 구하시오. (단, a, b는 유리수)

4-2 이차방정식 $x^2+2ax+b=0$의 한 근이 $\sqrt{3}+1$일 때, ab의 값을 구하시오. (단, a, b는 유리수)

상위권의 눈

- 두 근이 α, β이고 x^2의 계수가 a인 이차방정식
  ➡ $a(x-\alpha)(x-\beta)=0$, 즉 $a\{x^2-(\alpha+\beta)x+\alpha\beta\}=0$
- 두 근의 합이 m, 두 근의 곱이 n이고 x^2의 계수가 a인 이차방정식
  ➡ $a(x^2-mx+n)=0$
- a, b, c가 유리수일 때, 이차방정식 $ax^2+bx+c=0$(단, $a\neq0$)의 한 근이 $p+q\sqrt{m}$이면 다른 한 근은 $p-q\sqrt{m}$이다.
  (단, p, q는 유리수, $\sqrt{m}$은 무리수)

STEP 2 반드시 등수 올리는 문제

이차방정식의 근의 공식과 풀이

01

이차방정식 $\frac{5x-x^2}{4}+\frac{1-x}{2}=\frac{5}{12}x$의 해가 $x=\frac{A\pm\sqrt{B}}{3}$일 때, $A+B$의 값을 구하시오. (단, A, B는 유리수)

02

이차방정식 $(x-1)(x+3)=\frac{1}{2}(x-2)^2$의 두 근 중에서 작은 근을 a라 할 때, $n<a<n+1$을 만족하는 정수 n의 값을 구하시오.

03

이차방정식 $2x^2-5x+a-1=0$의 해가 모두 유리수가 되도록 하는 자연수 a의 개수를 구하시오.

04

$x<y$이고 $(x-y)(3+y-x)=-3$일 때, $x-y$의 값을 구하시오.

05

두 양수 x, y에 대하여 $(x+2y-4)(x+2y+1)=36$, $2x-y=1$이 성립할 때, x, y의 값을 각각 구하시오.

06

x에 대한 이차식 $f(x)$가 다음 조건을 모두 만족할 때, $f(k)=6k-1$을 만족하는 k의 값을 모두 구하시오.

| 조건 |

(가) $f(0)=-5$

(나) $f(2x+1)-12x-11=f(2x)$

07

방정식 $(x-1)(x-3)(x+2)(x+4)+24=0$의 해를 구하시오.

이차방정식의 근의 개수

08

이차방정식 $kx^2+(2k+1)x+k=0$이 근을 가질 때, 정수 k의 최솟값을 구하시오.

09

이차방정식 $x^2+ax+b=0$이 서로 다른 두 근을 가질 때, 이차방정식 $x^2+(a-2c)x+b-ac=0$의 근의 개수를 구하시오. (단, a, b, c는 상수)

이차방정식의 근과 계수의 관계

10
이차방정식 $x^2-3x-2k+1=0$의 두 근을 α, β라 할 때, $\alpha^2+\beta^2=\frac{25}{4}$이다. 이때 상수 k의 값을 구하시오.

11
이차방정식 $x^2+(k+2)x+60=0$의 두 근의 비가 $3:5$일 때, 음수 k의 값을 구하시오.

12
이차방정식 $x^2+ax-18=0$의 두 근이 모두 정수일 때, 이를 만족하는 정수 a의 값의 개수를 구하시오.

13
이차방정식 $x^2-3x+1=0$의 두 근을 α, β라 할 때, 다음 식의 값을 구하시오.

$$\left(\frac{1}{\sqrt{\alpha}}-\frac{1}{\sqrt{\beta}}\right)^2+\left(\frac{1}{\sqrt{\alpha}}-\frac{1}{\sqrt{\beta}}\right)^4+\left(\frac{1}{\sqrt{\alpha}}-\frac{1}{\sqrt{\beta}}\right)^6+\cdots+\left(\frac{1}{\sqrt{\alpha}}-\frac{1}{\sqrt{\beta}}\right)^{20}$$

14
이차방정식 $x^2-x+p=0$의 두 근이 α, β이고 이차방정식 $x^2-qx-1=0$의 두 근이 $\alpha+\frac{1}{\beta}$, $\beta+\frac{1}{\alpha}$일 때, $p+q$의 값을 구하시오. (단, p, q는 상수)

15
x에 대한 이차방정식 $ax^2+bx+c=0$의 근을 구하는데 근의 공식을 $x=\frac{b\pm\sqrt{b^2-ac}}{a}$로 잘못 알고 풀어서 두 근 -2, 6을 얻었다. 처음 이차방정식 $ax^2+bx+c=0$을 바르게 풀었을 때의 두 근을 α, β라 할 때, $\alpha^2+\beta^2$의 값을 구하시오. (단, a, b, c는 상수)

이차방정식 구하기

16
이차방정식 $x^2-(k+2)x+4=0$이 중근을 가질 때의 k의 값이 이차방정식 $\frac{1}{2}x^2+ax+b=0$의 두 근일 때, $a+b$의 값을 구하시오. (단, a, b는 상수)

17
이차방정식 $(x-998)^2=2x-998$의 두 근을 α, β라 할 때, $(\alpha-998)(\beta-998)$의 값을 구하시오.

18
이차방정식 $x^2-2x-3=0$의 두 근을 α, β라 할 때, $\alpha^2+\alpha-3$과 $\beta^2+\beta-3$을 두 근으로 하고 x^2의 계수가 1인 이차방정식을 $x^2+px+q=0$이라 하자. 이때 $p-q$의 값을 구하시오. (단, p, q는 상수)

19
오른쪽 그림과 같이 한 변의 길이가 10인 정사각형 ABCD의 내부에 한 점 P를 잡고, 점 P를 지나면서 정사각형의 각 변에 평행한 두 직선이 정사각형의 네 변과 만나는 점을 각각 E, F, G, H라 하자. 직사각형 PFCG의 둘레의 길이가 28이고 넓이가 46일 때, $\overline{AE}$의 길이와 $\overline{AH}$의 길이를 두 근으로 하고 x^2의 계수가 1인 이차방정식을 구하시오.

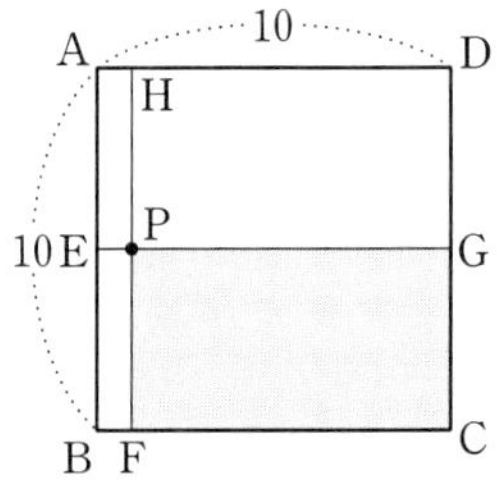

A, D, H, 10, E, P, G, B, F, C

20
경아와 서준이가 x에 대한 이차방정식을 푸는데 경아는 x^2의 계수를 잘못 보고 풀어 두 근 $1\pm\sqrt{6}$을 얻었고, 서준이는 상수항을 잘못 보고 풀어 두 근 $-\frac{1}{3}$, 1을 얻었다. 이때 처음에 주어진 이차방정식을 바르게 푸시오.

이차방정식의 활용

21

지면으로부터 110 m의 높이에서 초속 45 m로 똑바로 위로 던져 올린 공의 t초 후의 높이는
$(-5t^2+45t+110)$ m이다. 이때 이 공이 200 m 이상의 높이에서 머무르는 것은 몇 초 동안인지 구하시오.

22

한 잔에 a원인 커피를 판매하는 커피 전문점에서 하루에 500잔의 커피를 판매한다. 어느 날부터 커피 가격을 x %만큼 인상하여 팔았더니 판매량은 $2x$ %만큼 줄어 하루 매출액이 28 %만큼 감소하였다고 한다. 이때 x의 값을 구하시오.

23

다음 그림과 같은 직사각형 ABCD에서 점 P는 $\overline{AD}$를 따라 꼭짓점 A에서 꼭짓점 D까지 1초에 4 cm씩 움직이고, 점 Q는 $\overline{DC}$를 따라 꼭짓점 D에서 꼭짓점 C까지 1초에 2 cm씩 움직인다. 두 점 P, Q가 동시에 출발하여 △PQD의 넓이가 처음으로 64 cm²가 되는 것은 출발한 지 몇 초 후인지 구하시오.

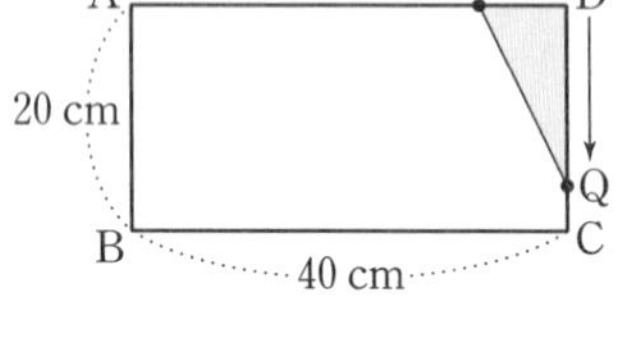
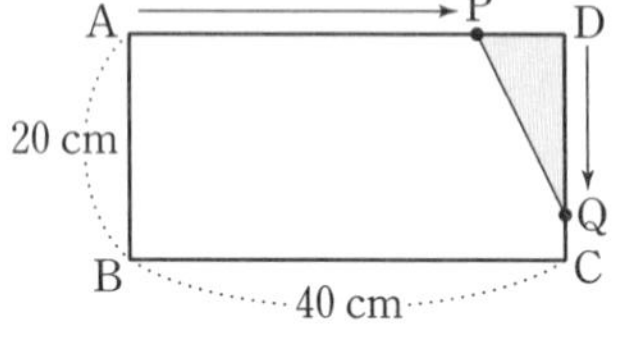

24

오른쪽 그림과 같이 세 반원으로 이루어진 도형이 있다. $\overline{AB}=30$ cm이고 색칠한 부분의 넓이가 54π cm² 일 때, $\overline{AC}$의 길이를 구하시오. (단, $\overline{AC}>\overline{CB}$)

A C B
30 cm

25

다음 [그림 1]과 같이 중심이 같고 반지름의 길이의 합과 차가 각각 9, 4인 두 원이 있고, [그림 2]와 같이 반지름의 길이가 $x-3$인 원이 있다. [그림 1]에서 색칠한 부분의 넓이가 [그림 2]의 원의 넓이와 같을 때, x의 값을 구하시오.

[그림 1] [그림 2]

26

오른쪽 그림과 같은 정사각형 ABCD에서 두 점 E, F는 각각 $\overline{BC}$, $\overline{CD}$ 위의 점이고 $\overline{BE}=4$, $\overline{CF}=5$이다. □AECF의 넓이가 78일 때, □ABCD의 넓이를 구하시오.

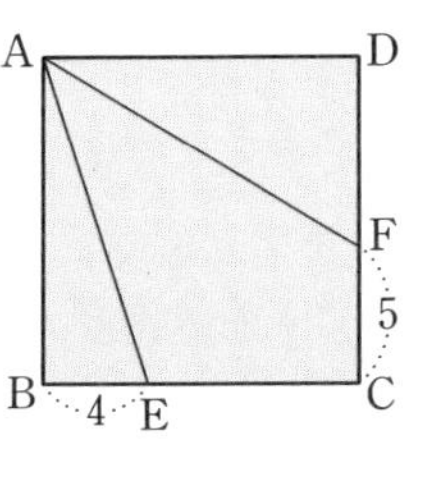

27

오른쪽 그림과 같이 $\overline{AB}=\overline{AC}$인 이등변삼각형 ABC에서 ∠C의 이등분선이 $\overline{AB}$와 만나는 점을 D라 하자. $\angle B=72°$, $\overline{BC}=2$일 때, $\overline{AB}$의 길이를 구하시오.

28

오른쪽 그림은 정오각형 ABCDE에서 대각선을 모두 그은 것이다. $\overline{GH}=1$일 때, x의 값을 구하시오.

III. 이차방정식

STEP 3 전교 1등 확실하게 굳히는 문제

1
무리수 x의 소수 부분을 y라 할 때, $x^2+y=33$을 만족하는 x의 값을 구하시오. (단, $x>0$)

풀이

2
이차방정식 $x^2+(a-4)x-1=0$의 두 근을 α, β라 하고 이차방정식 $x^2+ax+b=0$의 두 근을 α, γ라 하자. $2\alpha=\beta-\gamma$일 때, $4a-3b$의 값을 구하시오. (단, a, b는 상수)

풀이

3 서술형
두 자연수 A, B의 최대공약수를 $A\triangle B$, 최소공배수를 $A\triangledown B$로 나타낼 때, 이차방정식 $(A\triangle B)x^2-(A\triangledown B)x+40=0$의 해는 $x=1$ 또는 $x=10$이다. 이때 A, B의 값을 각각 구하시오.
(단, $A>B$)

풀이

4 융합형

건폐율은 대지의 넓이에 대한 건축물의 넓이의 비이다.

$$(\text{건폐율})=\frac{(\text{건축물의 넓이})}{(\text{대지의 넓이})}\times 100\ (\%)$$

오른쪽 그림과 같이 한 변의 길이가 a인 정사각형 모양의 대지 위에 건물을 지으려고 한다. 이 건물의 건폐율을 72 %로 하려고 할 때, $\frac{b}{a}$의 값을 구하시오.

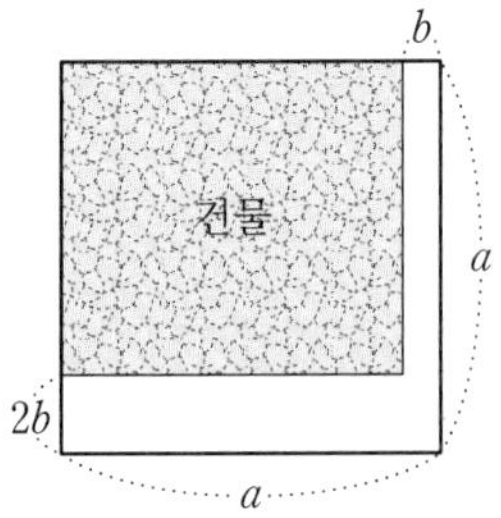

건물
b
a
$2b$
a

풀이

5 창의+융합

운전자가 장애물을 발견하고 브레이크를 밟기까지 자동차가 달린 거리를 공주거리, 브레이크를 밟을 때부터 자동차가 완전히 정지할 때까지 달린 거리를 제동거리라 하고, 공주거리와 제동거리를 합한 거리를 정지거리라 한다.

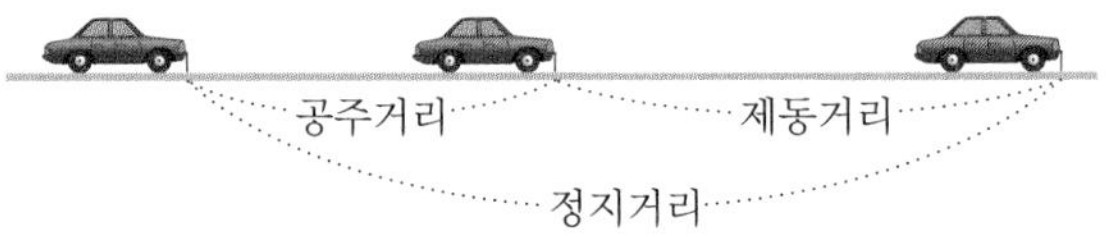

공주거리
제동거리
정지거리

어느 실험에서 시속 x km로 달리던 자동차의 공주거리는 $\frac{3}{10}x$ m이고 제동거리는 $\left(\frac{1}{100}x^2-\frac{1}{5}x+3\right)$ m라는 결과가 나왔다고 한다. 이 실험에서 시속 a km로 달리는 자동차의 정지거리가 40 m일 때, a에 가장 가까운 정수를 다음 표를 이용하여 구하시오.

n	55	56	57	58	59	60	61	62
n^2	3025	3136	3249	3364	3481	3600	3721	3844

풀이

6

다음 그림과 같이 유리와 태현이는 각각 A 지점과 B 지점에서 마주 보고 동시에 출발하였다. 두 사람이 처음 만났을 때, 두 사람과 A 지점 사이의 거리는 800 m이었다. 유리는 B 지점에 도착하여 다시 A 지점을 향하여 가고, 태현이는 A 지점에 도착하여 다시 B 지점을 향하여 가는 도중에 두 사람이 두 번째로 만났을 때, 두 사람과 B 지점 사이의 거리는 500 m이었다. 두 지점 A, B 사이의 거리는 몇 m인지 구하시오. (단, 두 사람의 걷는 속력은 각각 일정하다.)

풀이

7

오른쪽 그림과 같이 $\overline{AD}=20$ cm이고 넓이가 120 cm^2인 평행사변형 ABCD에서 $\overline{AC}$와 $\overline{DP}$의 교점을 Q라 하자. □ABPQ의 넓이가 40 cm^2일 때, $\overline{PC}$의 길이를 구하시오.

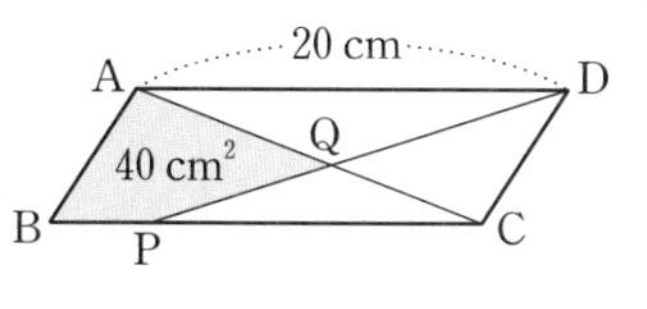

풀이

IV
이차함수

01 이차함수의 그래프

❶ 이차함수의 뜻

이차함수　함수 $y=f(x)$에서 y가 x에 대한 이차식

$$y=ax^2+bx+c \text{ (단, } a, b, c\text{는 상수, } a\neq 0)$$

로 나타날 때, 이 함수를 x에 대한 이차함수라 한다.

[확인 ❶]
이차함수 $y=ax^2$의 그래프가 점 $(-1, 3)$을 지난다. $x=3$일 때, y의 값을 구하시오. (단, a는 상수)

❷ 이차함수 $y=ax^2$의 그래프

① 꼭짓점의 좌표 : $(0, 0)$
② 축의 방정식 : $x=0$ (y축)
③ $a>0$이면 아래로 볼록한 포물선이고,
　$a<0$이면 위로 볼록한 포물선이다.
④ a의 절댓값이 클수록 그래프의 폭이 좁아진다.
⑤ 이차함수 $y=-ax^2$의 그래프와 x축에 대칭이다.

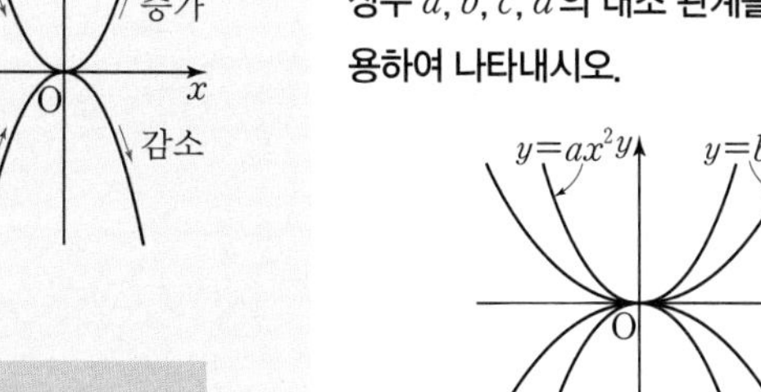

개념+ $y=x^2$, $y=-x^2$의 그래프의 대칭

(1) 두 그래프는 각각 y축에 대칭

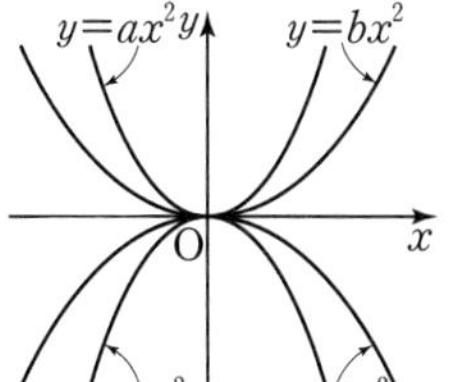

(2) 두 그래프는 서로 x축에 대칭

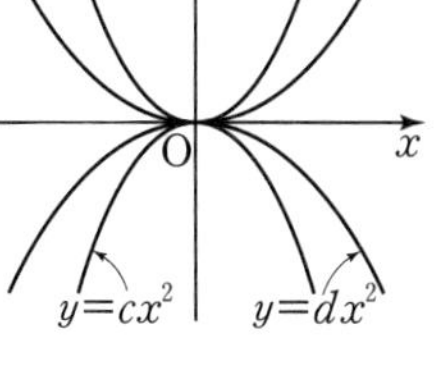

[확인 ❷]
이차함수 $y=ax^2$, $y=bx^2$, $y=cx^2$, $y=dx^2$의 그래프가 다음 그림과 같을 때, 상수 a, b, c, d의 대소 관계를 부등호를 사용하여 나타내시오.

❸ 이차함수 $y=ax^2+q$의 그래프

이차함수 $y=ax^2$의 그래프를 y축의 방향으로 q만큼 평행이동한 그래프이다.
① 꼭짓점의 좌표 : $(0, q)$
② 축의 방정식 : $x=0$ (y축)

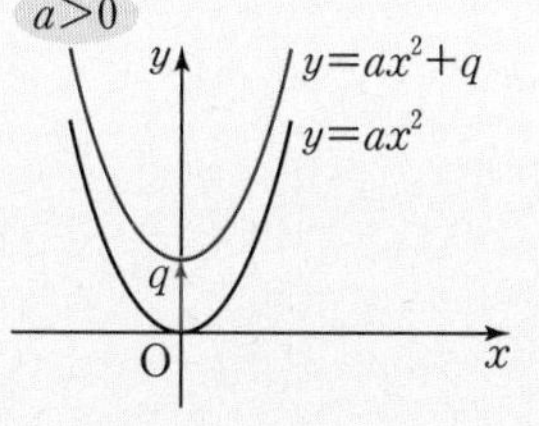

[확인 ❸]
이차함수 $y=\frac{1}{3}x^2-k$의 그래프가 점 $(-6, 0)$을 지날 때, 꼭짓점의 좌표를 구하시오. (단, k는 상수)

❹ 이차함수 $y=a(x-p)^2$의 그래프

이차함수 $y=ax^2$의 그래프를 x축의 방향으로 p만큼 평행이동한 그래프이다.

① 꼭짓점의 좌표 : $(p, 0)$

② 축의 방정식 : $x=p$

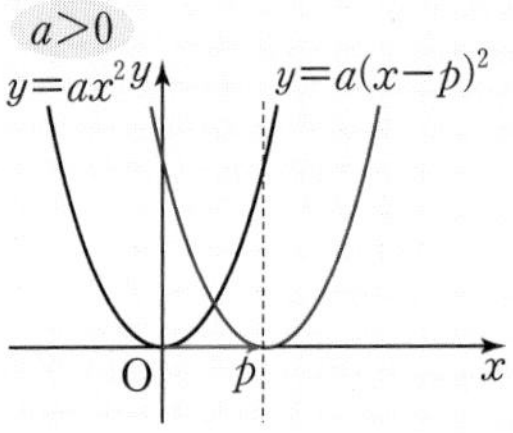

개념+ 이차함수 $y=a(x-p)^2$의 그래프의 증가와 감소

(1) $a>0$일 때

① $x<p$이면 x의 값이 증가할 때, y의 값은 감소한다.

② $x>p$이면 x의 값이 증가할 때, y의 값도 증가한다.

(2) $a<0$일 때

① $x<p$이면 x의 값이 증가할 때, y의 값도 증가한다.

② $x>p$이면 x의 값이 증가할 때, y의 값은 감소한다.

[확인 ❹]

이차함수 $y=ax^2$의 그래프를 x축의 방향으로 -2만큼 평행이동한 그래프는 점 $(-1, -3)$을 지나고 축의 방정식은 $x=b$이다. 이때 $a+b$의 값을 구하시오.

(단, a는 상수)

❺ 이차함수 $y=a(x-p)^2+q$의 그래프

이차함수 $y=ax^2$의 그래프를 x축의 방향으로 p만큼, y축의 방향으로 q만큼 평행이동한 그래프이다.

① 꼭짓점의 좌표 : (p, q)

② 축의 방정식 : $x=p$

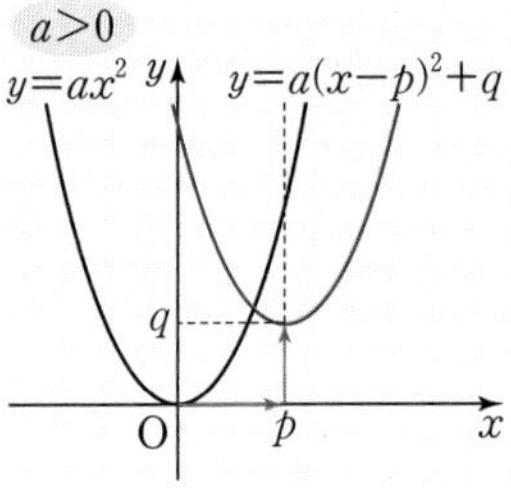

[확인 ❺]

이차함수 $y=-x^2+1$의 그래프를 x축의 방향으로 p만큼, y축의 방향으로 2만큼 평행이동하면 점 $(1, -1)$을 지난다. 이때 p의 값을 모두 구하시오.

❻ 이차함수 $y=a(x-p)^2+q$의 그래프에서 a, p, q의 부호

(1) a의 부호　그래프의 모양으로 결정

① 아래로 볼록 ➡ $a>0$

② 위로 볼록 ➡ $a<0$

(2) p, q의 부호　꼭짓점 (p, q)의 위치로 결정

꼭짓점의 위치	제1사분면	제2사분면	제3사분면	제4사분면
p, q의 부호	$p>0, q>0$	$p<0, q>0$	$p<0, q<0$	$p>0, q<0$

[확인 ❻]

이차함수 $y=a(x-p)^2+q$의 그래프가 아래 그림과 같을 때, 다음 중 옳은 것은?

(단, a, p, q는 상수)

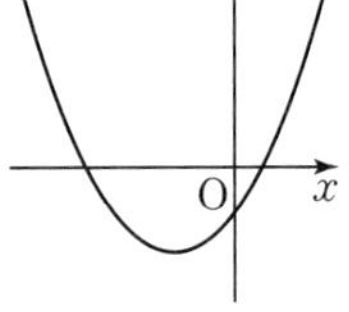

① $a>0, p>0, q>0$

② $a>0, p>0, q<0$

③ $a>0, p<0, q>0$

④ $a>0, p<0, q<0$

⑤ $a<0, p<0, q<0$

STEP 1 억울하게 울리는 문제 (1)

이차함수의 그래프의 성질

다음 물음에 답하시오.

1-1 다음 보기 중 이차함수 $y=-\frac{1}{2}x^2$의 그래프에 대한 설명으로 옳은 것을 모두 고르시오.

보기
- ㉠ 모든 실수 x에 대하여 $y\le 0$이다.
- ㉡ 제3, 4사분면을 지난다.
- ㉢ $y=\frac{1}{2}x^2$의 그래프와 x축에 대칭이다.
- ㉣ $x>0$일 때, x의 값이 증가하면 y의 값도 증가한다.

1-2 다음 보기 중 이차함수 $y=ax^2$의 그래프에 대한 설명으로 옳은 것을 모두 고르시오. (단, a는 상수)

보기
- ㉠ 꼭짓점의 좌표는 $(0, 0)$이다.
- ㉡ $y=-ax^2$의 그래프와 y축에 대칭이다.
- ㉢ a의 값이 클수록 그래프의 폭이 좁아진다.
- ㉣ $a>0$일 때 아래로 볼록하고, $a<0$일 때 위로 볼록하다.

2-1 오른쪽 이차함수의 그래프에 대한 다음 설명 중 옳은 것은?

① 축의 방정식은 $x=-1$이다.
② 꼭짓점의 좌표는 $(0, -3)$이다.
③ $y=2(x-1)^2$의 그래프를 y축의 방향으로 -4만큼 평행이동한 것이다.
④ $y=-x^2$의 그래프보다 폭이 좁다.
⑤ $y=-(x-1)^2+4$의 그래프와 x축에 대칭이다.

2-2 이차함수 $y=2(x+1)^2-2$의 그래프에 대한 다음 설명 중 옳은 것은?

① 꼭짓점의 좌표는 $(-1, 2)$이고, 축의 방정식은 $x=-1$이다.
② 이차함수 $y=2x^2$의 그래프를 x축의 방향으로 1만큼, y축의 방향으로 -2만큼 평행이동한 것이다.
③ $y=-2(x+1)^2-2$의 그래프와 x축에 대칭이다.
④ 이차함수 $y=-(x+1)^2$의 그래프보다 폭이 좁다.
⑤ $x>-1$일 때, x의 값이 감소하면 y의 값은 증가한다.

상위권의 눈

▶ 이차함수 $y=ax^2$의 그래프의 성질
(1) $a>0$이면 아래로 볼록, $a<0$이면 위로 볼록하다.
(2) 꼭짓점의 좌표 : $(0, 0)$, 축의 방정식 : $x=0$ (y축)
(3) a의 절댓값이 클수록 그래프의 폭은 좁아지고, a의 절댓값이 작을수록 그래프의 폭은 넓어진다.
(4) 두 일차함수 $y=ax^2$, $y=-ax^2$의 그래프는 x축에 서로 대칭이다.

▶ 이차함수 $y=a(x-p)^2+q$의 그래프의 성질
(1) $a>0$이면 아래로 볼록, $a<0$이면 위로 볼록하다.
(2) 꼭짓점의 좌표 : (p, q), 축의 방정식 : $x=p$
(3) 이차함수 $y=ax^2$의 그래프를 x축의 방향으로 p만큼, y축의 방향으로 q만큼 평행이동한 것이다.

STEP 1 억울하게 울리는 문제 (2)

정답과 풀이 50쪽

이차함수의 그래프의 평행이동과 대칭이동

다음 물음에 답하시오.

3-1 이차함수 $y=2(x-1)^2-1$의 그래프를 x축의 방향으로 -2만큼, y축의 방향으로 3만큼 평행이동한 그래프의 식을 $y=a(x+b)^2+c$라 할 때, $a+b-c$의 값을 구하시오. (단, a, b, c는 상수)

3-2 이차함수 $y=2(x+1)^2-3$의 그래프를 x축의 방향으로 1만큼, y축의 방향으로 -2만큼 평행이동하였더니 이차함수 $y=ax^2+bx+c$의 그래프와 일치하였다. 이때 $a-b-c$의 값을 구하시오.

(단, a, b, c는 상수)

4-1 이차함수 $y=a(x-1)^2$의 그래프를 x축에 대칭이동한 후 x축의 방향으로 -3만큼, y축의 방향으로 n만큼 평행이동하였더니 $y=2x^2+2mx+10$의 그래프와 일치하였다. 이때 $a+m+n$의 값을 구하시오.

(단, a, m은 상수)

4-2 이차함수 $y=a(x-1)^2$의 그래프를 y축에 대칭이동한 후 x축의 방향으로 -3만큼, y축의 방향으로 n만큼 평행이동하였더니 $y=2x^2+2mx+10$의 그래프와 일치하였다. 이때 $a+m+n$의 값을 구하시오.

(단, a, m은 상수)

상위권의 눈

▶ 이차함수 $y=a(x-p)^2+q$의 그래프의 평행이동

이차함수 $y=a(x-p)^2+q$의 그래프를 x축의 방향으로 m만큼, y축의 방향으로 n만큼 평행이동한 그래프의 식은 $y=a(x-p-m)^2+q+n$이다.

① 꼭짓점의 좌표 : (p, q) ➡ $(p+m, q+n)$

② 그래프의 식 : x 대신 $x-m$, y 대신 $y-n$을 대입

▶ 이차함수 $y=f(x)$의 그래프의 대칭이동

① x축에 대칭이동 ➡ y 대신 $-y$를 대입

② y축에 대칭이동 ➡ x 대신 $-x$를 대입

③ 원점에 대칭이동 ➡ x 대신 $-x$, y 대신 $-y$를 대입

STEP 2 반드시 등수 올리는 문제

이차함수 $y=ax^2$의 그래프

01

오른쪽 그림과 같이 두 이차함수 $y=ax^2$, $y=bx^2$의 그래프가 x축에 대칭일 때, b의 값의 범위를 구하시오. (단, a, b는 상수)

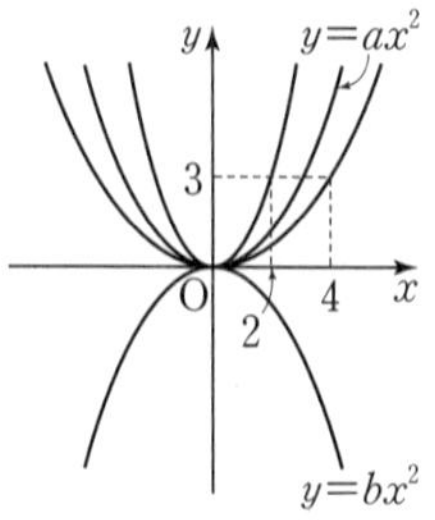

02

오른쪽 그림에서 두 점 A, B의 좌표는 각각 $(2, 0)$, $(6, 0)$이고 두 점 C, D는 이차함수 $y=-ax^2$의 그래프 위의 점이다. □ABCD가 넓이가 48인 평행사변형일 때, 상수 a의 값을 구하시오. (단, 점 C는 제4사분면 위의 점이다.)

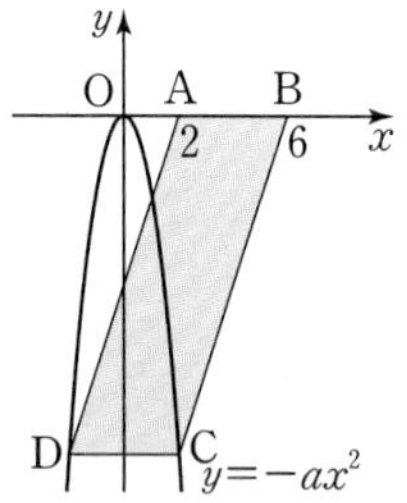

03

오른쪽 그림과 같이 두 이차함수 $y=x^2$, $y=ax^2$의 그래프와 y축에 평행한 직선 l이 만나는 두 점을 각각 P, R라 하고 직선 l이 x축과 만나는 점을 Q라 하자.
$\overline{PQ} : \overline{QR}=2 : 1$일 때, 상수 a의 값을 구하시오. (단, 점 R는 제4사분면 위의 점이다.)

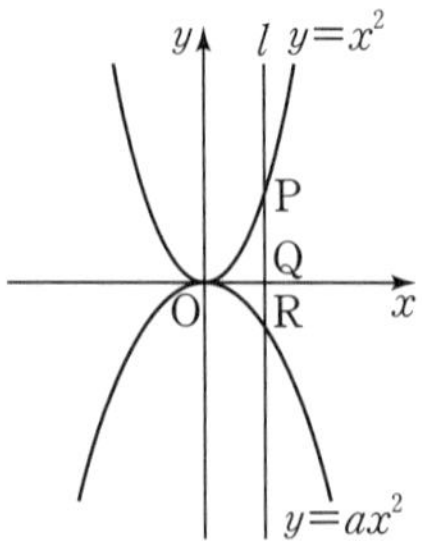

04

오른쪽 그림과 같이 이차함수 $y=x^2$의 그래프 위의 점 A에 대하여 $\overline{OA}=\frac{1}{4}\overline{OB}$가 되도록 점 B를 잡으면 이차함수 $y=ax^2$의 그래프가 점 B를 지난다. 이때 양수 a의 값을 구하시오. (단, 세 점 O, A, B는 일직선 위에 있다.)

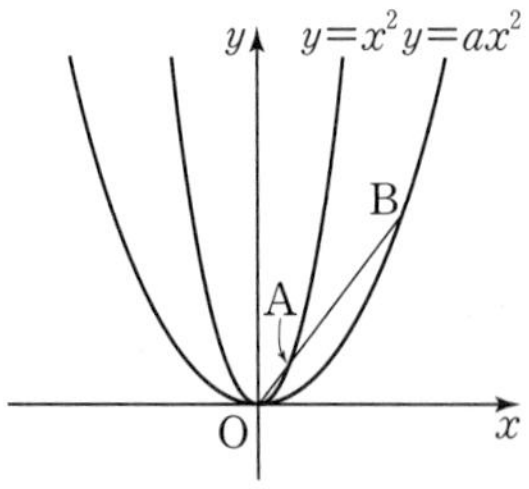

05

다음 그림과 같이 이차함수 $y=\frac{1}{4}x^2$의 그래프 위에 x좌표가 각각 -2, 4인 두 점 A, B가 있다. 이차함수 $y=\frac{1}{4}x^2$의 그래프 위의 점 P에 대하여 △OPC의 넓이가 △OBA의 넓이의 $\frac{1}{2}$일 때, 제1사분면 위에 있는 점 P의 좌표를 구하시오. (단, 점 O는 원점이고, 점 C는 두 점 A, B를 지나는 직선이 y축과 만나는 점이다.)

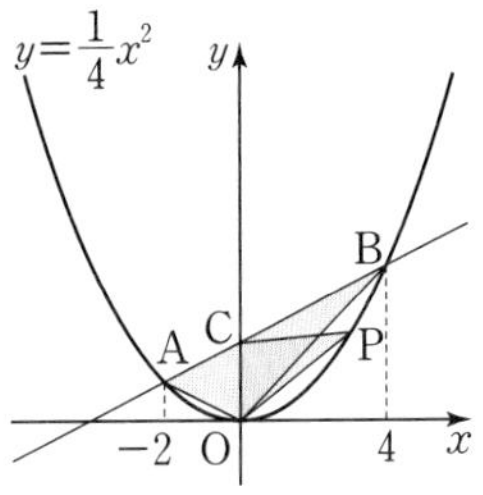

06

다음 그림에서 정사각형 ABCD의 두 점 A, C는 이차함수 $y=\frac{1}{2}x^2(x\geq 0)$의 그래프 위의 점이고 점 D는 이차함수 $y=ax^2(x\geq 0)$의 그래프 위의 점이다. $\overline{AB}$의 연장선이 y축과 만나는 점을 E라 하면 $\overline{EA}=2\overline{AB}$일 때, 상수 a의 값과 점 D의 좌표를 각각 구하시오.
(단, □ABCD는 제1사분면 위에 있고, 각 변은 x축 또는 y축에 평행하다.)

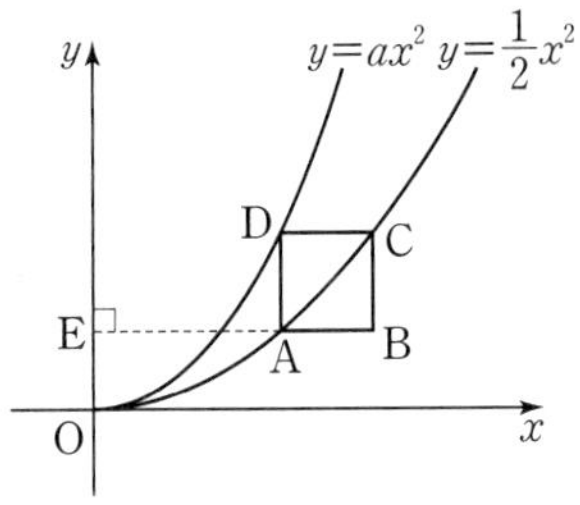

이차함수 $y=ax^2+q$의 그래프

07

두 이차함수 $y=2x^2-\frac{1}{2}$, $y=-2x^2+\frac{1}{2}$의 그래프가 좌표축과 만나는 점을 다음 그림과 같이 A, B, C, D라 할 때, □ABCD의 넓이를 구하시오.

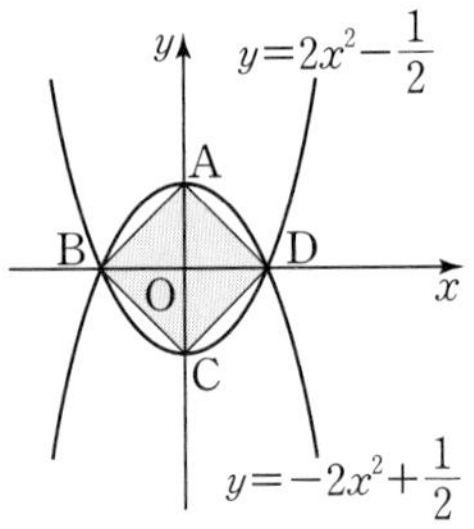

08

이차함수 $y=\frac{1}{2}x^2+k$의 그래프가 x축과 두 점 A, B에서 만날 때, $\overline{AB}$의 길이가 자연수가 되는 정수 k의 값을 모두 구하시오. (단, $-20\leq k\leq 0$)

09

다음 그림과 같이 이차함수 $y=2x^2+3$의 그래프 위에 두 점 A, B를 잡고 두 점 A, B에서 x축에 내린 수선의 발을 각각 P, Q라 하자. $\overline{PQ}=10$이고 □APQB의 넓이가 575일 때, 점 B의 x좌표와 y좌표의 합을 구하시오.

(단, $\overline{PO}>\overline{OQ}$이고, 점 A는 제2사분면 위의 점이다.)

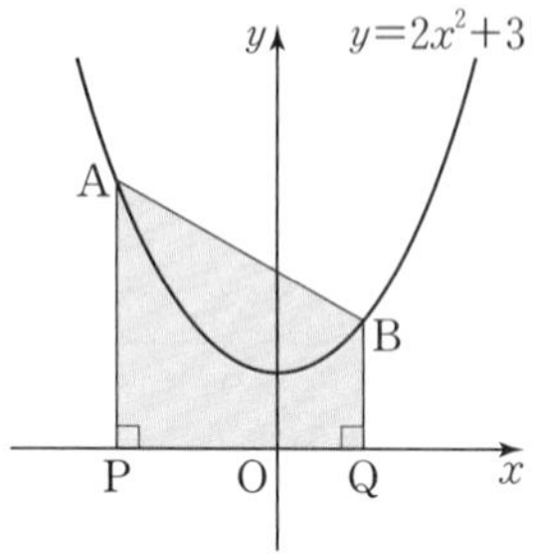

11

다음 그림과 같이 이차함수 $y=(x-2)^2$의 그래프와 y축과의 교점을 A, 점 A를 지나면서 x축에 평행한 직선과의 교점을 B라 하자. 주사위를 한 번 던져서 나오는 눈의 수를 a라 할 때, 일차함수 $y=x+a$의 그래프가 $\overline{AB}$와 만날 확률을 구하시오.

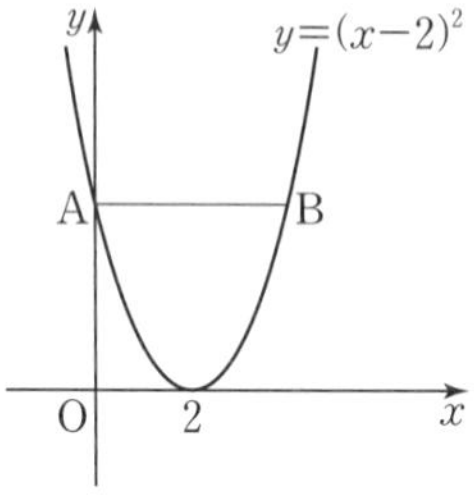

이차함수 $y=a(x-p)^2$의 그래프

10

다음 그림과 같이 이차함수 $y=a(x-1)^2$의 그래프가 y축과 만나는 점을 지나면서 x축에 평행한 직선이 두 이차함수 $y=(x-1)^2$, $y=a(x-1)^2$의 그래프와 만나는 네 점을 각각 A, B, C, D라 하자. $\overline{AB}=\overline{BC}=\overline{CD}$일 때, 상수 a의 값을 구하시오.

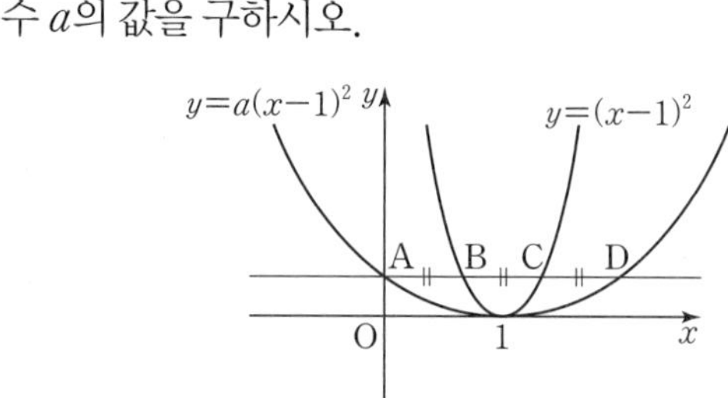

12

다음 그림과 같이 두 이차함수 $y=a(x-b)^2$, $y=\frac{1}{3}x^2-4$의 그래프가 서로의 꼭짓점을 지날 때, $\frac{b}{a}$의 값을 구하시오. (단, a, b는 상수, $b<0$)

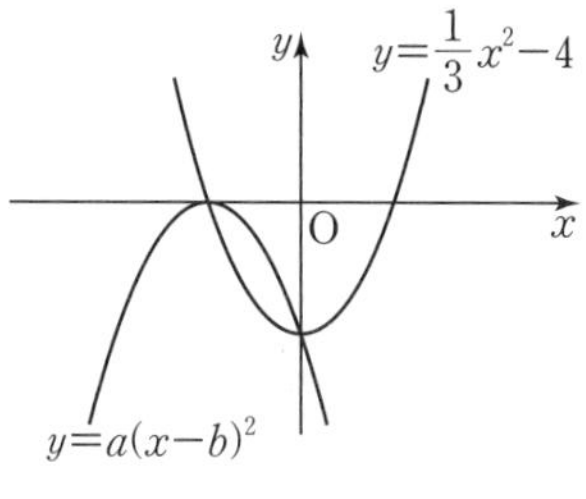

이차함수 $y=a(x-p)^2+q$의 그래프

13

아래 보기의 이차함수의 그래프에 대한 다음 설명 중 옳지 않은 것을 모두 고르면?

보기
㉠ $y=2x^2-1$ ㉡ $y=-(x-2)^2$
㉢ $y=\frac{10}{3}(x+1)^2+1$ ㉣ $y=\frac{5}{2}(x-1)^2-\frac{7}{2}$
㉤ $y=-\frac{1}{2}(x+2)^2+5$ ㉥ $y=-3(x+1)^2+1$

① 아래로 볼록한 그래프는 ㉠, ㉢, ㉣이다.
② 두 번째로 폭이 좁은 그래프는 ㉥이다.
③ 모든 사분면을 지나는 그래프는 ㉠, ㉣, ㉥이다.
④ 꼭짓점의 좌표가 같은 그래프는 ㉢, ㉥이다.
⑤ 그래프가 y축과 만나는 점의 y좌표가 같은 것은 ㉠, ㉣, ㉤이다.

14

이차함수 $y=-(x-3)^2-2+k$의 그래프가 제1, 3, 4사분면을 지날 때, 상수 k의 값의 범위를 구하시오.

15

다음 그림과 같이 직선 $y=k$가 두 이차함수 $y=-(x-p)^2+q$, $y=-(x-1)^2+4$의 그래프와 세 점 A, B, C에서 만난다. 점 B는 y축 위의 점이고 $\overline{AB}=2\overline{BC}$일 때, $k+p+q$의 값을 구하시오. (단, k, p, q는 상수이고 점 A는 제2사분면 위의 점이다.)

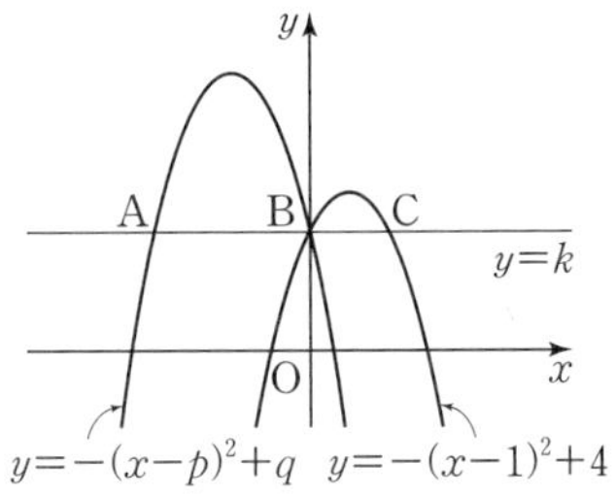

이차함수의 그래프의 평행이동과 대칭이동

16

이차함수 $y=-\frac{1}{2}(x+1)^2$의 그래프를 x축의 방향으로 k만큼, y축의 방향으로 $(k+1)$만큼 평행이동한 그래프의 꼭짓점이 직선 $x+2y-7=0$ 위에 있을 때, k의 값을 구하시오.

17

다음은 세 개의 이차함수 $f(x)$, $g(x)$, $h(x)$에 대하여 x의 값에 대응하는 y의 값을 나타낸 표이다.

x	$\cdots$	-2	-1	0	1	2	3	$\cdots$
$y=f(x)$	$\cdots$	18	8	2	0	2	8	$\cdots$
$y=g(x)$	$\cdots$	22	12	6	4	6	12	$\cdots$
$y=h(x)$	$\cdots$	6	4	6	12	22	36	$\cdots$

이차함수 $y=f(x)$의 그래프를 x축의 방향으로 p만큼, y축의 방향으로 q만큼 평행이동하였더니 이차함수 $y=h(x)$의 그래프와 일치하였다. 이때 $p+q$의 값을 구하시오.

18

이차함수 $y=(x+2)^2-9$의 그래프를 x축의 방향으로 m만큼 평행이동하면 제3사분면을 지나지 않고, x축의 방향으로 n만큼 평행이동하면 제4사분면을 지나지 않을 때, m의 최솟값과 n의 최댓값의 합을 구하시오.

19

다음 그림과 같이 이차함수 $y=-x^2$의 그래프를 평행이동한 그래프의 꼭짓점을 A, x축과 만나는 두 점을 각각 B, D라 하고, 점 A에서 x축에 내린 수선의 발을 E라 하자. 이차함수 $y=-x^2$의 그래프 위의 점 C에 대하여 $\overline{BC}$는 y축에 평행하고 $\overline{OB}=\overline{BE}=2$일 때, □ABCD의 넓이를 구하시오.

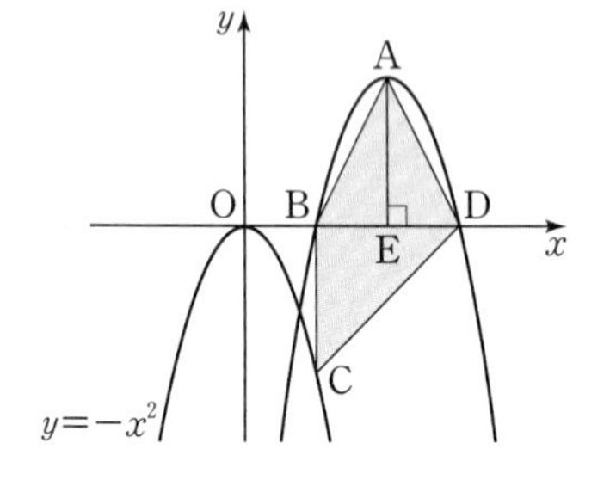

20

다음 그림은 두 이차함수 $y=2x^2$, $y=2(x-2)^2$의 그래프와 두 그래프의 꼭짓점을 지나도록 $y=2x^2$의 그래프를 평행이동하여 그린 것이다. 이때 색칠한 부분의 넓이를 구하시오.

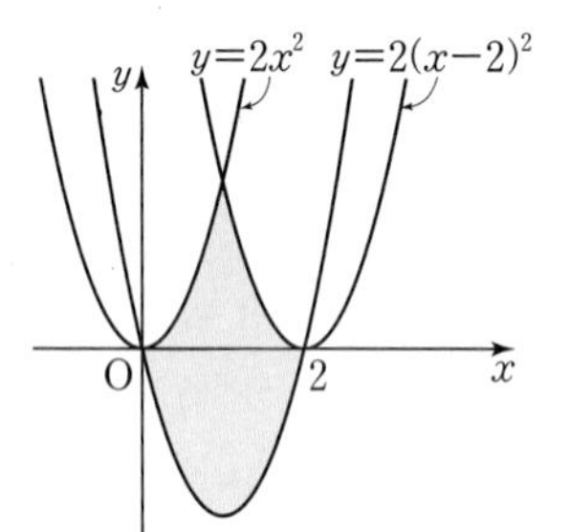

STEP 3 전교 1등 확실하게 굳히는 문제

정답과 풀이 55쪽

1

오른쪽 그림과 같이 세 점 A(1, 3), B(1, 1), C(3, 1)을 꼭짓점으로 하는 △ABC가 있다. 이차함수 $y=ax^2$의 그래프와 △ABC의 교점의 개수를 $F(a)$라 할 때, 다음 보기 중 옳은 것을 모두 고르시오. (단, a는 상수)

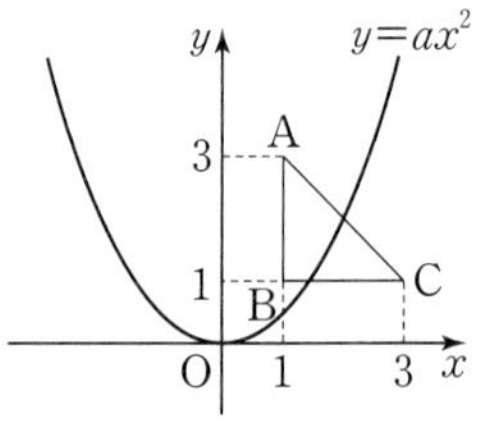

보기

㉠ $F(1)=1$

㉡ $F(2)=2$

㉢ $a>3$이면 $F(a)=0$이다.

㉣ $\frac{1}{9}\le a\le 3$이면 $F(a)=2$이다.

풀이

2

오른쪽 그림과 같이 이차함수 $y=\frac{1}{2}x^2$의 그래프의 일부인 곡선 OA를 원점 O를 중심으로 점 A가 y축 위의 점 A′에 오도록 시계 반대 방향으로 회전하였다. 점 A의 x좌표가 2일 때, 색칠한 부분의 넓이를 구하시오.

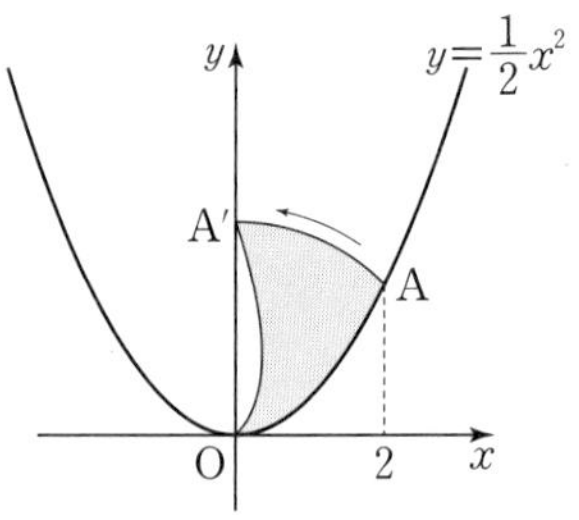

풀이

3 융합형

오른쪽 그림과 같이 제1사분면 위에 각 변이 x축 또는 y축에 평행한 정사각형 ABCD가 있다. 두 점 A, C는 이차함수 $y=\frac{1}{3}x^2(x>0)$의 그래프 위의 점이고, 점 C의 x좌표가 점 A의 x좌표의 k배일 때, □ABCD의 둘레의 길이를 $l(k)$라 하자. 이때 다음 식을 만족하는 P의 값을 구하시오.

(단, $k\neq1$)

$$l(3)\times l(5)\times l(7)\times\cdots\times l(99)=12^{49}\times P$$

풀이

4 창의력

오른쪽 그림에서 네 점 $\mathrm{A}\left(0, \frac{1}{2}\right)$, $\mathrm{B}(-1, 0)$, $\mathrm{C}(-3, 2)$, D는 이차함수 $y=\frac{1}{2}(x+1)^2$의 그래프 위의 점이다. $\triangle\mathrm{CBA}=\triangle\mathrm{DBA}$일 때, 점 D의 좌표를 구하시오. (단, 네 점 A, B, C, D는 서로 다른 점이다.)

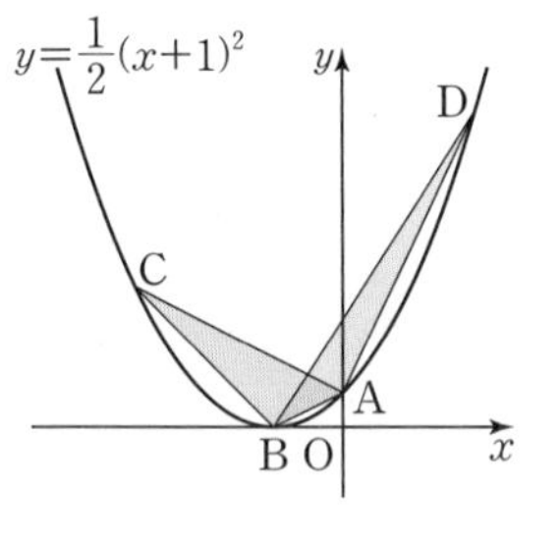

풀이

5 서술형

오른쪽 그림과 같이 위로 볼록한 이차함수 $y=ax^2+q$의 그래프의 꼭짓점을 지나면서 x축에 평행한 직선 l을 긋고 직선 $x=1$이 x축, 포물선, 직선 l과 만나는 점을 차례로 A, B, C라 하자. 정사각형 ABDE, 직사각형 ACFE를 그렸더니 □ACFE∽□BDFC일 때, 상수 a의 값을 구하시오.

(단, 점 D는 이차함수 $y=ax^2+q$의 그래프 위에 있다.)

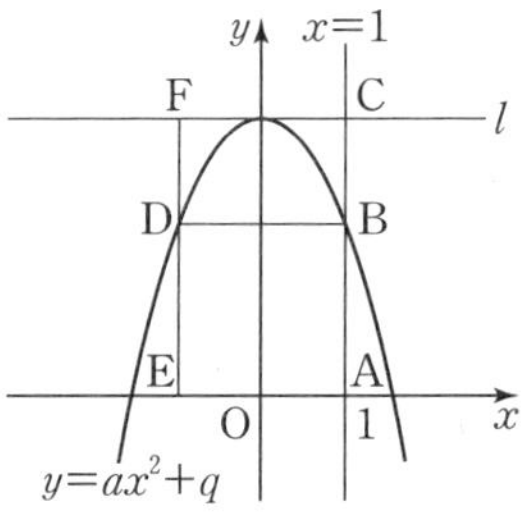

풀이

6

오른쪽 그림과 같이 이차함수 $y=-x^2+1$의 그래프와 일차함수 $y=2x+k$의 그래프가 만나는 두 점을 각각 A, B라 하고, 두 점 A, B에서 x축에 내린 수선의 발을 각각 A′, B′이라 하자. 일차함수 $y=2x+k$의 그래프와 x축이 만나는 점을 C라 하면 △ACA′과 △BCB′의 넓이의 합이 $\frac{3}{2}$일 때, 상수 k의 값은 $p+q\sqrt{7}$이다. 이때 $10p+q$의 값을 구하시오. (단, p, q는 유리수이고 $-2<k<2$)

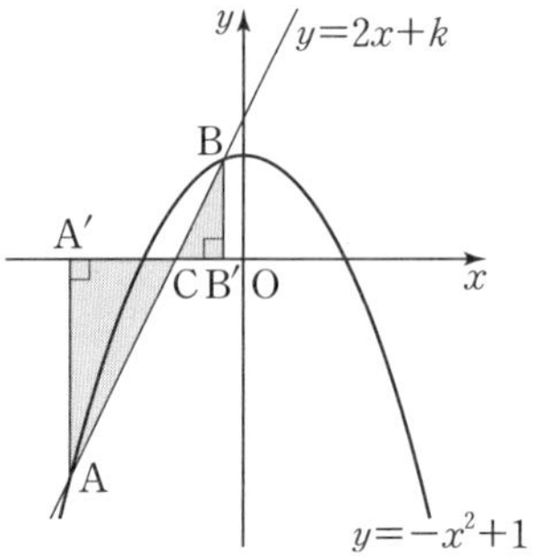

풀이

02 이차함수의 활용

❶ 이차함수 $y=ax^2+bx+c$의 그래프

이차함수 $y=ax^2+bx+c$의 그래프는 $y=a(x-p)^2+q$의 꼴로 바꿔서 그린다.

$$y=ax^2+bx+c \Rightarrow y=a\left(x+\frac{b}{2a}\right)^2-\frac{b^2-4ac}{4a}$$

① 꼭짓점의 좌표 : $\left(-\frac{b}{2a}, -\frac{b^2-4ac}{4a}\right)$

② 축의 방정식 : $x=-\frac{b}{2a}$

③ y축과 만나는 점의 좌표 : $(0, c)$

개념+ 이차함수의 그래프와 좌표축의 교점

이차함수 $y=ax^2+bx+c$의 그래프에서

(1) x축과의 교점의 x좌표 ➡ $y=0$일 때의 x의 값 ➡ 이차방정식 $ax^2+bx+c=0$의 해

(2) y축과의 교점의 y좌표 ➡ $x=0$일 때의 y의 값 ➡ c

[확인 ❶]
이차함수 $y=ax^2-4ax+a^2-3$의 그래프의 꼭짓점의 좌표가 $(2, 2)$일 때, 상수 a의 값을 모두 구하시오.

❷ 이차함수 $y=ax^2+bx+c$의 그래프에서 a, b, c의 부호

이차함수 $y=ax^2+bx+c$의 그래프에서

(1) a의 부호　그래프의 모양에 따라 결정

① 아래로 볼록 ➡ $a>0$

② 위로 볼록 ➡ $a<0$

(2) b의 부호　축의 위치에 따라 결정

① 축이 y축의 왼쪽 ➡ a, b는 같은 부호

② 축이 y축과 일치 ➡ $b=0$

③ 축이 y축의 오른쪽 ➡ a, b는 다른 부호

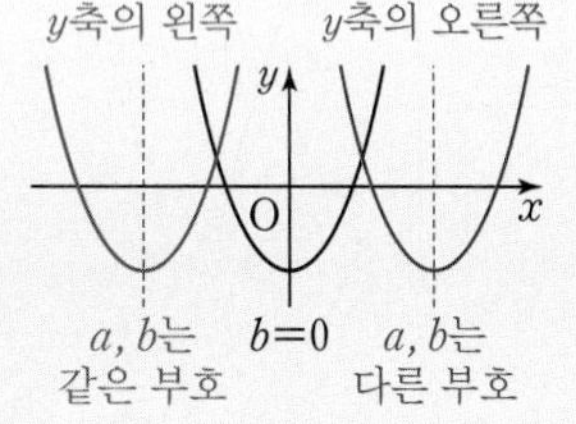

(3) c의 부호　y축과 만나는 점의 위치에 따라 결정

① y축과 만나는 점이 x축의 위쪽 ➡ $c>0$

② y축과 만나는 점이 원점 ➡ $c=0$

③ y축과 만나는 점이 x축의 아래쪽 ➡ $c<0$

개념+ 축의 위치에 따른 b의 부호

이차함수 $y=ax^2+bx+c$의 그래프의 축의 방정식이 $x=-\frac{b}{2a}$이므로

(1) 축이 y축의 왼쪽에 있으면 $-\frac{b}{2a}<0$　$\therefore \frac{b}{2a}>0$ ➡ a, b는 같은 부호이다.

(2) 축이 y축과 일치하면 $-\frac{b}{2a}=0$　$\therefore b=0$

(3) 축이 y축의 오른쪽에 있으면 $-\frac{b}{2a}>0$　$\therefore \frac{b}{2a}<0$ ➡ a, b는 다른 부호이다.

[확인 ❷]
이차함수 $y=ax^2+bx+c$의 그래프가 다음 그림과 같을 때, 상수 a, b, c의 부호를 각각 구하시오.

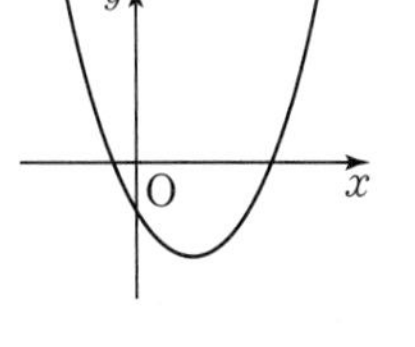

❸ 이차함수의 식 구하기 (1)

(1) 꼭짓점의 좌표 $(p,\ q)$와 그래프 위의 다른 한 점의 좌표를 알 때

① 이차함수의 식을 $y=a(x-p)^2+q$로 놓는다.

② ①의 식에 주어진 한 점의 좌표를 대입하여 a의 값을 구한다.

개념+ 꼭짓점의 좌표에 따른 이차함수의 식

x^2의 계수가 a일 때, 꼭짓점의 좌표에 따라 다음과 같이 이차함수의 식을 놓는다.

(1) 꼭짓점의 좌표가 $(0, 0)$일 때
➡ $y=ax^2$

(2) 꼭짓점의 좌표가 $(0, q)$일 때
➡ $y=ax^2+q$

(3) 꼭짓점의 좌표가 $(p, 0)$일 때
➡ $y=a(x-p)^2$

(4) 꼭짓점의 좌표가 (p, q)일 때
➡ $y=a(x-p)^2+q$

(2) 축의 방정식 $x=p$와 그래프 위의 두 점의 좌표를 알 때

① 이차함수의 식을 $y=a(x-p)^2+q$로 놓는다.

② ①의 식에 주어진 두 점의 좌표를 각각 대입하여 a, q의 값을 구한다.

[확인 ❸]

다음 포물선을 그래프로 하는 이차함수의 식을 $y=ax^2+bx+c$의 꼴로 나타내시오. (단, a, b, c는 상수)

(1) 꼭짓점의 좌표가 $(-2, 3)$이고 점 $(0, -1)$을 지나는 포물선

(2) 축의 방정식이 $x=2$이고 두 점 $(0, 4)$, $(3, -2)$를 지나는 포물선

❹ 이차함수의 식 구하기 (2)

(1) 그래프 위의 서로 다른 세 점의 좌표를 알 때

① 이차함수의 식을 $y=ax^2+bx+c$로 놓는다.

② ①의 식에 주어진 세 점의 좌표를 각각 대입하여 a, b, c의 값을 구한다.

(2) x축과 만나는 두 점 $(\alpha,\ 0)$, $(\beta,\ 0)$과 그래프 위의 다른 한 점의 좌표를 알 때

① 이차함수의 식을 $y=a(x-\alpha)(x-\beta)$로 놓는다.

② ①의 식에 주어진 한 점의 좌표를 대입하여 a의 값을 구한다.

개념+

이차함수 $y=ax^2+bx+c$의 그래프의 축의 방정식을 $x=p$라 할 때, 이차함수의 그래프는 축 $x=p$를 중심으로 대칭이다.

(1) 축으로부터 그래프가 x축과 만나는 두 점까지의 거리는 같다.

(2) 그래프가 x축과 만나는 점의 좌표가 $(\alpha, 0)$, $(\beta, 0)$이면 축의 방정식은 $x=\frac{\alpha+\beta}{2}$이다. ➡ $p=\frac{\alpha+\beta}{2}$

$x=p$
α p β x

[확인 ❹]

다음 포물선을 그래프로 하는 이차함수의 식을 $y=ax^2+bx+c$의 꼴로 나타내시오. (단, a, b, c는 상수)

(1) 세 점 $(-1, 6)$, $(0, 1)$, $(1, 2)$를 지나는 포물선

(2) x축과 두 점 $(-1, 0)$, $(3, 0)$에서 만나고 점 $(1, 6)$을 지나는 포물선

STEP 1 억울하게 울리는 문제 (1)

기출 문제로 개념 확인하기

다음 문장이 참이면 ○표, 거짓이면 ×표를 (　　) 안에 써넣으시오.

1 (1) 이차함수 $y=ax^2+bx+c$의 그래프의 축의 방정식은 $x=\frac{b}{2a}$이다. (　　)

(2) 이차함수 $y=ax^2+bx+c$의 그래프에서 축이 y축의 왼쪽에 있으면 a, b는 부호는 서로 같다. (　　)

(3) 이차함수 $y=2x^2$의 그래프를 x축의 방향으로 -1만큼, y축의 방향으로 -4만큼 평행이동한 그래프의 식은 $y=2x^2-4x-2$이다. (　　)

> 이차함수 $y=ax^2$의 그래프를 x축의 방향으로 p만큼, y축의 방향으로 q만큼 평행이동한 그래프의 식은 $y=a(x-p)^2+q$

(4) 이차함수 $y=3x^2+6x+1$의 그래프는 $x>-1$일 때 x의 값이 증가하면 y의 값도 증가한다. (　　)

> 이차함수 $y=a(x-p)^2+q$의 그래프는 축 $x=p$를 기준으로 증가, 감소 상태가 바뀐다.

(5) $f(x)=ax^2+bx+c$에 대하여 $f(x)=0$이 서로 다른 두 개의 양의 근을 가지면 $y=f(x)$의 그래프는 제 1, 2, 4 사분면을 지난다. (　　)

> $a>0$, $a<0$일 때, 조건을 만족하는 그래프를 각각 그려 본다.

(6) 이차함수 $y=ax^2+bx+c$의 그래프를 y축에 대칭이동한 그래프의 식은 $y=ax^2-bx+c$이다. (　　)

> • ① x축에 대칭이동
> ➡ y 대신 $-y$를 대입
> ② y축에 대칭이동
> ➡ x 대신 $-x$를 대입

(7) 이차함수 $y=(x-1)^2-4$의 그래프와 $y=-x^2+2x+3$의 그래프는 x축에 서로 대칭이다. (　　)

상위권의 눈

▶ 이차함수 $y=ax^2+bx+c$의 그래프가 x축과 만나는 점의 개수

(1) x축과 서로 다른 두 점에서 만난다.
$a>0$ ➡ (꼭짓점의 y좌표)<0
$a<0$ ➡ (꼭짓점의 y좌표)>0

(2) x축과 한 점에서 만난다.
➡ (꼭짓점의 y좌표)$=0$

(3) x축과 만나지 않는다.
$a>0$ ➡ (꼭짓점의 y좌표)>0
$a<0$ ➡ (꼭짓점의 y좌표)<0

STEP 1 억울하게 울리는 문제 (2)

정답과 풀이 57쪽

이차함수 $y=ax^2+bx+c$의 그래프에서 a, b, c의 부호

다음 물음에 답하시오.

2-1 이차함수 $y=ax^2+bx+c$의 그래프가 오른쪽 그림과 같을 때, 다음 중 이차함수 $y=cx^2+bx+a$의 그래프는? (단, a, b, c는 상수)

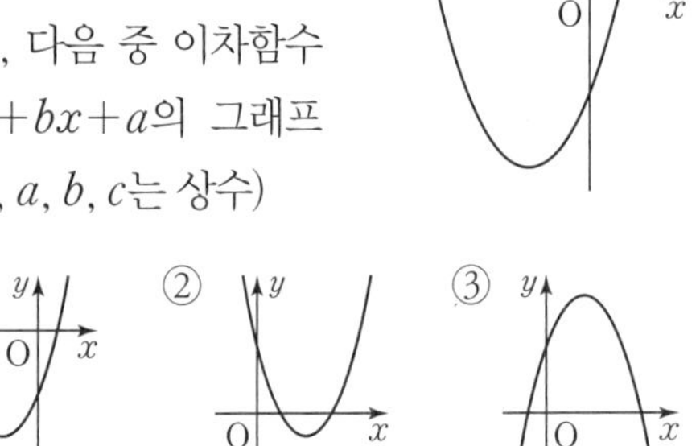
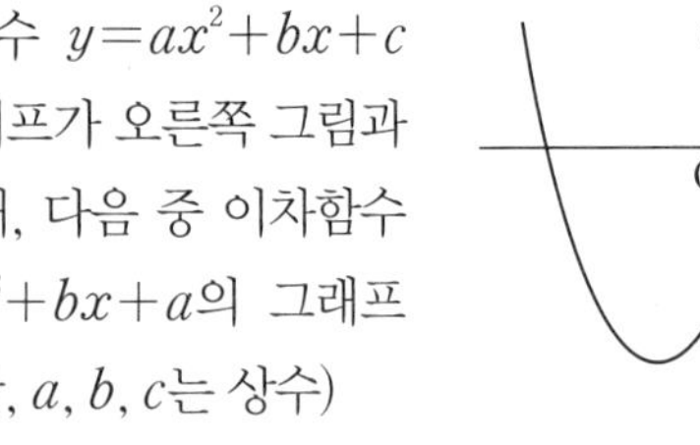

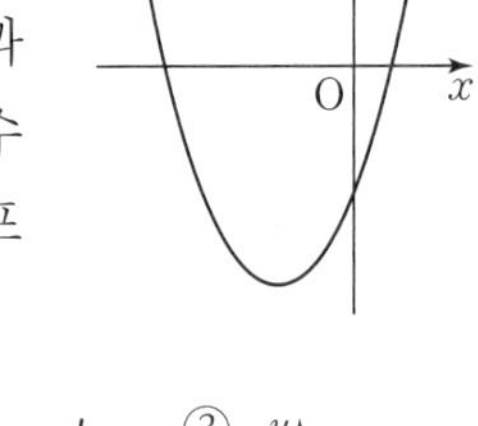
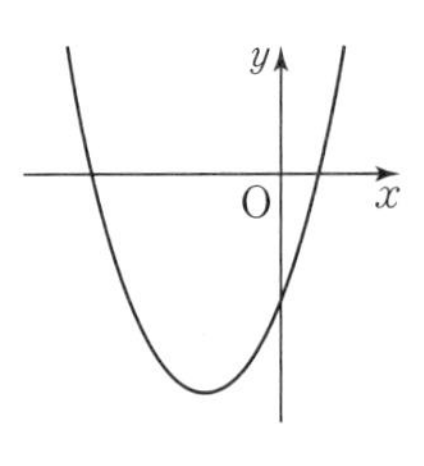
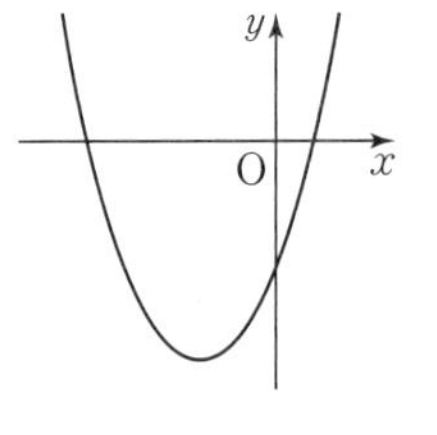
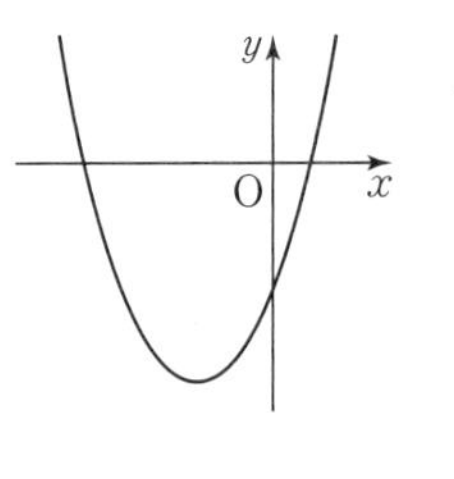
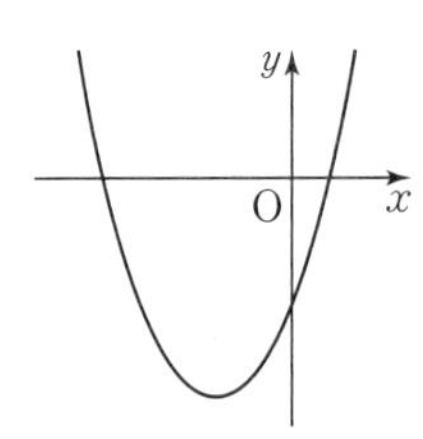

2-2 이차함수 $y=ax^2-bx-c$의 그래프가 오른쪽 그림과 같을 때, 다음 중 이차함수 $y=cx^2+bx-a$의 그래프는? (단, a, b, c는 상수)

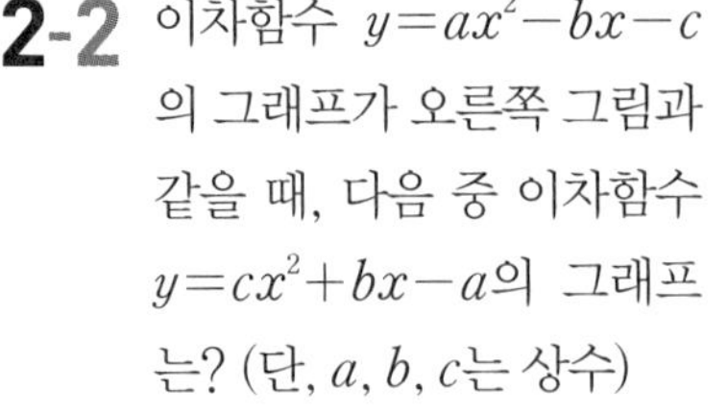
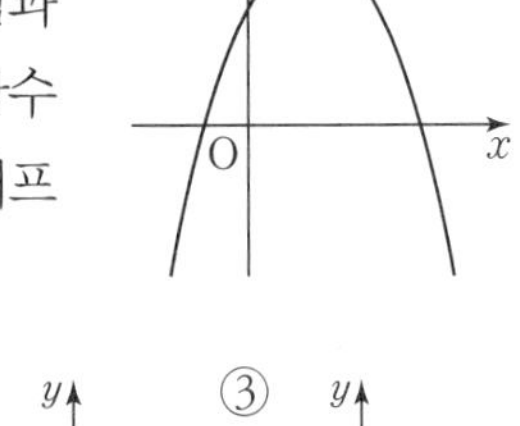

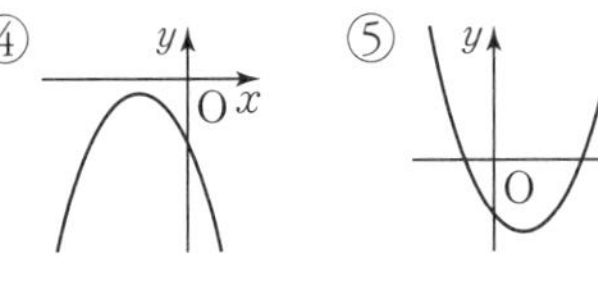
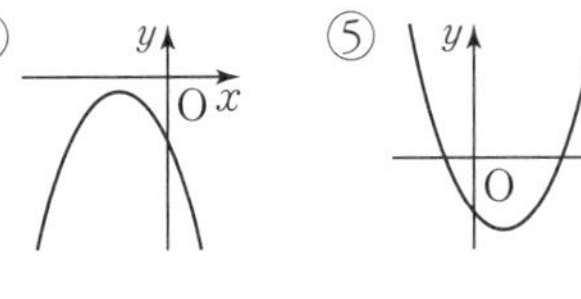
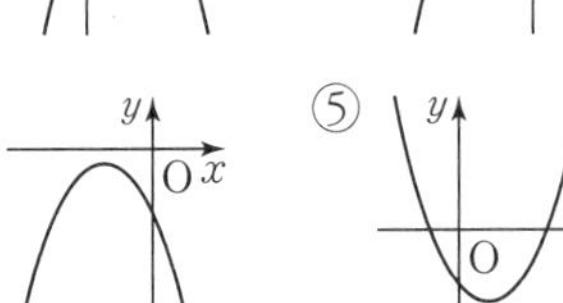
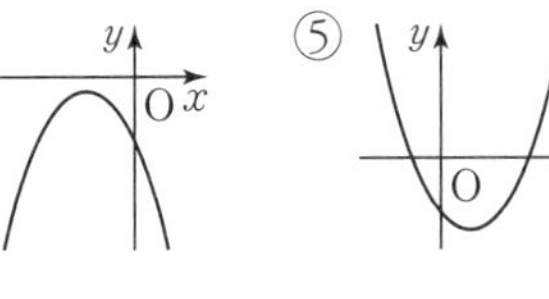
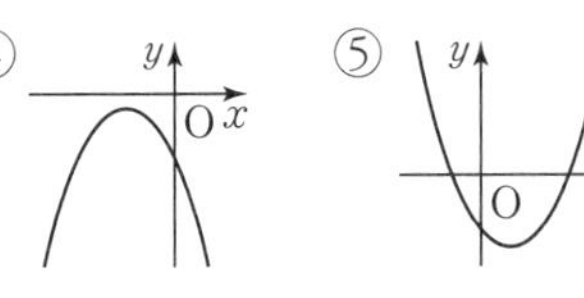

3-1 이차함수 $y=ax^2+bx+c$의 그래프가 오른쪽 그림과 같을 때, 다음 중 옳지 <u>않은</u> 것은? (단, a, b, c는 상수)

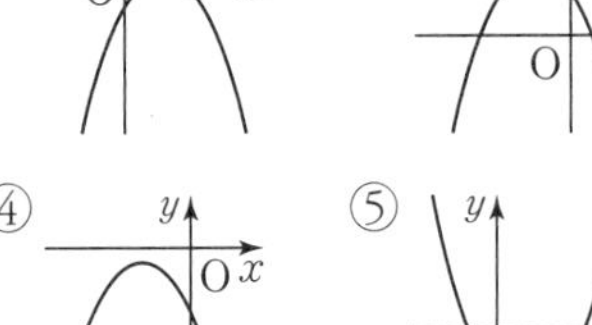
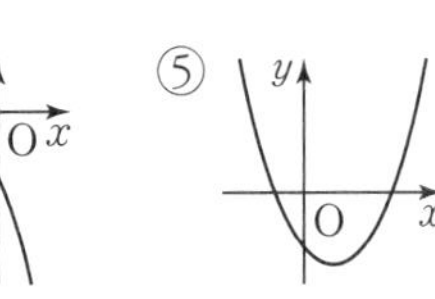

① $abc>0$
② $b^2-4ac>0$
③ $16a+4b+c>0$
④ $a+3b+9c<0$
⑤ $a-b+c>0$

3-2 이차함수 $y=ax^2+bx+c$의 그래프가 오른쪽 그림과 같을 때, 다음 □ 안에 >, =, < 중 알맞은 것을 써넣으시오. (단, a, b, c는 상수)

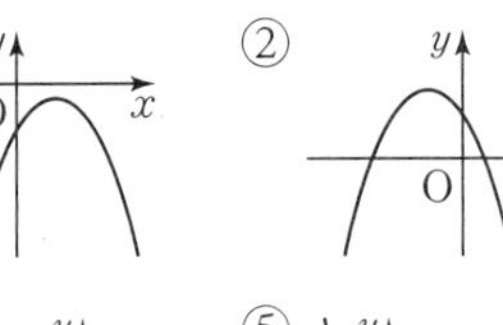
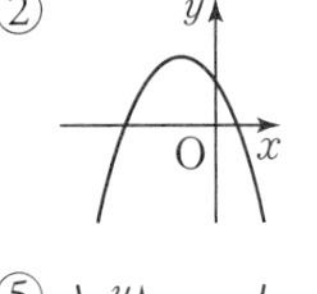
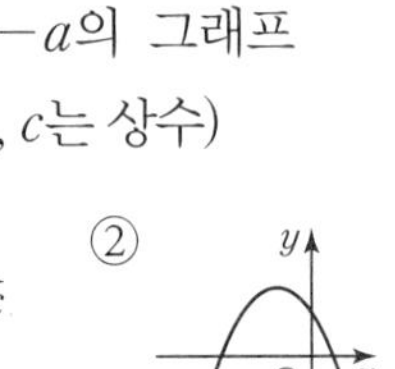
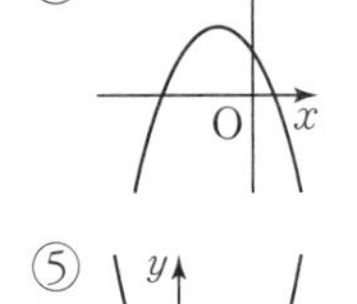
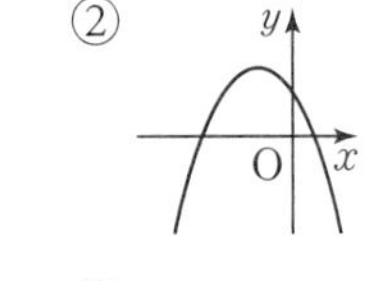

(1) abc □ 0 (2) b^2-4ac □ 0

(3) $4a-2b+c$ □ 0 (4) $\frac{9}{2}a+3b+2c$ □ 0

상위권의 눈

▶ 다음과 같은 식의 부호를 결정할 때에는 이차함수 $y=ax^2+bx+c$의 그래프에서 함숫값의 부호로 판단한다.

(1) $a+b+c$ ➡ $y=ax^2+bx+c$에 $x=1$을 대입
(2) $a-b+c$ ➡ $y=ax^2+bx+c$에 $x=-1$을 대입
(3) $4a+2b+c$ ➡ $y=ax^2+bx+c$에 $x=2$를 대입
(4) $4a-2b+c$ ➡ $y=ax^2+bx+c$에 $x=-2$를 대입

STEP 1 억울하게 울리는 문제 (3)

정답과 풀이 58쪽

이차함수의 식 구하기

다음 물음에 답하시오.

4-1 직선 $x=-2$를 축으로 하고 두 점 $(0, -8)$, $(-3, 1)$을 지나는 포물선을 그래프로 하는 이차함수의 식을 $y=ax^2+bx+c$의 꼴로 나타내시오. (단, a, b, c는 상수)

4-2 오른쪽 그림과 같은 포물선을 그래프로 하는 이차함수의 식을 $y=ax^2+bx+c$의 꼴로 나타내시오. (단, a, b, c는 상수)

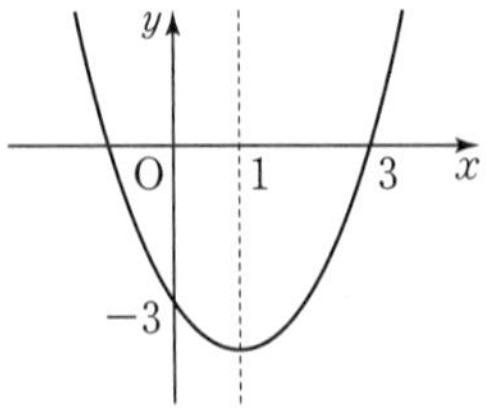

5-1 세 점 $(-2, 7)$, $(2, -1)$, $(4, 1)$을 지나는 포물선을 그래프로 하는 이차함수의 식을 $y=ax^2+bx+c$라 할 때, $a+b+c$의 값을 구하시오. (단, a, b, c는 상수)

5-2 세 점 $(0, 4)$, $(-4, 0)$, $(2, 5)$를 지나는 이차함수의 그래프의 꼭짓점의 좌표를 구하시오.

6-1 x축과 만나는 점의 x좌표가 -1, 4이고, 점 $(3, 2)$를 지나는 이차함수의 그래프가 y축과 만나는 점의 좌표를 구하시오.

6-2 오른쪽 그림과 같은 이차함수의 그래프의 꼭짓점의 좌표를 구하시오.

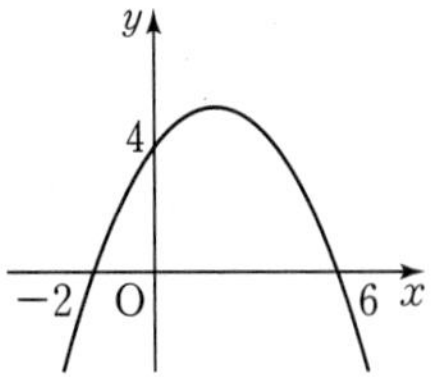

상위권의 눈

▶ 꼭짓점의 좌표에 따른 이차함수의 식

꼭짓점	이차함수의 식
$(0, 0)$	$y=ax^2$
$(0, q)$	$y=ax^2+q$
$(p, 0)$	$y=a(x-p)^2$
(p, q)	$y=a(x-p)^2+q$

▶ 축의 방정식에 따른 이차함수의 식

축	이차함수의 식
$x=0$	$y=ax^2+q$
$x=p$	$y=a(x-p)^2+q$

▶ 축의 방정식이 $x=p$이면 꼭짓점의 x좌표는 p이다.

STEP 2 반드시 등수 올리는 문제

정답과 풀이 59쪽

이차함수 $y=ax^2+bx+c$의 그래프

01
이차함수 $y=x^2-2x+a+3$의 그래프가 직선 $y=-2$와 한 점에서 만날 때, 상수 a의 값을 구하시오.

02
이차함수 $y=kx^2-2kx+k+3$의 그래프가 모든 사분면을 지날 때, 상수 k의 값의 범위는?

① $k<-3$　② $k<0$
③ $-3<k<0$　④ $-1<k<1$
⑤ $-1<k<3$

03
다음 중 이차함수 $y=ax^2+bx+c$의 그래프가 모든 사분면을 지나도록 하는 조건으로 알맞은 것은?

(단, a, b, c는 상수)

① $ab>0$　② $ac>0$
③ $bc>0$　④ $ac<0$
⑤ $a+b+c<0$

04
주사위를 두 번 던져서 첫 번째 나온 눈의 수를 a, 두 번째 나온 눈의 수를 b라 할 때, 이차함수 $y=(x-a)(x-b)+1$의 그래프가 x축과 한 점에서 만날 확률을 구하시오.

05

다음 그림과 같이 이차함수 $y=x^2-4x-5$의 그래프가 x축과 만나는 두 점을 각각 A, B라 하고, 이 그래프가 y축과 만나는 점을 C라 하자. 점 C를 지나는 일차함수 $y=ax+b$의 그래프가 x축과 만나는 점을 D라 할 때, $\triangle$ACD와 $\triangle$DCB의 넓이의 비가 1 : 2가 되게 하는 상수 a, b의 값을 각각 구하시오.

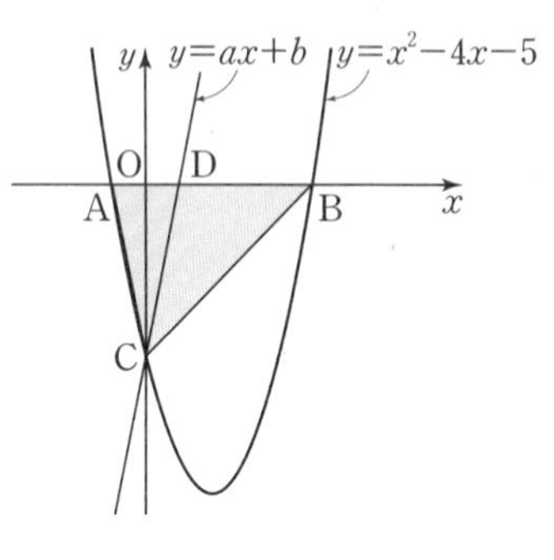

07

다음 그림에서 일차함수 $y=-\frac{3}{4}x+3$의 그래프가 x축, y축과 만나는 점을 각각 A, B라 하고, 두 이차함수 $y=ax^2$, $y=bx^2-4bx$의 그래프와 만나는 점을 각각 P, Q라 하자. $\overline{AP}:\overline{PQ}:\overline{QB}=2:1:1$일 때, 상수 a, b에 대하여 $a+b$의 값을 구하시오.

(단, 두 점 P, Q는 제1사분면 위의 점이다.)

06

오른쪽 그림과 같이 이차함수 $y=x^2+ax+b$의 그래프가 x축 위의 두 점 A, B를 지나고 점 C는 포물선 위에서 두 점 A, B 사이를 움직인다. 점 A의 x좌표는 -3이고 그래프가 y축과 만나는 점의 y좌표는 -15일 때, $\triangle$ABC의 넓이가 40이 되게 하는 점 C의 좌표를 모두 구하시오. (단, a, b는 상수)

이차함수 $y=ax^2+bx+c$의 그래프에서 a, b, c의 부호

08

이차함수 $y=ax^2-bx-c$의 그래프가 오른쪽 그림과 같을 때, 직선 $ax+by+c=0$이 지나지 않는 사분면을 구하시오.

(단, a, b, c는 상수)

09

이차함수 $y=ax^2-bx+c$의 그래프가 오른쪽 그림과 같을 때, 다음 중 옳은 것은? (단, a, b, c는 상수)

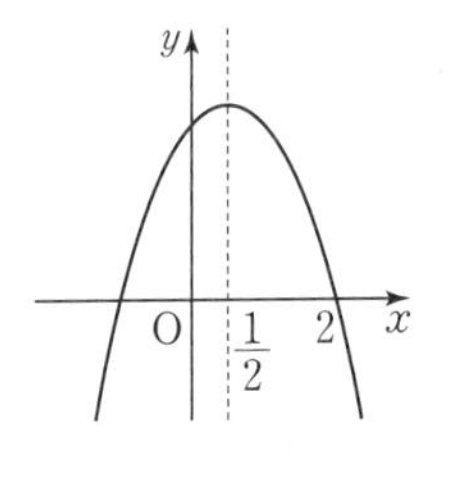

① $a+b-c>0$

② $a+b+c>0$

③ $a+\frac{b}{2}+\frac{c}{4}>0$

④ $a-\frac{b}{4}+\frac{c}{16}<0$

⑤ $a+2b+4c<0$

10

이차함수 $y=ax^2+bx+c$의 그래프가 오른쪽 그림과 같을 때, 다음 이차함수의 그래프는?

(단, a, b, c는 상수)

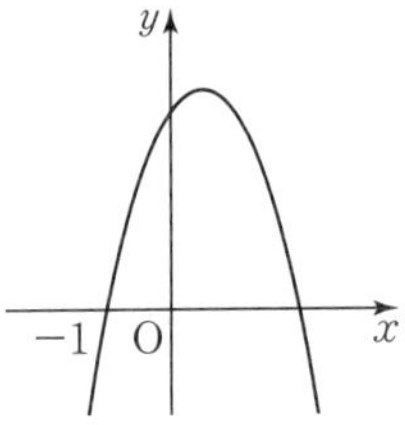

$$y=(ab-c)x^2+(b^2-4ac)x+(a-b+c)$$

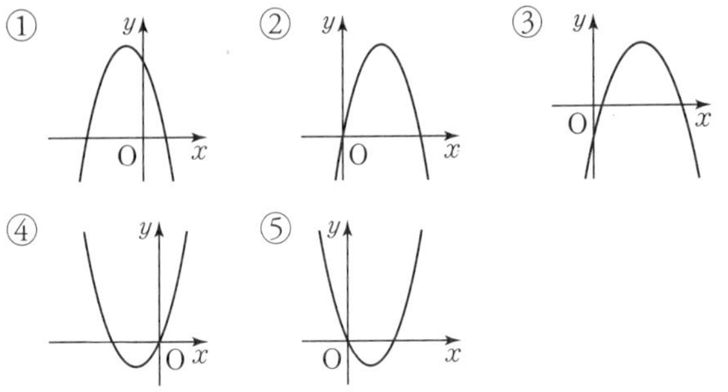

① ② ③ ④ ⑤

11

두 일차함수 $y=ax+b$, $y=cx+d$의 그래프가 오른쪽 그림과 같을 때, 다음 중 이차함수 $y=(ax+b)(cx+d)$의 그래프는? (단, a, b, c, d는 상수)

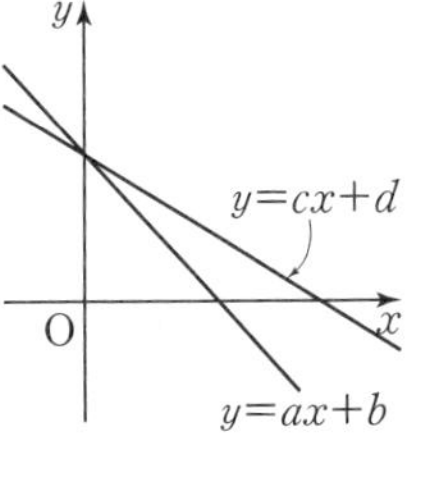

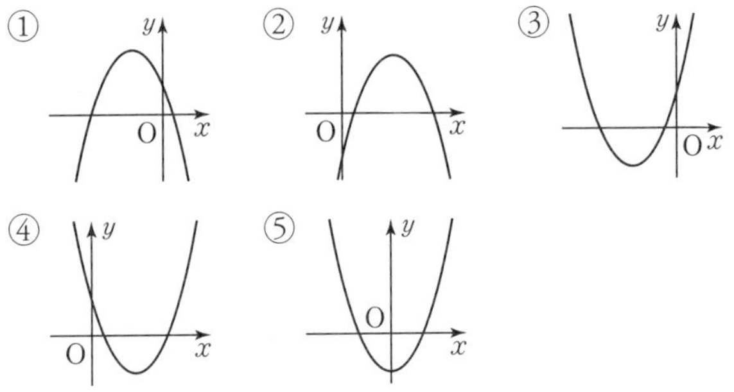

① ② ③ ④ ⑤

이차함수의 그래프의 평행이동과 대칭이동

12

포물선 P : $y=3x^2-6x+5$를 x축에 대칭이동하여 포물선 Q를 얻고, 포물선 Q를 다시 y축의 방향으로 a만큼 평행이동하여 포물선 R를 얻었다. 포물선 R와 x축이 만나는 두 점의 좌표가 각각 $(-1, 0)$, $(b, 0)$일 때, a, b의 값을 각각 구하시오.

13

이차함수 $y=x^2-6x+8$의 그래프를 y축의 방향으로 n만큼 평행이동하면 x축과 만나는 두 점 사이의 거리가 처음 거리의 2배가 될 때, n의 값을 구하시오.

14

두 이차함수 $f(x)=x^2+2x+2$, $g(x)=x^2-2x+2$에 대하여 다음 식의 값을 구하시오.

$$\frac{f(1)f(3)f(5)\cdots f(99)}{g(1)g(3)g(5)\cdots g(99)}$$

이차함수의 식 구하기

15

다음 중 아래 조건을 모두 만족하는 이차함수의 식은?

조건
(가) 꼭짓점의 좌표는 $(1, 0)$이다.
(나) 모든 x의 값에 대하여 $y\geq 0$이다.
(다) 이차함수 $y=x^2$의 그래프보다 폭이 좁다.

① $y=-2(x+1)^2$
② $y=-\frac{1}{2}(x+1)^2$
③ $y=-\frac{1}{2}(x-1)^2$
④ $y=\frac{1}{2}(x-1)^2$
⑤ $y=2(x-1)^2$

16

두 점 $(1, 0)$, $(5, 0)$을 지나고 꼭짓점의 y좌표가 4인 이차함수의 식을 $y=ax^2+bx+c$의 꼴로 나타내시오.
(단, a, b, c는 상수)

17

이차함수 $y=f(x)$에 대하여 $f(x)=ax^2+bx+4$의 그래프가 두 점 $(m, 0)$, $(2m, 0)$을 지나고 $f(-1)=f(4)$일 때, $a+b$의 값을 구하시오. (단, a, b는 상수)

18

점 $(1, 1)$을 지나고, 점 $(2, 1)$에서 직선 $y=x-1$과 접하는 이차함수의 식을 $y=ax^2+bx+c$의 꼴로 나타내시오. (단, a, b, c는 상수)

19

이차방정식 $x^2-2x-8=0$의 두 근을 p, q라 할 때, 이차함수 $y=ax^2+bx+c$의 그래프는 점 (p, q)를 꼭짓점으로 하고, x축과 두 점 A, B에서 만난다. $\overline{AB}=6$일 때, $9a+6b+3c$의 값을 구하시오.

(단, a, b, c는 상수이고 $p<q$)

20

다음 [그림 2]의 이차함수의 그래프는 [그림 1]의 이차함수의 그래프를 y축의 방향으로 3만큼 평행이동한 것이다. 점 A는 [그림 2]의 이차함수의 그래프의 꼭짓점일 때, $\triangle$ABC의 넓이를 구하시오.

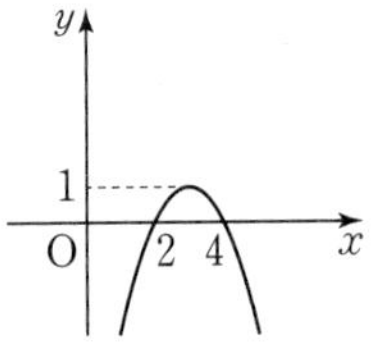

[그림 1]

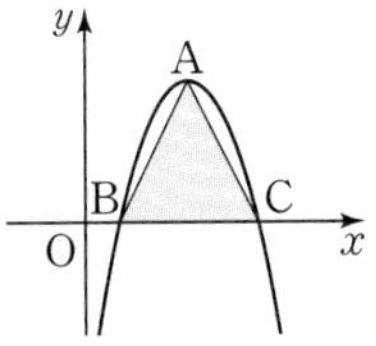

[그림 2]

STEP 3 전교 1등 확실하게 굳히는 문제

1

오른쪽 그림과 같이 이차함수 $y=x^2+px+p$의 그래프의 꼭짓점을 A, y축과 만나는 점을 B라 할 때, 두 점 A, B를 지나는 직선을 l이라 하자. 이때 직선 l이 x축과 만나는 점의 좌표를 구하시오.

(단, p는 0이 아닌 실수)

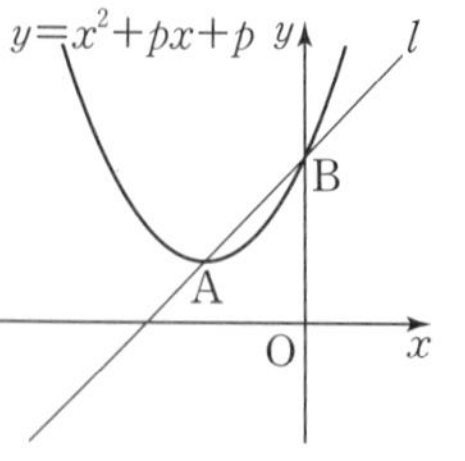

풀이

2 서술형

이차함수 $y=x^2-\frac{2n+1}{n(n+1)}x+\frac{1}{n(n+1)}$의 그래프가 x축과 서로 다른 두 점 P, Q에서 만난다. 선분 PQ의 길이를 $d(n)$이라 할 때, $d(1)+d(2)+d(3)+\cdots+d(24)$의 값을 구하시오.

(단, n은 자연수)

풀이

3

오른쪽 그림과 같이 이차함수 $y=\frac{2}{3}x^2+\frac{2}{3}x-4$의 그래프가 x축과 만나는 두 점을 각각 A, C, y축과 만나는 점을 B라 할 때, □ABCD가 평행사변형이 되도록 하는 점 D의 좌표를 구하시오.

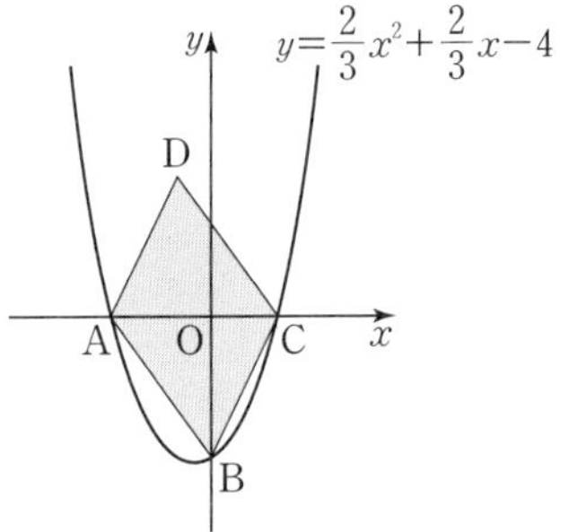

풀이

4

x축과 두 점 A$(-1, 0)$, C$(3, 0)$에서 만나고 y축과 점 B$(0, -2)$에서 만나는 이차함수의 그래프 위에 한 점 D(p, q)를 잡아 △ABC와 넓이가 같은 △BCD를 만들었을 때, $p+3q$의 값을 구하시오. (단, 점 D는 제1사분면 위의 점이다.)

풀이

5 창의력

x^2의 계수가 1인 이차함수 $y=f(x)$의 그래프의 꼭짓점이 직선 $y=kx$ 위에 있다. 이차함수 $y=f(x)$의 그래프가 직선 $y=kx+5$와 만나는 서로 다른 두 점의 x좌표를 각각 α, β라 하면 이차함수 $y=f(x)$의 그래프의 축의 방정식이 $x=\frac{\alpha+\beta}{2}-\frac{1}{4}$일 때, $|\alpha-\beta|$의 값을 구하시오. (단, k는 상수)

풀이

6 창의+융합

100 m 떨어진 두 지점 A, B 사이에 낡은 다리가 있다. 어떤 차량이 다리의 중간 지점에 왔을 때, 다리는 중간 지점을 기준으로 대칭인 포물선 모양을 이루고 다리의 시작 지점에서 20 m 떨어진 지점의 다리 높이가 10 cm 낮아졌다. 이때 다리의 중간 지점은 몇 m 낮아졌는지 구하시오.

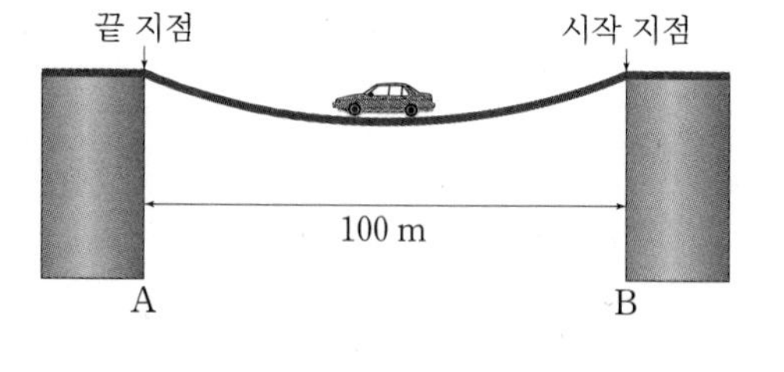

풀이

MEMO

MEMO

단기간 고득점을 위한 2주

중학 전략

내신 전략 시리즈

국어/영어/수학/사회/과학

필수 개념을 꽉~ 잡아 주는 초단기 내신 대비서!

일등전략 시리즈

국어/영어/수학/사회/과학 (국어는 3주 1권 완성)

철저한 기출 분석으로 상위권 도약을 돕는 고득점 전략서!

1등급 비밀! TOP OF THE TOP

3-1

중학수학

최강 TOT

정답과 풀이

천재교육

최강 TOT

정답과 풀이

중 3-1

I 제곱근과 실수

01 제곱근과 실수

[확인 ❶] 답 ④

① $\sqrt{49}=7$의 제곱근은 $\pm\sqrt{7}$이다.

② $\sqrt{25}=5$이므로 제곱근 $\sqrt{25}$는 $\sqrt{5}$이다.

③ $a<0$이므로 $\sqrt{25a^2}=\sqrt{(5a)^2}=-5a$이다.

④ $(-\sqrt{7})^2=7$의 제곱근은 $\pm\sqrt{7}$이다.

⑤ $\sqrt{(-6)^2}=6$은 6의 양의 제곱근이 아니다.

따라서 옳은 것은 ④이다.

[확인 ❷] 답 $4b$

$a-b<0$, $-2b<0$이므로

$\sqrt{(a-b)^2}+\sqrt{b^2}-\sqrt{a^2}+\sqrt{(-2b)^2}$

$=-(a-b)+b-(-a)+\{-(-2b)\}$

$=-a+b+b+a+2b$

$=4b$

[확인 ❸] 답 ⑤

① $7=\sqrt{49}$이므로 $\sqrt{50}>7$

② $0.8=\frac{4}{5}$이고 $\frac{4}{5}>\frac{2}{3}$이므로

$\sqrt{0.8}>\sqrt{\frac{2}{3}}$

③ $0.1=\sqrt{0.01}$이므로 $\sqrt{0.1}>0.1$

④ $2=\sqrt{4}$이고 $\sqrt{4}<\sqrt{6}$이므로 $-2>-\sqrt{6}$

⑤ $\frac{1}{3}=\sqrt{\frac{1}{9}}$이고 $\frac{1}{7}>\frac{1}{9}$이므로

$-\sqrt{\frac{1}{7}}<-\frac{1}{3}$

따라서 옳지 않은 것은 ⑤이다.

[확인 ❹] 답 3개

$-\sqrt{\frac{49}{36}}=-\frac{7}{6}$이므로 유리수

$\sqrt{0.\dot{3}}=\sqrt{\frac{3}{9}}=\sqrt{\frac{1}{3}}$이므로 무리수

제곱근 $\frac{9}{25}$는 $\sqrt{\frac{9}{25}}=\frac{3}{5}$이므로 유리수

$\sqrt{(-2)^2}=2$이므로 유리수

$\sqrt{\frac{\pi^2}{4}}=\sqrt{\left(\frac{\pi}{2}\right)^2}=\frac{\pi}{2}$이므로 무리수

따라서 보기 중 무리수는 $\sqrt{0.\dot{3}}$, $2-\sqrt{5}$, $\sqrt{\frac{\pi^2}{4}}$의 3개이다.

[확인 ❺] 답 $2\sqrt{5}$

피타고라스 정리에 의해 $\overline{AB}=\overline{AD}=\sqrt{1^2+2^2}=\sqrt{5}$

$\overline{AP}=\overline{AB}=\sqrt{5}$이므로 점 P에 대응하는 수는 $1+\sqrt{5}$이다.

$\therefore a=1+\sqrt{5}$

$\overline{AQ}=\overline{AD}=\sqrt{5}$이므로 점 Q에 대응하는 수는 $1-\sqrt{5}$이다.

$\therefore b=1-\sqrt{5}$

$\therefore a-b=(1+\sqrt{5})-(1-\sqrt{5})=2\sqrt{5}$

[확인 ❻] 답 $-5>-3-\sqrt{5}$

$-5-(-3-\sqrt{5})=-5+3+\sqrt{5}$

$=-2+\sqrt{5}>0$

$\therefore -5>-3-\sqrt{5}$

STEP 1 억울하게 울리는 문제 pp. 008~010

1 (1) ○ (2) × (3) ○ (4) × (5) × (6) × (7) ×

2-1 $2n$	**2-2** $\frac{2}{n}$
3-1 $-b$	**3-2** -1
4-1 $-a+\sqrt{a}$	**4-2** $a-\sqrt{a}+2b$
5-1 44	**5-2** 54
6-1 31	**6-2** 29
7-1 80	**7-2** 78

1 답 (1) ○ (2) × (3) ○ (4) × (5) × (6) × (7) ×

(1) $(-4)^2=16$의 제곱근은 ±4이다.

(2) 제곱근 $\sqrt{2.\dot{7}}=\sqrt{\frac{27-2}{9}}=\frac{5}{3}$는 $\sqrt{\frac{5}{3}}$이므로 무리수이다.

(3) π는 무리수이지만 근호를 사용하지 않고 나타낼 수 있다.

(4) 무리수는 순환소수가 아닌 무한소수이므로 무리수 중에는 순환소수가 없다.

(5) $a=4$일 때, $x^2=4$를 만족하는 x는 ±2이고, ±2는 유리수이다.

(6) $a=\frac{1}{4}$일 때, $\sqrt{\frac{1}{4}}>\frac{1}{4}$이므로 $\sqrt{\frac{1}{4}}$과 $\frac{1}{4}$을 수직선 위에 대응시키면 $\sqrt{\frac{1}{4}}$이 $\frac{1}{4}$보다 오른쪽에 있다.

(7) $a=2$, $b=-3$일 때, $\sqrt{2^2}<\sqrt{(-3)^2}$이지만 $2>-3$이다.

참고

(6) $0<a<1$일 때, $\sqrt{a}$와 a를 수직선 위에 대응시키면 $\sqrt{a}$는 a보다 오른쪽에 있다.
$a>1$일 때, $\sqrt{a}$와 a를 수직선 위에 대응시키면 $\sqrt{a}$는 a보다 왼쪽에 있다.

(7) $a>0$, $b>0$일 때, $\sqrt{a^2}<\sqrt{b^2}$이면 $a<b$이다.

2-1 답 $2n$

$0<n<1$이므로 $n+\frac{1}{n}>0$, $n-\frac{1}{n}<0$

$\therefore \sqrt{\left(n+\frac{1}{n}\right)^2}-\sqrt{\left(n-\frac{1}{n}\right)^2}=n+\frac{1}{n}-\left\{-\left(n-\frac{1}{n}\right)\right\}$

$=n+\frac{1}{n}+n-\frac{1}{n}$

$=2n$

2-2 답 $\frac{2}{n}$

$n>1$이므로 $n+\frac{1}{n}>0$, $n-\frac{1}{n}>0$

$\therefore \sqrt{\left(n+\frac{1}{n}\right)^2}-\sqrt{\left(n-\frac{1}{n}\right)^2}=n+\frac{1}{n}-\left(n-\frac{1}{n}\right)$

$=n+\frac{1}{n}-n+\frac{1}{n}$

$=\frac{2}{n}$

3-1 답 $-b$

$ab<0$, $a-b>0$이므로 $a>0$, $b-a<0$, $2b<0$

$\therefore \sqrt{a^2}-\sqrt{(b-a)^2}+\sqrt{(2b)^2}$

$=a-\{-(b-a)\}-2b$

$=a+b-a-2b$

$=-b$

3-2 답 -1

$a<0<b$, $|a|>|b|$이므로 $-a>0$, $b+1>0$, $a+b<0$

$\therefore \sqrt{(-a)^2}-\sqrt{(b+1)^2}-\sqrt{(a+b)^2}$

$=-a-(b+1)-\{-(a+b)\}$

$=-a-b-1+a+b$

$=-1$

4-1 답 $-a+\sqrt{a}$

$|ab|+ab=0$에서 $|ab|=-ab$

이때 $a\neq0$, $b\neq0$이므로 $ab<0$

또 $0<a<1$이고 $ab<0$이므로 $b<0$

따라서 $a-\sqrt{a}<0$, $\sqrt{b^2}=-b$이므로

$\sqrt{(a-\sqrt{a})^2}=-(a-\sqrt{a})=-a+\sqrt{a}$

$\sqrt{(b+\sqrt{b^2})^2}=\sqrt{(b-b)^2}=0$

$\therefore \sqrt{(a-\sqrt{a})^2}+\sqrt{(b+\sqrt{b^2})^2}$

$=-a+\sqrt{a}$

4-2 답 $a-\sqrt{a}+2b$

$|ab|-ab=0$에서 $|ab|=ab$

이때 $a\neq0$, $b\neq0$이므로 $ab>0$

또 $a>1$이고 $ab>0$이므로 $b>0$

따라서 $a-\sqrt{a}>0$, $\sqrt{b^2}=b$이므로

$\sqrt{(a-\sqrt{a})^2}=a-\sqrt{a}$

$\sqrt{(b+\sqrt{b^2})^2}=\sqrt{(b+b)^2}=\sqrt{(2b)^2}=2b$

$\therefore \sqrt{(a-\sqrt{a})^2}+\sqrt{(b+\sqrt{b^2})^2}$

$=a-\sqrt{a}+2b$

5-1 답 44

$\sqrt{45-x}$가 자연수가 되려면 $45-x$는 45보다 작은 제곱수이어야 한다.

$45-x=1, 4, 9, 16, 25, 36$

$\therefore x=9, 20, 29, 36, 41, 44$

따라서 가장 큰 자연수 x의 값은 44이다.

5-2 답 54

$\sqrt{45-x}$가 정수가 되려면 $45-x$는 0 또는 45보다 작은 제곱수이어야 한다.

$45-x=0, 1, 4, 9, 16, 25, 36$

$\therefore x=9, 20, 29, 36, 41, 44, 45$

따라서 $M=45$, $m=9$이므로

$M+m=45+9=54$

6-1 답 31

$\sqrt{4}=2$, $\sqrt{9}=3$, $\sqrt{16}=4$이므로

$N(4)=N(5)=N(6)=N(7)=N(8)=2$

$N(9)=N(10)=N(11)=\cdots=N(15)=3$

$\therefore N(4)+N(5)+N(6)+\cdots+N(15)$

$=5\times2+7\times3$

$=31$

6-2 답 29

$\sqrt{4}=2$, $\sqrt{9}=3$, $\sqrt{16}=4$이므로

$N(4)=1$

$N(5)=N(6)=N(7)=N(8)=N(9)=2$

$N(10)=N(11)=N(12)=\cdots=N(15)=3$

$\therefore N(4)+N(5)+N(6)+\cdots+N(15)$

$=1+5\times2+6\times3$

$=29$

7-1 답 80

$12=\sqrt{144}$, $15=\sqrt{225}$이므로 12와 15 사이에 있는 수 중에서 $\sqrt{n}$의 꼴로 나타낼 수 있는 수는 $\sqrt{145}, \sqrt{146}, \sqrt{147}, \cdots, \sqrt{224}$이다.
따라서 구하는 수의 개수는
$224-145+1=80$

7-2 답 78

$12=\sqrt{144}$, $15=\sqrt{225}$이므로 12와 15 사이에 있는 수 중에서 $\sqrt{n}$의 꼴로 나타낼 수 있는 수는 $\sqrt{145}, \sqrt{146}, \sqrt{147}, \cdots, \sqrt{224}$이다.
따라서 그 개수는
$224-145+1=80$
그런데 $\sqrt{169}=13$, $\sqrt{196}=14$이므로
$\sqrt{n}$의 꼴로 나타낼 수 있는 무리수의 개수는
$80-2=78$

STEP 2 반드시 등수 올리는 문제 pp. 011~014

01 $\frac{1}{3}$	**02** $\sqrt{41}$ cm	**03** ③
04 $2x+6$	**05** 20	**06** ㉡, ㉢, ㉣
07 b	**08** 29	**09** 105
10 (18, 20, 22), (78, 80, 82)		**11** 162
12 11	**13** 5	**14** ㉠, ㉢
15 $C<A<B$	**16** $\sqrt{3}-1$	

01 답 $\frac{1}{3}$

$S_1=1$이므로
$S_2=\frac{1}{3}S_1=\frac{1}{3}\times1=\frac{1}{3}$
$S_3=\frac{1}{3}S_2=\frac{1}{3}\times\frac{1}{3}=\frac{1}{9}$
따라서 정사각형 C의 한 변의 길이는 $\sqrt{\frac{1}{9}}=\frac{1}{3}$

전략
넓이가 $a(a>0)$인 정사각형의 한 변의 길이는 $\sqrt{a}$이다.

02 답 $\sqrt{41}$ cm

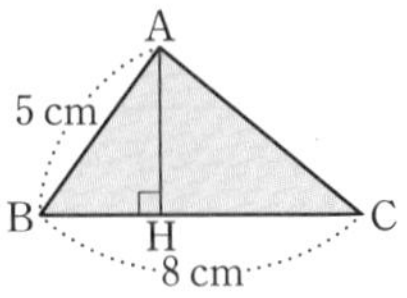

오른쪽 그림과 같이 점 A에서 $\overline{BC}$에 내린 수선의 발을 H라 하면
△ABC의 넓이가 16 cm²이므로
$\frac{1}{2}\times8\times\overline{AH}=16$ ∴ $\overline{AH}=4$ cm
△ABH에서 피타고라스 정리에 의해
$\overline{BH}=\sqrt{5^2-4^2}=\sqrt{9}=3$ (cm)
∴ $\overline{CH}=\overline{BC}-\overline{BH}=8-3=5$ (cm)
따라서 △AHC에서 피타고라스 정리에 의해
$\overline{AC}=\sqrt{4^2+5^2}=\sqrt{41}$ (cm)

전략
점 A에서 $\overline{BC}$에 수선의 발을 내리고 피타고라스 정리를 이용한다.

03 답 ③

$a<0$이므로 $-a>0$
① $-\sqrt{a^2}=-(-a)=a$
② $\sqrt{(-a)^2}=-a$
③ $-\sqrt{(-a)^2}=-(-a)=a$
④ $(\sqrt{-a})^2=-a$
⑤ $(-\sqrt{-a})^2=(\sqrt{-a})^2=-a$
따라서 옳은 것은 ③이다.

전략
$\sqrt{a^2}=\begin{cases} a\ (a\ge0) \leftarrow \text{부호 그대로} \\ -a\ (a<0) \leftarrow -\text{를 붙인다.}\end{cases}$

04 답 $2x+6$

$5x+6>3(x+4)$에서 $5x+6>3x+12$
$2x>6$ ∴ $x>3$
따라서 $x+3>0$, $x>0$, $3-x<0$이므로
$\sqrt{9(x+3)^2}-\sqrt{4x^2}+\sqrt{(3-x)^2}$
$=\sqrt{\{3(x+3)\}^2}-\sqrt{(2x)^2}+\sqrt{(3-x)^2}$
$=3(x+3)-2x-(3-x)$
$=3x+9-2x-3+x$
$=2x+6$

전략
$5x+6>3(x+4)$를 풀어 x의 값의 범위를 구한 후 근호 안의 식이 양수인지 음수인지 확인한다.

05 답 20

$\sqrt{1}\times\sqrt{2}\times\sqrt{3}\times\cdots\times\sqrt{n-1}\times\sqrt{n}=\sqrt{a}\times10^2$에서
$\sqrt{1\times2\times3\times\cdots\times(n-1)\times n}=\sqrt{a\times10^4}$
$=\sqrt{a\times(2\times5)^4}$

즉 $\sqrt{1\times2\times3\times\cdots\times(n-1)\times n}$에서 근호 안의 수를 소인수분해하였을 때, 소인수 2와 5가 각각 4개 이상 있어야 한다.
이때 $2=2$, $4=2^2$, $6=2\times3$이므로 1부터 6까지의 자연수를 곱하면 소인수 2는 4개이고, $5=5$, $10=2\times5$, $15=3\times5$, $20=2^2\times5$이므로 1부터 20까지의 자연수를 곱하면 소인수 5는 4개이다.
따라서 구하는 자연수 n의 최솟값은 20이다.

전략
$\sqrt{a}\times10^2=\sqrt{a\times10^4}=\sqrt{a\times(2\times5)^4}$임을 이용한다.

06 답 ㉡, ㉢, ㉣

㉠ $x\ge1$이면 $x-1\ge0$, $x>0$이므로
$f(x)=\sqrt{(x-1)^2}-\sqrt{x^2}$
$=x-1-x=-1$
㉡ $0\le x<1$이면 $x-1<0$, $x\ge0$이므로
$f(x)=\sqrt{(x-1)^2}-\sqrt{x^2}$
$=-(x-1)-x=-x+1-x=-2x+1$
㉢ $x<0$이면 $x-1<0$, $x<0$이므로
$f(x)=\sqrt{(x-1)^2}-\sqrt{x^2}$
$=-(x-1)-(-x)=-x+1+x=1$
㉣ (i) $x\ge1$일 때, $f(x)=-1$이므로 성립하지 않는다.
(ii) $0\le x<1$일 때, $f(x)=-2x+1$이므로
$-2x+1=0$이면 $x=\frac{1}{2}$
(iii) $x<0$일 때, $f(x)=1$이므로 성립하지 않는다.
즉 (i)~(iii)에서 $f(x)=0$이면 $x=\frac{1}{2}$이다.
따라서 옳은 것은 ㉡, ㉢, ㉣이다.

전략
(1) $a\ge b$이면 $a-b\ge0$이므로 $\sqrt{(a-b)^2}=a-b$
(2) $a<b$이면 $a-b<0$이므로 $\sqrt{(a-b)^2}=-(a-b)$

07 답 b

$|a|+a=0$에서 $|a|=-a$ $\therefore a<0$ ($\because a\ne0$)
$|ab|=ab$이므로 $ab>0$ ($\because a\ne0, b\ne0$)
이때 $a<0$이고 $ab>0$이므로 $b<0$
$|c|-c=0$에서 $|c|=c$ $\therefore c>0$ ($\because c\ne0$)
따라서 $c-b>0$, $a+b<0$, $a-c<0$이므로
$\sqrt{b^2}-\sqrt{(c-b)^2}-|a+b|+|a-c|$
$=-b-(c-b)-\{-(a+b)\}-(a-c)$
$=-b-c+b+a+b-a+c$
$=b$

전략
0이 아닌 실수 a에 대하여
(1) $|a|-a=0$이면 $|a|=a$이므로 $a>0$
(2) $|a|+a=0$이면 $|a|=-a$이므로 $a<0$

08 답 29

자연수 k에 대하여 $\sqrt{78-3n}=k$라 하면
$78-3n=k^2$이므로 $n=\frac{78-k^2}{3}$이다.
이때 n은 자연수이므로 $78-k^2$은 3의 배수이다.
그런데 78은 3의 배수이므로 k^2도 3의 배수이다.
즉 k는 (가) 3 의 배수이다.
또 $78-k^2>0$이므로 $k=$ (나) 3 또는 $k=6$이다.
구하는 자연수 n의 값은
$k=3$일 때, $n=\frac{78-3^2}{3}=$ (다) 23
$k=6$일 때, $n=\frac{78-6^2}{3}=14$
따라서 (가), (나), (다)에 들어갈 수의 합은
$3+3+23=29$

참고
• **k가 자연수일 때, k^2이 3의 배수이면 k가 3의 배수인 이유**
k^2이 3의 배수이므로 $k^2=3m$ (m은 자연수)이라 하면
k^2은 제곱수이므로 $m=3n^2$ (n은 자연수)의 꼴이어야 한다.
$\therefore k^2=3m=3\times3n^2=(3n)^2$
따라서 k는 $3n$이므로 3의 배수이다.

09 답 105

$\sqrt{7^{2030}+7^{2029}n}=\sqrt{7^{2029}(7+n)}$이므로 $\sqrt{7^{2030}+7^{2029}n}$이 자연수가 되려면 $7+n=7k^2$(k는 1보다 큰 자연수)의 꼴이어야 한다.
즉 $7+n=7\times2^2, 7\times3^2, 7\times4^2, \cdots$
$\therefore n=21, 56, 105, \cdots$
따라서 구하는 자연수 n의 값 중 세 번째로 작은 수는 105이다.

전략
$\sqrt{7^{2030}+7^{2029}n}=\sqrt{7^{2029}(7+n)}$임을 이용한다.

10 답 (18, 20, 22), (78, 80, 82)

$a=2n-2$, $b=2n$, $c=2n+2$(n은 1보다 큰 자연수)라 하면
$\sqrt{2a+b+2c}=\sqrt{2(2n-2)+2n+2(2n+2)}=\sqrt{10n}$이므로
$\sqrt{2a+b+2c}$가 자연수가 되려면 $n=10m^2$(m은 자연수)의 꼴이어야 한다.
한편 $a+b+c\le300$에서
$(2n-2)+2n+(2n+2)\le300$
$6n\le300$ $\therefore n\le50$
즉 $n=10\times1^2, 10\times2^2$
(i) $n=10$일 때, 순서쌍 (a, b, c)는 $(18, 20, 22)$
(ii) $n=40$일 때, 순서쌍 (a, b, c)는 $(78, 80, 82)$

전략
a, b, c가 연속하는 세 짝수이므로 $a=2n-2$, $b=2n$, $c=2n+2$(n은 1보다 큰 자연수)로 놓는다.

11 답 162

200 이하의 자연수 n에 대하여

(i) $\sqrt{n}$이 유리수가 되려면 $n=p^2$(p는 자연수)의 꼴이어야 하므로 n은 $1^2, 2^2, 3^2, \cdots, 14^2$의 14개

(ii) $\sqrt{2n}$이 유리수가 되려면 $n=2q^2$(q는 자연수)의 꼴이어야 하므로 n은 $2\times1^2, 2\times2^2, 2\times3^2, \cdots, 2\times10^2$의 10개

(iii) $\sqrt{3n}$이 유리수가 되려면 $n=3r^2$(r는 자연수)의 꼴이어야 하므로 n은 $3\times1^2, 3\times2^2, 3\times3^2, \cdots, 3\times8^2$의 8개

(iv) $\sqrt{5n}$이 유리수가 되려면 $n=5s^2$(s는 자연수)의 꼴이어야 하므로 n은 $5\times1^2, 5\times2^2, 5\times3^2, \cdots, 5\times6^2$의 6개

(i)~(iv)에서 중복되는 수가 없으므로 $\sqrt{n}, \sqrt{2n}, \sqrt{3n}, \sqrt{5n}$이 모두 무리수가 되게 하는 n의 값의 개수는

$200-(14+10+8+6)=162$

전략
$\sqrt{n}, \sqrt{2n}, \sqrt{3n}, \sqrt{5n}$이 유리수가 되게 하는 n의 값을 각각 찾아본다.

12 답 11

$2<\sqrt{7}<3$, $2<\sqrt{8}<3$이므로

$f(7)=f(8)=4-2=2$

$\sqrt{9}=3$, $3<\sqrt{10}<4$, $3<\sqrt{11}<4$, $\cdots$, $3<\sqrt{15}<4$이므로

$f(9)=f(10)=f(11)=\cdots=f(15)=4-3=1$

$\sqrt{16}=4$, $4<\sqrt{17}<5$, $4<\sqrt{18}<5$, $4<\sqrt{19}<5$이므로

$f(16)=f(17)=f(18)=f(19)=4-4=0$

$\therefore f(7)+f(8)+f(9)+\cdots+f(19)$
$=2\times2+7\times1+4\times0$
$=11$

전략
$n=7, 8, 9, \cdots, 19$일 때, $f(n)$의 값을 각각 구해 본다.

13 답 5

△ABC에서 피타고라스 정리에 의해

$\overline{AC}=\sqrt{1^2+1^2}=\sqrt{2}$

$\overline{CP}=\overline{CA}=\sqrt{2}$이고 점 P에 대응하는 수가 $2-\sqrt{2}$이므로 점 C에 대응하는 수는 $(2-\sqrt{2})+\sqrt{2}=2$이고, 점 B에 대응하는 수는 $2-1=1$이다.

△EBD에서 피타고라스 정리에 의해

$\overline{BE}=\sqrt{2^2+1^2}=\sqrt{5}$

따라서 점 Q에 대응하는 수는 $1+\sqrt{5}$이므로

$a=1+\sqrt{5}$

$\therefore (a-1)^2=(1+\sqrt{5}-1)^2=(\sqrt{5})^2=5$

전략
$\overline{AC}$의 길이를 구하여 점 C, 점 B에 대응하는 수를 각각 구한다.

14 답 ㉠, ㉢

$\overline{BE}=\overline{BD}=\sqrt{1^2+1^2}=\sqrt{2}$이므로

$q=p+1$, $r=p+\sqrt{2}=q-1+\sqrt{2}$ ($\because p=q-1$)

㉠ (유리수)+(유리수)=(유리수),
(유리수)+(무리수)=(무리수)이므로 p가 유리수이면 q는 유리수, r는 무리수이다.

㉡ $p=-\sqrt{2}$일 때, $r=-\sqrt{2}+\sqrt{2}=0$이므로 r는 유리수이다.

㉢ $r=q+(\sqrt{2}-1)$에서 $\sqrt{2}-1$이 무리수이므로 q가 유리수이면 r는 무리수이다.

따라서 옳은 것은 ㉠, ㉢이다.

전략
(유리수)+(유리수)=(유리수), (유리수)+(무리수)=(무리수)임을 이용한다.

15 답 $C<A<B$

$A-B=(2\sqrt{5}+1)-(8-\sqrt{5})$
$=3\sqrt{5}-7$
$=\sqrt{45}-\sqrt{49}<0$

$\therefore A<B$ …… ㉠

$C-A=(3\sqrt{2}+1)-(2\sqrt{5}+1)$
$=3\sqrt{2}-2\sqrt{5}$
$=\sqrt{18}-\sqrt{20}<0$

$\therefore C<A$ …… ㉡

㉠, ㉡에 의해 $C<A<B$

참고
제곱근의 덧셈과 뺄셈
$a>0$이고 m, n이 유리수일 때
(1) $m\sqrt{a}+n\sqrt{a}=(m+n)\sqrt{a}$
(2) $m\sqrt{a}-n\sqrt{a}=(m-n)\sqrt{a}$

16 답 $\sqrt{3}-1$

$2<\sqrt{5}<3$이므로 $-3<-\sqrt{5}<-2$

$\therefore 1<4-\sqrt{5}<2$

$1<\sqrt{3}<2$이므로 $0<\sqrt{3}-1<1$

또 $-2<-\sqrt{3}<-1$이므로 $0<2-\sqrt{3}<1$

이때 $\sqrt{3}-1-(2-\sqrt{3})=2\sqrt{3}-3$
$=\sqrt{12}-\sqrt{9}>0$

$\therefore 2-\sqrt{3}<\sqrt{3}-1$

$2<\sqrt{6}<3$이므로 $-3<-\sqrt{6}<-2$

$\therefore -2<1-\sqrt{6}<-1$

따라서 주어진 수를 크기가 작은 것부터 차례로 나열하면 $1-\sqrt{6}$, $2-\sqrt{3}$, $\sqrt{3}-1$, 1, $4-\sqrt{5}$이므로 세 번째에 오는 수는 $\sqrt{3}-1$이다.

전략

$2<\sqrt{5}<3$, $1<\sqrt{3}<2$, $2<\sqrt{6}<3$임을 이용하여 주어진 수를 크기가 작은 것부터 차례로 나열해 본다.

STEP 3 전교 1등 **확실하게** 굳히는 문제 pp. 015~017

1 ㉠, ㉡, ㉢ 2 $h=90$, $v=42$

3 (15, 5, 405), (5, 45, 5) 4 $\frac{23}{24}$

5 360 6 22

1 답 ㉠, ㉡, ㉢

㉠ 오른쪽 그림과 같이 $\angle B=90°$이고 $\overline{AB}=4$, $\overline{BC}=3$인 직각삼각형 ABC를 만들면 $\overline{AC}=\sqrt{4^2+3^2}=\sqrt{25}=5$이므로 세 변의 길이가 각각 3, 4, 5인 직각삼각형을 만들 수 있다.

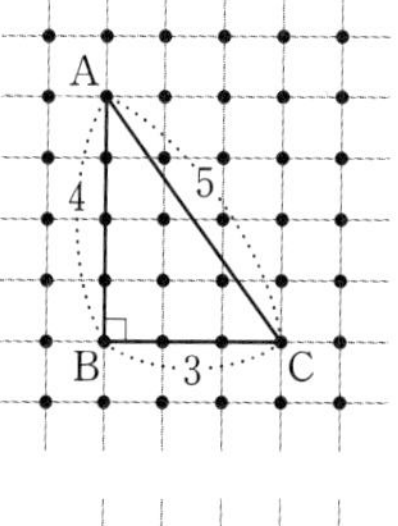

㉡ 오른쪽 그림과 같이 $\overline{AB}=\overline{BC}=\sqrt{1^2+2^2}=\sqrt{5}$, $\overline{AC}=\sqrt{1^2+3^2}=\sqrt{10}$인 $\triangle ABC$를 만들면 $(\sqrt{5})^2+(\sqrt{5})^2=(\sqrt{10})^2$이므로 $\angle B=90°$이고 세 변의 길이가 각각 $\sqrt{5}$, $\sqrt{5}$, $\sqrt{10}$인 직각삼각형을 만들 수 있다.

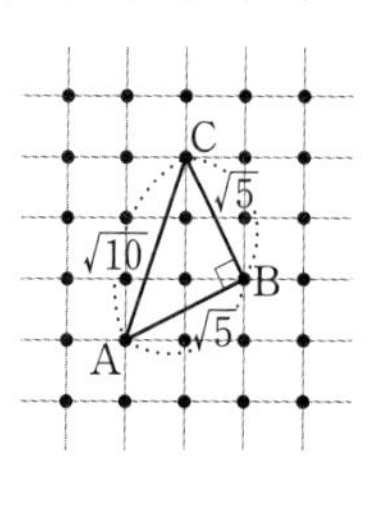

㉢ 모눈종이 위의 모든 직각삼각형에 대하여 오른쪽 그림과 같이 직사각형 ABCD를 만들 수 있다. 직사각형 ABCD의 네 꼭짓점은 간격이 1인 모눈종이 위의 점이므로 가로와 세로의 길이는 모두 자연수이다. 따라서 직사각형 ABCD의 넓이와 세 직각삼각형 AFE, FBC, CDE의 넓이는 모두 유리수이다.

이때

$\triangle EFC=\square ABCD-(\triangle AFE+\triangle FBC+\triangle CDE)$

이므로 직각삼각형 EFC의 넓이는 항상 유리수이다.

따라서 보기 중 옳은 것은 ㉠, ㉡, ㉢이다.

전략

모눈종이 위의 점들 중 세 개를 골라 그 점을 꼭짓점으로 하는 직각삼각형을 직접 그려 본다.

2 답 $h=90$, $v=42$

$v=\sqrt{2\times 9.8\times h}$

$=\sqrt{2\times\frac{98}{10}\times h}$

$=\sqrt{\frac{2\times 7^2}{5}\times h}$

이때 v가 자연수가 되려면 $h=5\times 2k^2$(k는 자연수)의 꼴이어야 한다.

$\therefore h=5\times 2\times 1^2, 5\times 2\times 2^2, 5\times 2\times 3^2, 5\times 2\times 4^2, \cdots$

이 중 가장 큰 두 자리의 자연수는

$5\times 2\times 3^2=90$

$\therefore\ v=\sqrt{\frac{2\times 7^2}{5}\times h}$

$=\sqrt{\frac{2\times 7^2}{5}\times 5\times 2\times 3^2}$

$=\sqrt{2^2\times 3^2\times 7^2}$

$=\sqrt{(2\times 3\times 7)^2}$

$=\sqrt{42^2}=42$

따라서 구하는 h의 값은 90이고 그때의 v의 값은 42이다.

전략

$\sqrt{Ax}$ (A는 자연수)가 자연수가 되도록 하는 자연수 x의 값을 구하려면 A를 소인수분해하여 소인수의 지수가 모두 짝수가 되도록 하는 x의 값을 구한다.

3 답 (15, 5, 405), (5, 45, 5)

조건 (가)에서 $a=\sqrt{\frac{1125}{b}}=\sqrt{\frac{3^2\times 5^3}{b}}$

a가 자연수가 되려면 b는 5, $3^2\times 5$, 5^3, $3^2\times 5^3$이어야 한다.

이때 각각의 a의 값을 계산하면

$b=5$일 때, $a=\sqrt{\frac{3^2\times 5^3}{5}}=\sqrt{3^2\times 5^2}=15$

$b=3^2\times 5$일 때, $a=\sqrt{\frac{3^2\times 5^3}{3^2\times 5}}=\sqrt{5^2}=5$

$b=5^3$일 때, $a=\sqrt{\frac{3^2\times 5^3}{5^3}}=\sqrt{3^2}=3$

$b=3^2\times 5^3$일 때, $a=\sqrt{\frac{3^2\times 5^3}{3^2\times 5^3}}=1$

조건 (나)에서 $b=\sqrt{\frac{10125}{c}}=\sqrt{\frac{3^4\times 5^3}{c}}$

조건 (가)에서 찾은 각각의 b의 값을 대입해 보면

$b=5$일 때, $5=\sqrt{\frac{3^4\times 5^3}{c}}$ $\quad\therefore c=3^4\times 5=405$

$b=3^2\times 5$일 때, $3^2\times 5=\sqrt{\frac{3^4\times 5^3}{c}}$ $\quad\therefore c=5$

$b=5^3$일 때, $5^3=\sqrt{\frac{3^4\times 5^3}{c}}$ $\quad\therefore c=\frac{3^4}{5^3}$

$b=3^2\times 5^3$일 때, $3^2\times 5^3=\sqrt{\frac{3^4\times 5^3}{c}}$ $\quad\therefore c=\frac{1}{5^3}$

따라서 세 자연수 a, b, c의 순서쌍 (a, b, c)는 (15, 5, 405), (5, 45, 5)이다.

전략

$\sqrt{\dfrac{A}{x}}$ (A는 자연수)가 자연수가 되도록 하는 자연수 x의 값을 구하려면 A를 소인수분해하여 소인수의 지수가 모두 짝수가 되도록 하는 x의 값을 구한다.

4 답 $\dfrac{23}{24}$

모든 경우의 수는 $6\times6\times6=216$

$\sqrt{a}-\sqrt{b}+\sqrt{\dfrac{c}{a+b}}$가 유리수가 되는 경우를 생각해 보자.

(i) $a=b$이고 $\dfrac{c}{a+b}=k^2$(k는 유리수)의 꼴인 경우

순서쌍 (a, b, c)는 $(1, 1, 2)$, $(2, 2, 1)$, $(2, 2, 4)$, $(3, 3, 6)$, $(4, 4, 2)$, $(6, 6, 3)$의 6가지

(ii) a가 제곱수이고 $b=\dfrac{c}{a+b}$인 경우

순서쌍 (a, b, c)는 $(1, 1, 2)$, $(1, 2, 6)$, $(4, 1, 5)$의 3가지

(iii) a와 b는 제곱수이고 $\dfrac{c}{a+b}=m^2$(m은 유리수)의 꼴인 경우

순서쌍 (a, b, c)는 $(1, 1, 2)$, $(1, 4, 5)$, $(4, 1, 5)$, $(4, 4, 2)$의 4가지

(i)~(iii)에 의해 $\sqrt{a}-\sqrt{b}+\sqrt{\dfrac{c}{a+b}}$가 유리수가 되는 경우는

$6+3+4-4=9$(가지)이므로 그 확률은 $\dfrac{9}{216}=\dfrac{1}{24}$

따라서 $\sqrt{a}-\sqrt{b}+\sqrt{\dfrac{c}{a+b}}$가 무리수일 확률은

$1-\dfrac{1}{24}=\dfrac{23}{24}$

전략

$\sqrt{a}-\sqrt{b}+\sqrt{\dfrac{c}{a+b}}$가 유리수가 되는 경우를 먼저 구해 본다.

5 답 360

조건 (가)에서 각 변을 제곱하면 $200<x<500$

조건 (나)에서

$201<x+1<501$, $\dfrac{203}{3}<\dfrac{x}{3}+1<\dfrac{503}{3}$

이때 $\dfrac{203}{3}$보다 크고 $\dfrac{503}{3}$보다 작은 제곱수는 81, 100, 121, 144이므로

$\dfrac{x}{3}+1=81, 100, 121, 144$에서

$x=240, 297, 360, 429$

$\therefore x+1=241, 298, 361, 430$

이때 $x+1$도 제곱수이므로

$x+1=361 \qquad \therefore x=360$

전략

$a>0$, $b>0$일 때, $a<\sqrt{x}<b$이면 $a^2<x<b^2$

6 답 22

$n=1, 2$일 때

$\dfrac{1}{2}\le\sqrt{n}<\dfrac{3}{2}$이므로 $f(1)=f(2)=1$ …… 30 %

$n=3, 4, 5, 6$일 때

$\dfrac{3}{2}\le\sqrt{n}<\dfrac{5}{2}$이므로 $f(3)=f(4)=f(5)=f(6)=2$ …… 30 %

$n=7, 8, 9, 10$일 때

$\dfrac{5}{2}\le\sqrt{n}<\dfrac{7}{2}$이므로 $f(7)=f(8)=f(9)=f(10)=3$ …… 30 %

$\therefore f(1)+f(2)+f(3)+\cdots+f(10)=2\times1+4\times2+4\times3$

$=22$ …… 10 %

전략

소수점 아래 첫째 자리에서 반올림했을 때, 값이 변하는 경계가 되는 수는 $\dfrac{1}{2}, \dfrac{3}{2}, \dfrac{5}{2}, \dfrac{7}{2}, \cdots$임을 이용한다.

02 근호를 포함한 식의 계산

[확인 ❶] 답 (1) $\frac{\sqrt{6}}{2}$ (2) $3\sqrt{3}$

(1) $\sqrt{\frac{2}{3}}\div\frac{\sqrt{5}}{\sqrt{6}}\times\frac{\sqrt{15}}{\sqrt{8}}=\frac{\sqrt{2}}{\sqrt{3}}\times\frac{\sqrt{6}}{\sqrt{5}}\times\frac{\sqrt{15}}{2\sqrt{2}}$

$=\frac{\sqrt{6}}{2}$

(2) $2\sqrt{\frac{3}{11}}\times3\sqrt{\frac{2}{15}}\div2\sqrt{\frac{50}{33}}\times\sqrt{125}$

$=\frac{2\sqrt{3}}{\sqrt{11}}\times\frac{3\sqrt{2}}{\sqrt{15}}\div\frac{2\times5\sqrt{2}}{\sqrt{33}}\times5\sqrt{5}$

$=\frac{2\sqrt{3}}{\sqrt{11}}\times\frac{3\sqrt{2}}{\sqrt{15}}\times\frac{\sqrt{33}}{10\sqrt{2}}\times5\sqrt{5}$

$=3\sqrt{3}$

[확인 ❷] 답 (1) $2\sqrt{3}+\frac{5\sqrt{2}}{2}$ (2) $8\sqrt{2}$

(1) $\sqrt{27}-\frac{5}{\sqrt{2}}-\frac{3}{\sqrt{3}}+\sqrt{50}=3\sqrt{3}-\frac{5\sqrt{2}}{2}-\sqrt{3}+5\sqrt{2}$

$=2\sqrt{3}+\frac{5\sqrt{2}}{2}$

(2) $\frac{\sqrt{18}}{3}-\frac{\sqrt{3}}{2\sqrt{6}}+3\sqrt{8}+\frac{5}{\sqrt{8}}$

$=\frac{3\sqrt{2}}{3}-\frac{1}{2\sqrt{2}}+6\sqrt{2}+\frac{5}{2\sqrt{2}}$

$=\sqrt{2}-\frac{\sqrt{2}}{4}+6\sqrt{2}+\frac{5\sqrt{2}}{4}$

$=8\sqrt{2}$

[확인 ❸] 답 $-3\sqrt{2}-\sqrt{3}$

$\frac{\sqrt{6}-2}{\sqrt{2}}-(2\sqrt{6}+6)\div\sqrt{3}$

$=\sqrt{3}-\frac{2}{\sqrt{2}}-\left(2\sqrt{2}+\frac{6}{\sqrt{3}}\right)$

$=\sqrt{3}-\sqrt{2}-2\sqrt{2}-2\sqrt{3}$

$=-3\sqrt{2}-\sqrt{3}$

[확인 ❹] 답 (1) 17.32 (2) 0.5477 (3) 54.77 (4) 0.01732

(1) $\sqrt{300}=\sqrt{100\times3}=10\sqrt{3}$

$=10\times1.732=17.32$

(2) $\sqrt{0.3}=\sqrt{\frac{30}{100}}=\frac{\sqrt{30}}{10}$

$=\frac{5.477}{10}=0.5477$

(3) $\sqrt{3000}=\sqrt{100\times30}=10\sqrt{30}$

$=10\times5.477=54.77$

(4) $\sqrt{0.0003}=\sqrt{\frac{3}{10000}}=\frac{\sqrt{3}}{100}$

$=\frac{1.732}{100}=0.01732$

[확인 ❺] 답 $-1+\sqrt{3}$

$1<\sqrt{3}<2$이므로 $-2<-\sqrt{3}<-1$

$\therefore 1<3-\sqrt{3}<2$

따라서 $3-\sqrt{3}$의 정수 부분은 1이므로 $a=1$

$b=(3-\sqrt{3})-1=2-\sqrt{3}$

$\therefore a-b=1-(2-\sqrt{3})=-1+\sqrt{3}$

STEP 1 | 억울하게 울리는 문제 　pp. 020~021

1 (1) 무리수 (2) 유리수 (3) 무리수 (4) 존재하지 않는다

2 (1) × (2) × (3) × (4) ×

3-1 4 　**3-2** $-15+5\sqrt{6}$

4-1 $8\sqrt{2}$ 　**4-2** $-8\sqrt{2}$

5-1 20 　**5-2** 0

1 답 (1) 무리수 (2) 유리수 (3) 무리수 (4) 존재하지 않는다

(1) (무리수)+(유리수)=(무리수)이므로

$\frac{(\text{무리수})+(\text{유리수})}{2}=\frac{(\text{무리수})}{2}=(\text{무리수})$

따라서 무리수와 유리수의 평균은 무리수이다.

(3) $\sqrt{n+1}-\sqrt{n}$을 유리수라 하면 (유리수)^2=(유리수)이므로

$(\sqrt{n+1}-\sqrt{n})^2=2n+1-2\sqrt{n(n+1)}$도 유리수이어야 한다.

그런데 n은 자연수이므로 $\sqrt{n(n+1)}$은 무리수가 되어

$(\sqrt{n+1}-\sqrt{n})^2$은 유리수가 아니다.

따라서 $\sqrt{n+1}-\sqrt{n}$은 유리수가 아니므로 무리수이다.

(4) $y=x+\sqrt{5}$에서 $y-x=\sqrt{5}$

이때 이 식을 만족하는 유리수 x, y가 존재한다고 하면 좌변은 유리수이다.

그런데 우변은 무리수이므로 유리수가 아니다.

따라서 $y=x+\sqrt{5}$를 만족하는 유리수 x, y는 존재하지 않는다.

> 참고
> (3) $\sqrt{n+1}-\sqrt{n}$이 유리수가 아니면 무리수이다.
> 따라서 $\sqrt{n+1}-\sqrt{n}$이 무리수임을 보이려면 유리수가 아님을 보이면 된다.

2 답 (1) × (2) × (3) × (4) ×

(1) π는 무리수이고 π^2도 무리수이므로 무리수의 제곱이 무리수인 경우도 있다.

(2) 0은 유리수이고, 0×(무리수)=0이므로 유리수와 무리수의 곱이 유리수인 경우도 있다.

(3) $a=\sqrt{2}$, $b=-\sqrt{2}$이면 $a+b=\sqrt{2}+(-\sqrt{2})=0$

따라서 a, b가 무리수일 때, $a+b$가 유리수인 경우도 있다.

(4) $a=1$, $b=0$이면 $a+b\sqrt{2}=1+0\times\sqrt{2}=1$

따라서 a, b가 모두 유리수일 때, $a+b\sqrt{2}$가 유리수인 경우도 있다.

3-1 답 4

$a=\left(\sqrt{45}-\frac{5}{\sqrt{5}}+5\right)\div\sqrt{5}$

$=(3\sqrt{5}-\sqrt{5}+5)\times\frac{1}{\sqrt{5}}$

$=3-1+\sqrt{5}$

$=2+\sqrt{5}$

$b=\sqrt{5}(3+2\sqrt{5})-(8+4\sqrt{5})$

$=3\sqrt{5}+10-8-4\sqrt{5}$

$=2-\sqrt{5}$

$\therefore a+b=(2+\sqrt{5})+(2-\sqrt{5})$

$=4$

3-2 답 $-15+5\sqrt{6}$

$A=\sqrt{18}-\frac{5}{\sqrt{3}}=3\sqrt{2}-\frac{5\sqrt{3}}{3}$

$B=\sqrt{3}+\frac{6}{5\sqrt{2}}=\sqrt{3}+\frac{3\sqrt{2}}{5}$

$\therefore \sqrt{3}A+\frac{1}{\sqrt{3}}(3A-5B)$

$=\sqrt{3}A+\sqrt{3}A-\frac{5\sqrt{3}}{3}B$

$=2\sqrt{3}A-\frac{5\sqrt{3}}{3}B$

$=2\sqrt{3}\left(3\sqrt{2}-\frac{5\sqrt{3}}{3}\right)-\frac{5\sqrt{3}}{3}\left(\sqrt{3}+\frac{3\sqrt{2}}{5}\right)$

$=6\sqrt{6}-10-5-\sqrt{6}$

$=-15+5\sqrt{6}$

4-1 답 $8\sqrt{2}$

$a>0$, $b>0$이고 $ab=24$이므로

$a\sqrt{\frac{3b}{a}}+b\sqrt{\frac{a}{3b}}=\sqrt{a^2\times\frac{3b}{a}}+\sqrt{b^2\times\frac{a}{3b}}$

$=\sqrt{3ab}+\sqrt{\frac{1}{3}ab}=\sqrt{3\times24}+\sqrt{\frac{1}{3}\times24}$

$=\sqrt{72}+\sqrt{8}=6\sqrt{2}+2\sqrt{2}$

$=8\sqrt{2}$

4-2 답 $-8\sqrt{2}$

$a<0$, $b<0$이고 $ab=24$이므로

$a\sqrt{\frac{3b}{a}}+b\sqrt{\frac{a}{3b}}=-\sqrt{a^2\times\frac{3b}{a}}-\sqrt{b^2\times\frac{a}{3b}}$

$=-\sqrt{3ab}-\sqrt{\frac{1}{3}ab}=-\sqrt{3\times24}-\sqrt{\frac{1}{3}\times24}$

$=-\sqrt{72}-\sqrt{8}=-6\sqrt{2}-2\sqrt{2}$

$=-8\sqrt{2}$

5-1 답 20

$4<\sqrt{20}<5$이므로 $5<2\sqrt{5}+1<6$

따라서 $2\sqrt{5}+1$의 정수 부분은 5이므로

$a=(2\sqrt{5}+1)-5=2\sqrt{5}-4$

$\therefore (a+4)^2=(2\sqrt{5}-4+4)^2=(2\sqrt{5})^2=20$

5-2 답 0

$2<\sqrt{5}<3$이므로 $-3<-\sqrt{5}<-2$

$\therefore 1<4-\sqrt{5}<2$

$4-\sqrt{5}$의 정수 부분은 1이므로

소수 부분은 $(4-\sqrt{5})-1=3-\sqrt{5}$

즉 $a=1$, $b=3-\sqrt{5}$이므로

$(\sqrt{10}-\sqrt{5})a-b=\sqrt{10}-\sqrt{5}-(3-\sqrt{5})=-3+\sqrt{10}$

이때 $3<\sqrt{10}<4$이므로 $0<-3+\sqrt{10}<1$

따라서 $-3+\sqrt{10}$의 정수 부분은 0이다.

STEP 2 | 반드시 등수 올리는 문제 pp. 022~026

01 $4\sqrt{3}-5$	**02** $\frac{2\sqrt{3}}{3}$	**03** $\sqrt{6}-12$
04 -8	**05** $\frac{8\sqrt{3}}{3}$ cm	**06** $90\sqrt{3}+12\pi$
07 1	**08** 8	**09** ④
10 $-\frac{\sqrt{10}}{2}$	**11** 5.292	**12** 2240
13 68599	**14** ⑤	**15** 5
16 2	**17** (1) 13 (2) 115	**18** $a=1$, $b=\frac{3}{2}$
19 1	**24** $3\sqrt{3}-2$	

01 답 $4\sqrt{3}-5$

$3\sqrt{2}-1=\sqrt{18}-\sqrt{1}>0$, $2\sqrt{3}-3\sqrt{2}=\sqrt{12}-\sqrt{18}<0$,

$4-2\sqrt{3}=\sqrt{16}-\sqrt{12}>0$

$\therefore \sqrt{(3\sqrt{2}-1)^2}-\sqrt{(2\sqrt{3}-3\sqrt{2})^2}-\sqrt{(4-2\sqrt{3})^2}$

$=3\sqrt{2}-1-\{-(2\sqrt{3}-3\sqrt{2})\}-(4-2\sqrt{3})$

$=3\sqrt{2}-1+2\sqrt{3}-3\sqrt{2}-4+2\sqrt{3}$

$=4\sqrt{3}-5$

전략

근호 안의 수가 양수인지 음수인지 확인하여 주어진 식을 정리해 본다.

02 답 $\frac{2\sqrt{3}}{3}$

$$\frac{1}{\sqrt{3}-\frac{1}{\sqrt{3}-\frac{1}{\sqrt{3}}}}=\frac{1}{\sqrt{3}-\frac{1}{\sqrt{3}-\frac{\sqrt{3}}{3}}}=\frac{1}{\sqrt{3}-\frac{1}{\frac{2\sqrt{3}}{3}}}$$

$$=\frac{1}{\sqrt{3}-\frac{3}{2\sqrt{3}}}=\frac{1}{\sqrt{3}-\frac{\sqrt{3}}{2}}$$

$$=\frac{1}{\frac{\sqrt{3}}{2}}=\frac{2}{\sqrt{3}}=\frac{2\sqrt{3}}{3}$$

전략

먼저 $-\frac{1}{\sqrt{3}}$을 유리화하여 정리해 본다.

03 답 $\sqrt{6}-12$

$\sqrt{3}(\sqrt{6}-2)-\frac{\square}{\sqrt{3}}=\frac{\sqrt{24}+6}{\sqrt{3}}$에서

$\sqrt{18}-2\sqrt{3}-\frac{\square}{\sqrt{3}}=\sqrt{8}+\frac{6}{\sqrt{3}}$

$3\sqrt{2}-2\sqrt{3}-\frac{\square}{\sqrt{3}}=2\sqrt{2}+2\sqrt{3}$

$-\frac{\square}{\sqrt{3}}=2\sqrt{2}+2\sqrt{3}-(3\sqrt{2}-2\sqrt{3})$

$-\frac{\square}{\sqrt{3}}=-\sqrt{2}+4\sqrt{3}$

$\therefore \square=-\sqrt{3}(-\sqrt{2}+4\sqrt{3})=\sqrt{6}-12$

전략

먼저 주어진 식을 간단히 정리한 후 좌변에 $-\frac{\square}{\sqrt{3}}$만 남기고 우변으로 이항시킨다.

04 답 -8

$a-1+2\sqrt{11}=2b+3+\sqrt{12-8b}$에서

$a-1=2b+3$ ······ ㉠

$2\sqrt{11}=\sqrt{12-8b}$ ······ ㉡

이어야 한다.

㉡에서 $2\sqrt{11}=\sqrt{44}$이므로

$44=12-8b$, $8b=-32$ $\quad\therefore b=-4$

$b=-4$를 ㉠에 대입하면

$a-1=-5$ $\quad\therefore a=-4$

$\therefore a+b=-4+(-4)=-8$

전략

무리수가 서로 같은 조건

a, b, c, d가 유리수이고 $\sqrt{m}$이 무리수일 때

$a+b\sqrt{m}=c+d\sqrt{m} \Rightarrow a=c, b=d$

05 답 $\frac{8\sqrt{3}}{3}$cm

△EFG에서 피타고라스 정리에 의해

$\overline{EG}=\sqrt{4^2+4^2}=\sqrt{32}=4\sqrt{2}$ (cm)

△AEG에서 피타고라스 정리에 의해

$\overline{AG}=\sqrt{(4\sqrt{2})^2+8^2}=\sqrt{96}=4\sqrt{6}$ (cm)

이때 $\overline{AE}\times\overline{EG}=\overline{AG}\times\overline{EI}$이므로

$8\times4\sqrt{2}=4\sqrt{6}\times\overline{EI}$ $\quad\therefore \overline{EI}=\frac{8\sqrt{3}}{3}$ (cm)

전략

직각삼각형 AEG에서 피타고라스 정리를 이용한다.

06 답 $90\sqrt{3}+12\pi$

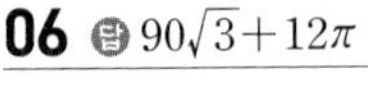

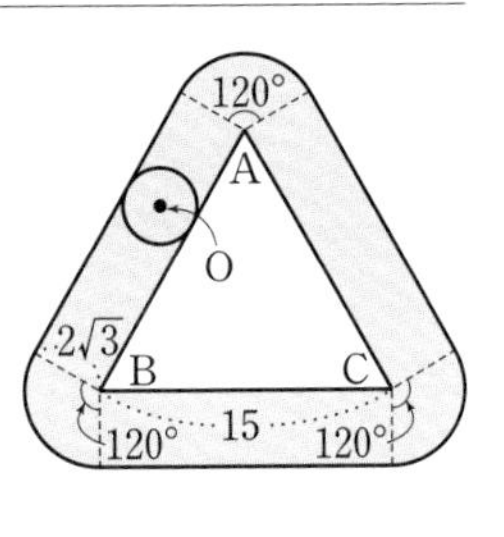

원 O를 △ABC의 둘레를 따라 굴렸을 때, 원 O가 지나간 부분은 오른쪽 그림의 색칠한 부분과 같다.

이때 원 O의 반지름의 길이를 r라 하면 원 O의 넓이가 3π이므로

$\pi r^2=3\pi$

$r^2=3$ $\quad\therefore r=\sqrt{3}\ (\because r>0)$

즉 원 O의 지름의 길이는 $2\sqrt{3}$이다.

따라서 구하는 넓이는

$3\times(15\times2\sqrt{3})+3\times\pi\times(2\sqrt{3})^2\times\frac{120}{360}$

$=90\sqrt{3}+12\pi$

전략

원 O를 △ABC의 둘레를 따라 굴렸을 때, 원 O가 지나간 부분의 모양을 살펴본다.

07 답 1

$x=\sqrt{2+\sqrt{2+\sqrt{2+\cdots}}}$이므로 $x=\sqrt{2+x}$

$x=\sqrt{2+x}$의 양변을 제곱하면

$x^2=2+x$에서 $x-x^2=-2$

즉 $1+x-x^2=1+(-2)=-1$이므로

$(1+x-x^2)^{2000}=(-1)^{2000}=1$

전략

$x=\sqrt{2+\sqrt{2+\sqrt{2+\cdots}}}$이므로 $x=\sqrt{2+x}$로 놓을 수 있다.

08 답 8

$ac=2\sqrt{2}$, $bc=2$이므로

$ac+bc=2\sqrt{2}+2$에서 $(a+b)c=2\sqrt{2}+2$

이때 $a+b=\frac{1+\sqrt{2}}{2}$이므로

$\frac{1+\sqrt{2}}{2}c=2\sqrt{2}+2$

$\therefore c=(2\sqrt{2}+2)\times\frac{2}{1+\sqrt{2}}=2(\sqrt{2}+1)\times\frac{2}{1+\sqrt{2}}=2\times2=4$

또 $ad=2\sqrt{2}$, $bd=2$이므로

$ad+bd=2\sqrt{2}+2$에서 $(a+b)d=2\sqrt{2}+2$

이때 $a+b=\frac{1+\sqrt{2}}{2}$이므로

$\frac{1+\sqrt{2}}{2}d=2\sqrt{2}+2$

$\therefore d=(2\sqrt{2}+2)\times\frac{2}{1+\sqrt{2}}=2(\sqrt{2}+1)\times\frac{2}{1+\sqrt{2}}=2\times2=4$

$\therefore c+d=4+4=8$

전략

$ac=ad=2\sqrt{2}$, $bc=bd=2$이므로 각 항을 더해 본다. 이때 분배법칙도 함께 이용한다.

09 답 ④

$425=5^2\times17$이므로

$\sqrt{x}+\sqrt{y}=\sqrt{425}$에서 $\sqrt{x}+\sqrt{y}=5\sqrt{17}$

이때 x, y는 자연수이므로 $x=17k^2$(k는 자연수)의 꼴이어야 한다.

① $17=17\times1^2$

② $68=17\times2^2$

③ $153=17\times3^2$

④ $204=17\times2^2\times3$

⑤ $272=17\times4^2$

따라서 x의 값으로 알맞지 않은 것은 ④이다.

다른 풀이

$425=5^2\times17$이므로

$\sqrt{x}+\sqrt{y}=\sqrt{425}$에서 $\sqrt{x}+\sqrt{y}=5\sqrt{17}$

이때 $\sqrt{17}$은 무리수이고 x, y는 자연수이므로

$5\sqrt{17}=\sqrt{17}+4\sqrt{17}=2\sqrt{17}+3\sqrt{17}$

$=3\sqrt{17}+2\sqrt{17}=4\sqrt{17}+\sqrt{17}$

따라서 x의 값이 될 수 있는 것은 17, 68, 153, 272이다.

전략

$425=5^2\times17$임을 이용한다.

10 답 $-\frac{\sqrt{10}}{2}$

$\begin{cases}\sqrt{2}x+\sqrt{5}y=1 & \cdots\cdots ㉠\\ \sqrt{5}x-\sqrt{2}y=-1 & \cdots\cdots ㉡\end{cases}$에서

㉠$\times\sqrt{5}-$㉡$\times\sqrt{2}$를 하면

$7y=\sqrt{5}+\sqrt{2}\qquad\therefore y=\frac{\sqrt{5}+\sqrt{2}}{7}$

$y=\frac{\sqrt{5}+\sqrt{2}}{7}$를 ㉠에 대입하면

$\sqrt{2}x+\frac{\sqrt{5}(\sqrt{5}+\sqrt{2})}{7}=1$, $\sqrt{2}x=\frac{2-\sqrt{10}}{7}$

$\therefore x=\frac{2-\sqrt{10}}{7\sqrt{2}}=\frac{\sqrt{2}-\sqrt{5}}{7}$

따라서 $a=\frac{\sqrt{2}-\sqrt{5}}{7}$, $b=\frac{\sqrt{5}+\sqrt{2}}{7}$이므로

$a+b=\frac{2\sqrt{2}}{7}$, $a-b=-\frac{2\sqrt{5}}{7}$

$\therefore \frac{a-b}{a+b}=\frac{-\frac{2\sqrt{5}}{7}}{\frac{2\sqrt{2}}{7}}=-\frac{\sqrt{10}}{2}$

전략

가감법을 이용하여 한 문자를 소거시켜 a, b의 값을 각각 구해 본다.

11 답 5.292

$\sqrt{0.28}+\frac{7}{\sqrt{7}}+\sqrt{4.48}=\sqrt{\frac{28}{100}}+\sqrt{7}+\sqrt{\frac{448}{100}}$

$=\frac{2\sqrt{7}}{10}+\sqrt{7}+\frac{8\sqrt{7}}{10}$

$=2\sqrt{7}$

$=2\times2.646$

$=5.292$

전략

먼저 주어진 식을 간단히 정리한다.

12 답 2240

$\sqrt{3.52}=1.876$이므로

$\sqrt{352}=\sqrt{3.52\times100}=10\sqrt{3.52}$

$=10\times1.876=18.76$

$\therefore a=18.76$

$\sqrt{3.64}=1.908$이므로

$\sqrt{b}=0.1908=\frac{1}{10}\times1.908$

$=\frac{1}{10}\sqrt{3.64}=\sqrt{\frac{1}{100}\times3.64}$

$=\sqrt{0.0364}$

$\therefore b=0.0364$

$\therefore 100a+10000b=1876+364=2240$

전략

$a>0$, $b>0$일 때, $\sqrt{a^2b}=a\sqrt{b}$임을 이용하여 근호 안의 수를 제곱근표에 있는 수로 변형한다.

13 답 68599

$261.9=100\times2.619$

$=100\sqrt{6.86}$

$=\sqrt{10000\times6.86}$

$=\sqrt{68600}$

$\therefore (261.9)^2-1=(\sqrt{68600})^2-1=68600-1=68599$

전략

$261.9=100\times2.619$임을 이용한다.

14 답 ⑤

$\sqrt{0.3}=\sqrt{\frac{3}{10}}=\sqrt{\frac{3^2}{30}}=\frac{(\sqrt{3})^2}{\sqrt{30}}=\frac{a^2}{b}$,

$\sqrt{3.6}=\sqrt{\frac{36}{10}}=\sqrt{\frac{360}{100}}=\frac{2\sqrt{3}\sqrt{30}}{10}=\frac{\sqrt{3}\sqrt{30}}{5}=\frac{ab}{5}$

$\therefore \sqrt{0.3}+\sqrt{3.6}=\frac{a^2}{b}+\frac{ab}{5}$

전략
$\sqrt{0.3}=\sqrt{\frac{3}{10}}=\sqrt{\frac{3^2}{30}}$, $\sqrt{3.6}=\sqrt{\frac{36}{10}}=\sqrt{\frac{360}{100}}$임을 이용한다.

15 답 5

$3\sqrt{2}=\sqrt{18}$이고 $4<\sqrt{18}<5$이므로

$-5<-3\sqrt{2}<-4 \qquad \therefore 1<6-3\sqrt{2}<2$

$6-3\sqrt{2}$의 정수 부분은 1이므로

소수 부분은 $(6-3\sqrt{2})-1=5-3\sqrt{2}$

따라서 $a=1$, $b=5-3\sqrt{2}$이므로

$\frac{6}{\sqrt{2}}a+b=\frac{6}{\sqrt{2}}\times1+(5-3\sqrt{2})=3\sqrt{2}+5-3\sqrt{2}=5$

전략
무리수 $\sqrt{a}$에 대하여 $n<\sqrt{a}<n+1$일 때 (단, n은 정수)
(1) $\sqrt{a}$의 정수 부분 ➡ n
(2) $\sqrt{a}$의 소수 부분 ➡ $\sqrt{a}-n$

16 답 2

$2021<\sqrt{2021^2+1}<2022$이므로 $\sqrt{2021^2+1}$의 정수 부분은 2021이다.

$\therefore a=\sqrt{2021^2+1}-2021$

$(a+2021)^2=(\sqrt{2021^2+1}-2021+2021)^2$
$=2021^2+1$

따라서 $(a+2021)^2$을 10으로 나눈 나머지는 2021^2+1의 일의 자리 숫자와 같으므로 $1^2+1=2$

전략
$2021^2<2021^2+1<2022^2$이므로
$2021<\sqrt{2021^2+1}<2022$

17 답 (1) 13 (2) 115

(1) $f(n)=5$에서 $5\le\sqrt{n}-1<6$, $6\le\sqrt{n}<7 \qquad \therefore 36\le n<49$
따라서 $f(n)=5$인 자연수 n의 개수는 $49-36=13$

(2) 자연수 $n=1, 2, \cdots, 40$에 대하여 $f(n)$의 값을 각각 구하면
(i) $n=1, 2, 3$일 때, $1\le\sqrt{n}<2$이므로 $0\le\sqrt{n}-1<1$
$\therefore f(1)=f(2)=f(3)=0$
(ii) $n=4, 5, \cdots, 8$일 때, $2\le\sqrt{n}<3$이므로 $1\le\sqrt{n}-1<2$
$\therefore f(4)=f(5)=\cdots=f(8)=1$
(iii) $n=9, 10, \cdots, 15$일 때, $3\le\sqrt{n}<4$이므로 $2\le\sqrt{n}-1<3$
$\therefore f(9)=f(10)=\cdots=f(15)=2$
(iv) $n=16, 17, \cdots, 24$일 때, $4\le\sqrt{n}<5$이므로 $3\le\sqrt{n}-1<4$
$\therefore f(16)=f(17)=\cdots=f(24)=3$
(v) $n=25, 26, \cdots, 35$일 때, $5\le\sqrt{n}<6$이므로 $4\le\sqrt{n}-1<5$
$\therefore f(25)=f(26)=\cdots=f(35)=4$
(vi) $n=36, 37, 38, 39, 40$일 때, $6\le\sqrt{n}<7$이므로
$5\le\sqrt{n}-1<6$
$\therefore f(36)=f(37)=f(38)=f(39)=f(40)=5$

$\therefore f(1)+f(2)+f(3)+\cdots+f(40)$
$=3\times0+5\times1+7\times2+9\times3+11\times4+5\times5=115$

전략
(1) $f(n)=5$이면 $\sqrt{n}-1$의 정수 부분이 5이므로 $5\le\sqrt{n}-1<6$임을 알 수 있다.
(2) 자연수 $n=1, 2, \cdots, 40$에 대하여 $f(n)$의 값을 각각 구해 본다.

18 답 $a=1$, $b=\frac{3}{2}$

$<3a, b>=<2b, -2a>-7$에서

$3\sqrt{3}a-2b=2\sqrt{3}b+4a-7$

$(3a-2b)\sqrt{3}+(-4a-2b+7)=0$

이때 a, b는 유리수이므로

$3a-2b=0$ …… ㉠

$-4a-2b+7=0$ …… ㉡

이어야 한다.

따라서 ㉠, ㉡을 연립하여 풀면 $a=1$, $b=\frac{3}{2}$

전략
주어진 약속에 따라 식을 세워 본다.

19 답 1

$2x=2(4-2\sqrt{3})=8-4\sqrt{3}$이고 $4\sqrt{3}=\sqrt{48}$이므로

$6<4\sqrt{3}<7$에서 $-7<-4\sqrt{3}<-6$

$\therefore 1<8-4\sqrt{3}<2$

즉 $8-4\sqrt{3}$보다 크지 않은 최대의 정수는 1이므로 $[2x]=1$

$$\therefore \left[\frac{x-1}{x-[2x]}+\frac{x}{4}\right]=\left[\frac{x-1}{x-1}+\frac{x}{4}\right]$$
$$=\left[1+\frac{4-2\sqrt{3}}{4}\right]$$
$$=\left[1+1-\frac{\sqrt{3}}{2}\right]$$
$$=\left[2-\frac{\sqrt{3}}{2}\right]$$

이때 $1<\sqrt{3}<2$이므로

$\frac{1}{2}<\frac{\sqrt{3}}{2}<1$에서 $-1<-\frac{\sqrt{3}}{2}<-\frac{1}{2}$

$\therefore 1<2-\frac{\sqrt{3}}{2}<\frac{3}{2}$

따라서 $2-\frac{\sqrt{3}}{2}$보다 크지 않은 최대의 정수는 1이므로

$\left[2-\frac{\sqrt{3}}{2}\right]=1$

전략

$[2x]$의 값을 구하여 $\frac{x-1}{x-[2x]}+\frac{x}{4}$를 간단히 정리한다.

20 답 $3\sqrt{3}-2$

$1<\sqrt{3}<2$이므로 $<\sqrt{3}>=2$

$\therefore x_1=\sqrt{3}+<\sqrt{3}>=\sqrt{3}+2$

$x_2=x_1-<x_1>$이고 $3<\sqrt{3}+2<4$이므로

$<\sqrt{3}+2>=4$

$\therefore x_2=\sqrt{3}+2-<\sqrt{3}+2>$

$=\sqrt{3}+2-4=\sqrt{3}-2$

$x_3=x_2-<x_2>$이고 $-1<\sqrt{3}-2<0$이므로 $<\sqrt{3}-2>=0$

$\therefore x_3=\sqrt{3}-2-<\sqrt{3}-2>$

$=\sqrt{3}-2$

$\therefore x_1+x_2+x_3=(\sqrt{3}+2)+(\sqrt{3}-2)+(\sqrt{3}-2)$

$=3\sqrt{3}-2$

전략

주어진 약속에 따라 x_1, x_2, x_3의 값을 각각 구한다.

STEP 3 | 전교 1등 **확실하게** 굳히는 문제 pp. 027~030

1 $(2+\sqrt{2})\pi$	**2** 162	**3** $8+4\sqrt{2}$
4 $x=6, y=8$	**5** 5	**6** 86.6 %
7 7	**8** ②	

1 답 $(2+\sqrt{2})\pi$

□ABCD를 수직선을 따라 오른쪽으로 1회전 시키면 다음 그림과 같다.

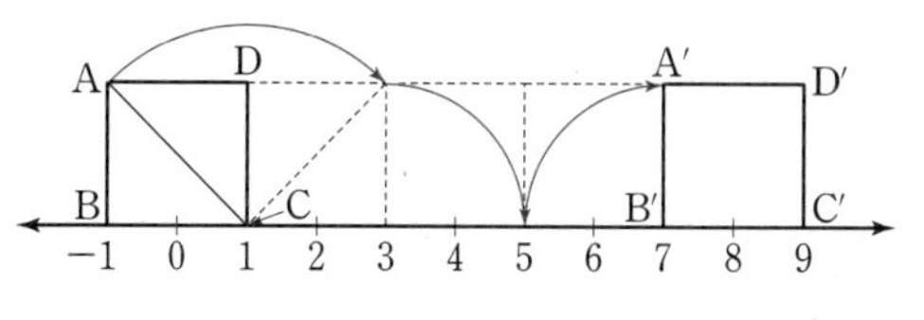

이때 $\overline{AC}=\sqrt{2^2+2^2}=\sqrt{8}=2\sqrt{2}$이므로

점 A가 움직인 거리는

$2\pi\times2\sqrt{2}\times\frac{90}{360}+2\times\left(2\pi\times2\times\frac{90}{360}\right)$

$=\sqrt{2}\pi+2\pi$

$=(2+\sqrt{2})\pi$

전략

정사각형 ABCD의 두 꼭짓점 B, C가 각각 수직선 위에서 -1, 1에 대응하고 있으므로 정사각형 ABCD의 한 변의 길이는 2이고, 한 변의 길이가 2인 정사각형의 대각선의 길이는 $\sqrt{2^2+2^2}=\sqrt{8}=2\sqrt{2}$이다.

2 답 162

32로 표시한 점은 기준점 0으로부터 거리가 $\sqrt{32}$인 점이고, 8로 표시한 점은 기준점 0으로부터 거리가 $\sqrt{8}$인 점, 18로 표시한 점은 기준점 0으로부터 거리가 $\sqrt{18}$인 점이므로 x로 표시한 점은 기준점 0으로부터 거리가 $\sqrt{32}+\sqrt{8}+\sqrt{18}$인 점이다.

$\sqrt{32}+\sqrt{8}+\sqrt{18}=4\sqrt{2}+2\sqrt{2}+3\sqrt{2}$

$=9\sqrt{2}$

$=\sqrt{162}$

$\therefore x=162$

전략

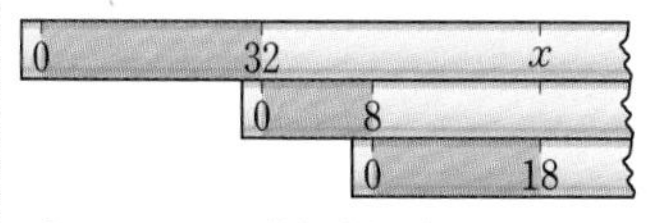

이므로 x로 표시한 점은 기준점 0으로부터 거리가 $\sqrt{32}+\sqrt{8}+\sqrt{18}$인 점이다.

3 답 $8+4\sqrt{2}$

한 변의 길이가 1인 정사각형의 대각선의 길이는 $\sqrt{1^2+2^2}=\sqrt{2}$이다.

오른쪽 그림에서

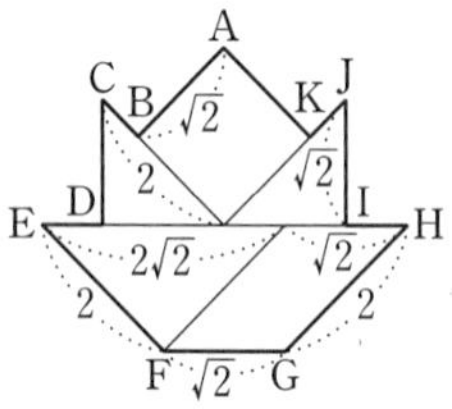

$\overline{AB}=\overline{CD}=\overline{FG}=\overline{IJ}=\overline{KA}=\sqrt{2}$

$\overline{BC}=\overline{JK}=2-\sqrt{2}$

$\overline{DE}+\overline{HI}=\overline{EH}-\overline{DI}$

$=(2\sqrt{2}+\sqrt{2})-(\sqrt{2}+\sqrt{2})$

$=\sqrt{2}$

$\overline{EF}=\overline{GH}=2$

따라서 구하는 둘레의 길이는

$5\times\sqrt{2}+2\times(2-\sqrt{2})+\sqrt{2}+2\times2$

$=5\sqrt{2}+4-2\sqrt{2}+\sqrt{2}+4$

$=8+4\sqrt{2}$

전략

한 변의 길이가 1인 정사각형의 대각선의 길이는 $\sqrt{2}$이고, $\overline{DE}+\overline{HI}=\overline{EH}-\overline{DI}$임을 이용한다.

4 답 $x=6, y=8$

$\sqrt{y}=\sqrt{3x}-\sqrt{2}$에서 우변을 계산할 수 있어야 하므로 $\sqrt{3x}=a\sqrt{2}$ (a는 자연수)의 꼴이어야 한다.

즉 $\sqrt{3x}=\sqrt{2a^2}$이므로 $3x=2a^2$

이때 위의 식을 만족하는 자연수 x의 값 중 가장 작은 값은 $a=3$일 때이므로

$3x=2\times3^2=18 \qquad \therefore x=6$

또 x의 값이 가장 작을 때 y의 값도 가장 작으므로

$\sqrt{y}=\sqrt{3\times6}-\sqrt{2}=3\sqrt{2}-\sqrt{2}=2\sqrt{2}=\sqrt{8} \qquad \therefore y=8$

전략
$\sqrt{3x}=a\sqrt{2}$ (a는 자연수)의 꼴이어야 한다.

5 답 5

주어진 표로부터 오른쪽과 같은 표를 얻을 수 있다.

$\frac{x}{100}$	$\frac{x^2}{10000}$
4.34	18.8356
4.35	18.9225
4.36	19.0096
4.37	19.0969
4.38	19.1844

이때 $18.9225<19<19.0096$이므로

$4.35<\sqrt{19}<4.36$

따라서 $\sqrt{19}=4.35\times\times\times$이므로 $\sqrt{19}$를 소수로 나타내었을 때, 소수점 아래 둘째 자리의 숫자는 5이다.

전략
$189225<190000<190096$이므로 $18.9225<19<19.0096$임을 이용한다.

6 답 86.6 %

A4 용지와 B4 용지의 넓이의 비는

$2:3=4:6$ …… ㉠

B4 용지와 B5 용지의 넓이의 비는

$2:1=6:3$ …… ㉡

㉠, ㉡에 의해 A4 용지, B4 용지, B5 용지의 넓이의 비는

$4:6:3$

따라서 A4 용지와 B5 용지의 넓이의 비는 $4:3$이므로

(A4 용지의 가로의 길이) : (B5 용지의 가로의 길이)

$=2:\sqrt{3}=2:1.732$

$\therefore$ (B5 용지의 가로의 길이)$=\frac{1.732}{2}\times$(A4 용지의 가로의 길이)

따라서 A4 용지를 B5 용지로 바꾸어 인쇄하려면

$\frac{1.732}{2}\times100=86.6$ (%)로 인쇄해야 한다.

전략
넓이의 비가 $m^2:n^2$이면 닮음비는 $m:n$임을 이용한다.

7 답 7

$\sqrt{nx}$의 정수 부분이 3이므로

$3\le\sqrt{nx}<4 \qquad \therefore 9\le nx<16$ …… 20 %

nx는 자연수이므로

$nx=9, 10, 11, 12, 13, 14, 15$

$\therefore x=\frac{9}{n}, \frac{10}{n}, \frac{11}{n}, \frac{12}{n}, \frac{13}{n}, \frac{14}{n}, \frac{15}{n}$ …… 50 %

이때 모든 x의 값의 합이 12이므로

$\frac{9}{n}+\frac{10}{n}+\cdots+\frac{15}{n}=12$

$\frac{84}{n}=12 \qquad \therefore n=7$ …… 30 %

전략
$\sqrt{nx}$의 정수 부분이 3이므로 $3\le\sqrt{nx}<4$임을 이용한다.

8 답 ②

① $a=2, b=3$이라 하면

$1<\sqrt{2}<2$, $1<\sqrt{3}<2$이므로 $f(2)=f(3)=1$

즉 $2<3$이지만 $f(2)=f(3)$이다.

② $f(a)=m$, $f(b)=n$(m, n은 정수)이라 하면

$m\le\sqrt{a}<m+1$이므로 $m^2\le a<(m+1)^2$

$n\le\sqrt{b}<n+1$이므로 $n^2\le b<(n+1)^2$

이때 $f(a)<f(b)$, 즉 $m<n$이면 $m<m+1\le n$이므로

$m^2\le a<(m+1)^2\le n^2\le b<(n+1)^2$

$\therefore a<b$

③ $a=2, b=3$이라 하면

$1<\sqrt{2}<2$, $1<\sqrt{3}<2$이므로 $f(2)=f(3)=1$

즉 $f(2)=f(3)$이지만 $2\ne3$이다.

④ $a=3, b=4$라 하면

$1<\sqrt{3}<2$, $\sqrt{4}=2$이므로 $f(3)=1$, $f(4)=2$

$\therefore g(3)=\sqrt{3}-1$, $g(4)=0$

이때 $0<\sqrt{3}-1<1$이므로 $g(3)>g(4)$

즉 $3<4$이지만 $g(3)>g(4)$이다.

⑤ $a=4, b=3$이라 하면

$g(4)=0$, $g(3)=\sqrt{3}-1$이므로 $g(4)<g(3)$

즉 $g(4)<g(3)$이지만 $4>3$이다.

따라서 옳은 것은 ②이다.

전략
a, b에 구체적인 수를 대입하여 주어진 문장이 성립하지 않는 예를 찾아본다.

Ⅱ 다항식의 곱셈과 인수분해

01 다항식의 곱셈

[확인 ❶] 답 24

$(x+3)(x^2+bx+9)=x^3+bx^2+9x+3x^2+3bx+27$
$\quad=x^3+(b+3)x^2+(9+3b)x+27$

즉 $x^3+(b+3)x^2+(9+3b)x+27=x^3+a$이므로
$b+3=0$에서 $b=-3$이고 $a=27$
$\therefore a+b=27+(-3)=24$

[확인 ❷] 답 $a^2-9b^2+24bc-16c^2$

$(a+3b-4c)(a-3b+4c)$
$=\{a+(3b-4c)\}\{a-(3b-4c)\}$
$3b-4c=A$로 놓으면
(주어진 식)$=(a+A)(a-A)$
$=a^2-A^2$
$=a^2-(3b-4c)^2$
$=a^2-(9b^2-24bc+16c^2)$
$=a^2-9b^2+24bc-16c^2$

[확인 ❸] 답 $5-10\sqrt{6}$

$\frac{3}{5+2\sqrt{6}}-\frac{2}{5-2\sqrt{6}}$
$=\frac{3(5-2\sqrt{6})}{(5+2\sqrt{6})(5-2\sqrt{6})}-\frac{2(5+2\sqrt{6})}{(5-2\sqrt{6})(5+2\sqrt{6})}$
$=15-6\sqrt{6}-10-4\sqrt{6}$
$=5-10\sqrt{6}$

[확인 ❹] 답 -8

$(\sqrt{20}+3\sqrt{2})^3(\sqrt{18}-2\sqrt{5})^3$
$=(2\sqrt{5}+3\sqrt{2})^3(3\sqrt{2}-2\sqrt{5})^3$
$=\{(3\sqrt{2}+2\sqrt{5})(3\sqrt{2}-2\sqrt{5})\}^3$
$=(18-20)^3$
$=(-2)^3=-8$

[확인 ❺] 답 -6

$a^2+b^2=(a+b)^2-2ab$
$\quad=(-2)^2-2\times(-1)=6$
$\therefore \frac{b}{a}+\frac{a}{b}=\frac{a^2+b^2}{ab}$
$\quad=\frac{6}{-1}=-6$

STEP 1 | 억울하게 울리는 문제 pp. 034~035

1-1 -4	**1-2** $a=-1, b=5$
2-1 64	**2-2** 12
3-1 9	**3-2** ③
4-1 ③	**4-2** ②
5-1 257	**5-2** -63
6-1 23	**6-2** 8

1-1 답 -4

$(4x^3-x^2+3x-2)(2x^2-x+k)$에서
x^2항이 나오는 부분만 전개하면
$-kx^2-3x^2-4x^2=(-k-7)x^2$이므로
$-k-7=-3 \qquad \therefore k=-4$

1-2 답 $a=-1, b=5$

$(x^3+2x^2+3x)(x^2+ax+b)$에서
x^3항이 나오는 부분만 전개하면
$bx^3+2ax^3+3x^3=(2a+b+3)x^3$
$\therefore 2a+b+3=6$, 즉 $2a+b=3$ …… ㉠
x^2항이 나오는 부분만 전개하면
$2bx^2+3ax^2=(3a+2b)x^2$
$\therefore 3a+2b=7$ …… ㉡
㉠, ㉡을 연립하여 풀면 $a=-1, b=5$

2-1 답 64

$(1+3x^2+4x^3)^2$
$=(1+3x^2+4x^3)(1+3x^2+4x^3)$
$=1+3x^2+4x^3+3x^2+9x^4+12x^5+4x^3+12x^5+16x^6$
$=1+6x^2+8x^3+9x^4+24x^5+16x^6$
따라서 모든 항의 계수와 상수항의 총합은
$1+6+8+9+24+16=64$

다른 풀이

$(1+3x^2+4x^3)^2$을 전개하였을 때, 모든 항의 계수와 상수항의 총합은 주어진 식에 $x=1$을 대입한 값과 같다.
따라서 모든 항의 계수와 상수항의 총합은
$(1+3+4)^2=8^2=64$

참고

주어진 식에 $x=1$을 대입하여 모든 항의 계수와 상수항의 총합을 구할 수도 있다.

2-2 답 12

$(x^2+2x+k)^2$

$=(x^2+2x+k)(x^2+2x+k)$

$=x^4+2x^3+kx^2+2x^3+4x^2+2kx+kx^2+2kx+k^2$

$=x^4+4x^3+(2k+4)x^2+4kx+k^2$

이때 상수항을 제외한 모든 항의 계수의 총합이 81이므로

$1+4+(2k+4)+4k=81$

$6k+9=81,\ 6k=72 \qquad \therefore k=12$

다른 풀이

$(x^2+2x+k)^2$을 전개하였을 때, 모든 항의 계수와 상수항의 총합은 주어진 식에 $x=1$을 대입한 값과 같다.

따라서 모든 항의 계수와 상수항의 총합은

$(1+2+k)^2=(k+3)^2=k^2+6k+9$

이때 주어진 식의 상수항은 k^2이고 상수항을 제외한 모든 항의 계수의 총합이 81이므로 $6k+9=81,\ 6k=72 \qquad \therefore k=12$

3-1 답 9

$(x+a)(x+b)=x^2+(a+b)x+ab$

즉 $x^2+(a+b)x+ab=x^2+cx+8$이므로

$a+b=c,\ ab=8$

이때 $ab=8$을 만족하는 두 정수 a, b의 순서쌍 (a, b)는 $(1, 8)$, $(2, 4)$, $(4, 2)$, $(8, 1)$, $(-1, -8)$, $(-2, -4)$, $(-4, -2)$, $(-8, -1)$이다.

따라서 c의 값이 될 수 있는 수는 9, 6, -9, -6이므로 c의 최댓값은 9이다.

3-2 답 ③

$(x+a)(x+b)=x^2+(a+b)x+ab$

즉 $x^2+(a+b)x+ab=x^2+kx-15$이므로

$a+b=k,\ ab=-15$

이때 $ab=-15$를 만족하는 두 정수 a, b의 순서쌍 (a, b)는 $(1, -15)$, $(3, -5)$, $(5, -3)$, $(15, -1)$, $(-1, 15)$, $(-3, 5)$, $(-5, 3)$, $(-15, 1)$이다.

따라서 k의 값이 될 수 있는 수는 -14, -2, 2, 14이다.

4-1 답 ③

$(2+1)(2^2+1)(2^4+1)(2^8+1)(2^{16}+1)-1$

$=(2-1)(2+1)(2^2+1)(2^4+1)(2^8+1)(2^{16}+1)-1$

$=(2^2-1)(2^2+1)(2^4+1)(2^8+1)(2^{16}+1)-1$

$=(2^4-1)(2^4+1)(2^8+1)(2^{16}+1)-1$

$=(2^8-1)(2^8+1)(2^{16}+1)-1$

$=(2^{16}-1)(2^{16}+1)-1$

$=(2^{32}-1)-1$

$=2^{32}-2$

한편 $256=2^8=a$이므로

(주어진 식)$=2^{32}-2=(2^8)^4-2=a^4-2$

4-2 답 ②

$\frac{1}{5}\times(6-1)=1$이므로

$(6+1)(6^2+1)(6^4+1)(6^8+1)$

$=\frac{1}{5}(6-1)(6+1)(6^2+1)(6^4+1)(6^8+1)$

$=\frac{1}{5}(6^2-1)(6^2+1)(6^4+1)(6^8+1)$

$=\frac{1}{5}(6^4-1)(6^4+1)(6^8+1)$

$=\frac{1}{5}(6^8-1)(6^8+1)$

$=\frac{1}{5}(6^{16}-1)$

5-1 답 257

$a-b=3,\ a^2+b^2=17$이므로

$a^2+b^2=(a-b)^2+2ab$에서

$17=3^2+2ab,\ 2ab=8 \qquad \therefore ab=4$

$\therefore a^4+b^4=(a^2+b^2)^2-2a^2b^2$

$=(a^2+b^2)^2-2(ab)^2$

$=17^2-2\times4^2$

$=257$

5-2 답 -63

$(a+4)(b+4)(a-4)(b-4)-32$

$=(a+4)(a-4)(b+4)(b-4)-32$

$=(a^2-16)(b^2-16)-32$

$=a^2b^2-16(a^2+b^2)+256-32$

$=(ab)^2-16(a^2+b^2)+224$

한편 $a-b=4,\ ab=1$이므로

$a^2+b^2=(a-b)^2+2ab$

$=4^2+2\times1=18$

$\therefore$ (주어진 식)$=(ab)^2-16(a^2+b^2)+224$

$=1^2-16\times18+224$

$=-63$

6-1 답 23

$x\neq0$이므로 $x^2-5x+1=0$의 양변을 x로 나누면

$x-5+\frac{1}{x}=0 \qquad \therefore x+\frac{1}{x}=5$

$\therefore x^2+\frac{1}{x^2}=\left(x+\frac{1}{x}\right)^2-2$

$=5^2-2=23$

6-2 답 8

$x\neq0$이므로 $x^2-3x-1=0$의 양변을 x로 나누면

$x-3-\frac{1}{x}=0 \quad \therefore x-\frac{1}{x}=3$

$\therefore x^2-x+\frac{1}{x}+\frac{1}{x^2}=\left(x^2+\frac{1}{x^2}\right)-\left(x-\frac{1}{x}\right)$

$=\left(x-\frac{1}{x}\right)^2+2-\left(x-\frac{1}{x}\right)$

$=3^2+2-3=8$

STEP 2 | 반드시 등수 올리는 문제 pp. 036~040

01 5	**02** 4	**03** 200	
04 $2a^2-4ab+b^2$		**05** 5	
06 $a=\frac{1}{2}, b=8$		**07** 95	**08** 2031
09 8	**10** 16	**11** 2	**12** 577
13 $5-\frac{\sqrt{2}}{2}$	**14** 3	**15** $-\frac{13}{7}$	**16** $\frac{\sqrt{10}+\sqrt{6}}{2}$
17 7	**18** 12	**19** 212	**20** 5

01 답 5

$(3x+Ay-B)(x-Ay+2B)$에서

xy항이 나오는 부분만 전개하면

$-3Axy+Axy=-2Axy$이므로

$-2A=-4 \quad \therefore A=2$

y항이 나오는 부분만 전개하면

$2ABy+ABy=3ABy$이므로 $3AB=6$

이때 $A=2$이므로 $6B=6 \quad \therefore B=1$

즉 $(3x+2y-1)(x-2y+2)$에서

x항이 나오는 부분만 전개하면 $6x-x=5x$

따라서 x의 계수는 5이다.

전략
xy항과 y항이 나오는 부분만 전개한다.

02 답 4

$a=6p+2, b=6q+5$ (p, q는 0 이상의 정수)라 하면

$ab=(6p+2)(6q+5)$

$=36pq+30p+12q+10$

$=6(6pq+5p+2q+1)+4$

따라서 ab를 6으로 나눈 나머지는 4이다.

전략
$a=6p+2, b=6q+5$ (p, q는 0 이상의 정수)로 나타내고 ab, 즉 $(6p+2)(6q+5)$를 전개해 본다.

03 답 200

상자 한 개의 부피는

$2(x+y)(x-3y+1)=(2x+2y)(x-3y+1)$

$=2x^2-6xy+2x+2xy-6y^2+2y$

$=2x^2-4xy-6y^2+2x+2y$

한편 〈5단계〉의 상자의 개수는 $1+3+5+7+9=25$이므로

〈5단계〉의 상자 전체의 부피는

$25(2x^2-4xy-6y^2+2x+2y)$

$=50x^2-100xy-150y^2+50x+50y$

따라서 $A=50, B=-100, C=-150, D=50, E=50$이므로

$A-B+D=50-(-100)+50=200$

전략
(직육면체의 부피)=(가로의 길이)×(세로의 길이)×(높이)임을 이용하여 상자 한 개의 부피를 먼저 구한다.

참고
〈1단계〉의 상자의 개수는 1
〈2단계〉의 상자의 개수는 $1+3=4$
〈3단계〉의 상자의 개수는 $1+3+5=9$
〈4단계〉의 상자의 개수는 $1+3+5+7=16$
〈5단계〉의 상자의 개수는 $1+3+5+7+9=25$

04 답 $2a^2-4ab+b^2$

$<2a, 3b>-2\times<-a, -2b>$

$=(2a-3b)^2-2\{-a-(-2b)\}^2$

$=(2a-3b)^2-2(-a+2b)^2$

$=4a^2-12ab+9b^2-2(a^2-4ab+4b^2)$

$=4a^2-12ab+9b^2-2a^2+8ab-8b^2$

$=2a^2-4ab+b^2$

전략
주어진 식을 약속에 따라 나타내고 곱셈 공식을 이용하여 전개한다.

05 답 5

$(2x-3)(x-1)$에서 -3을 A로 잘못 보았으므로

$(2x+A)(x-1)=2x^2+(A-2)x-A=2x^2+x+B$

$A-2=1, -A=B$이므로 $A=3, B=-3$

$(x+2)(3x-1)$에서 3을 C로 잘못 보았으므로

$(x+2)(Cx-1)=Cx^2+(2C-1)x-2=2x^2+Dx-2$

$C=2, 2C-1=D$이므로 $D=3$

$\therefore A+B+C+D=3+(-3)+2+3=5$

전략
잘못 본 수에 문자를 대입하여 전개한 후 각 항의 계수 및 상수항을 비교한다.

06 답 $a=\frac{1}{2}$, $b=8$

$\frac{1}{2}(x-y)^2=1$이므로

$$(\text{좌변})=\frac{1}{2}(x-y)^2(x+y)^2(x^2+y^2)^2(x^4+y^4)^2$$
$$=\frac{1}{2}(x^2-y^2)^2(x^2+y^2)^2(x^4+y^4)^2$$
$$=\frac{1}{2}(x^4-y^4)^2(x^4+y^4)^2$$
$$=\frac{1}{2}(x^8-y^8)^2$$
$$=\frac{1}{2}(x^{16}-2x^8y^8+y^{16})$$
$$=\frac{1}{2}x^{16}-x^8y^8+\frac{1}{2}y^{16}$$
$$=\frac{1}{2}(x^{16}+y^{16})-(xy)^8$$

$\therefore a=\frac{1}{2}$, $b=8$

전략

$\frac{1}{2}(x-y)^2=1$이므로 좌변에 $\frac{1}{2}(x-y)^2$을 곱해도 값이 변하지 않음을 이용한다.

07 답 95

$\sqrt{x}+\frac{1}{\sqrt{x}}=\sqrt{5}$의 양변을 제곱하면

$x+2+\frac{1}{x}=5 \qquad \therefore x+\frac{1}{x}=3$

$x>0$이므로 $x+\frac{1}{x}=3$의 양변에 x를 곱하면

$x^2+1=3x \qquad \therefore x^2-3x=-1$

$$\therefore (x-6)(x-4)(x+1)(x+3)$$
$$=(x-6)(x+3)(x-4)(x+1)$$
$$=(x^2-3x-18)(x^2-3x-4)$$
$$=(-1-18)\times(-1-4)$$
$$=95$$

전략

$\sqrt{x}+\frac{1}{\sqrt{x}}=\sqrt{5}$의 양변을 제곱하여 $x+\frac{1}{x}$의 값을 구한다.

08 답 2031

$$\frac{2027\times2033+2039}{2030}$$
$$=\frac{(2030-3)(2030+3)+2039}{2030}$$
$$=\frac{(2030^2-9)+2039}{2030}$$
$$=\frac{2030^2+2030}{2030}$$
$$=2030+1=2031$$

전략

2027, 2033을 각각 2030을 이용하여 나타내 본다.

09 답 8

$$A=\frac{32^2-26\times29}{30}$$
$$=\frac{(30+2)^2-(30-4)(30-1)}{30}$$
$$=\frac{30^2+120+4-(30^2-150+4)}{30}$$
$$=\frac{120+150}{30}=\frac{270}{30}=9$$

$$B=10003\times9997$$
$$=(10000+3)(10000-3)$$
$$=10000^2-9$$

$$\therefore A+B=9+(10000^2-9)$$
$$=10000^2=(10^4)^2=10^8$$

$\therefore m=8$

전략

A, B의 값을 각각 계산하여 $A+B$의 값을 10의 거듭제곱으로 나타낸다.

10 답 16

$$9\times11\times101\times10001\times100000001$$
$$=(10-1)(10+1)(100+1)(10000+1)(100000000+1)$$
$$=(10-1)(10+1)(10^2+1)(10^4+1)(10^8+1)$$
$$=(10^2-1)(10^2+1)(10^4+1)(10^8+1)$$
$$=(10^4-1)(10^4+1)(10^8+1)$$
$$=(10^8-1)(10^8+1)=10^{16}-1$$

이때 10^{16}은 17자리의 자연수이므로 $10^{16}-1$은 16자리의 자연수이다.

$\therefore n=16$

전략

$9=10-1$, $11=10+1$, $101=100+1$, $10001=10000+1$, $100000001=100000000+1$임을 이용한다.

11 답 2

$$(\sqrt{2}-2)^2(\sqrt{2}-1)^5(1+\sqrt{2})^7$$
$$=(\sqrt{2}-2)^2(\sqrt{2}-1)^5(\sqrt{2}+1)^5(\sqrt{2}+1)^2$$
$$=(\sqrt{2}-2)^2\{(\sqrt{2}-1)(\sqrt{2}+1)\}^5(\sqrt{2}+1)^2$$
$$=(\sqrt{2}-2)^2(\sqrt{2}+1)^2$$
$$=\{(\sqrt{2}-2)(\sqrt{2}+1)\}^2$$
$$=(2+\sqrt{2}-2\sqrt{2}-2)^2$$
$$=(-\sqrt{2})^2=2$$

전략

$(a+b)(a-b)=a^2-b^2$을 이용할 수 있도록 주어진 식을 정리해 본다.

12 답 7

$a^2=(3+2\sqrt{2})^2=17+12\sqrt{2}$

$b^2=(3-2\sqrt{2})^2=17-12\sqrt{2}$

$$\therefore R_4=\frac{1}{2}(a^4+b^4)$$
$$=\frac{1}{2}\{(17+12\sqrt{2})^2+(17-12\sqrt{2})^2\}$$
$$=\frac{1}{2}\times 2\{17^2+(12\sqrt{2})^2\}$$
$$=17^2+(12\sqrt{2})^2$$
$$=289+288=577$$

따라서 R_4의 일의 자리의 숫자는 7이다.

전략
$a^4=(a^2)^2$, $b^4=(b^2)^2$이므로 곱셈 공식을 이용하여 근호를 포함한 식을 간단히 한다.

13 답 $5-\frac{\sqrt{2}}{2}$

$$\frac{1}{\sqrt{4}+\sqrt{2}}+\frac{1}{\sqrt{6}+\sqrt{4}}+\frac{1}{\sqrt{8}+\sqrt{6}}+\cdots+\frac{1}{\sqrt{100}+\sqrt{98}}$$
$$=\frac{\sqrt{4}-\sqrt{2}}{(\sqrt{4}+\sqrt{2})(\sqrt{4}-\sqrt{2})}+\frac{\sqrt{6}-\sqrt{4}}{(\sqrt{6}+\sqrt{4})(\sqrt{6}-\sqrt{4})}+\cdots+\frac{\sqrt{100}-\sqrt{98}}{(\sqrt{100}+\sqrt{98})(\sqrt{100}-\sqrt{98})}$$
$$=\frac{1}{2}\{(\sqrt{4}-\sqrt{2})+(\sqrt{6}-\sqrt{4})+\cdots+(\sqrt{100}-\sqrt{98})\}$$
$$=\frac{1}{2}(-\sqrt{2}+\sqrt{100})$$
$$=\frac{1}{2}(-\sqrt{2}+10)=5-\frac{\sqrt{2}}{2}$$

전략
분모에 근호가 있을 때에는 $(a+b)(a-b)=a^2-b^2$임을 이용하여 분모를 유리화한다.

14 답 3

$$\frac{1}{f(x)}=\frac{1}{\sqrt{x}+\sqrt{x+1}}=\frac{\sqrt{x}-\sqrt{x+1}}{(\sqrt{x}+\sqrt{x+1})(\sqrt{x}-\sqrt{x+1})}$$
$$=\frac{\sqrt{x}-\sqrt{x+1}}{x-(x+1)}=\sqrt{x+1}-\sqrt{x}$$
$$\therefore \frac{1}{f(1)}+\frac{1}{f(2)}+\frac{1}{f(3)}+\cdots+\frac{1}{f(15)}$$
$$=(\sqrt{2}-\sqrt{1})+(\sqrt{3}-\sqrt{2})+(\sqrt{4}-\sqrt{3})+\cdots+(\sqrt{16}-\sqrt{15})$$
$$=-\sqrt{1}+\sqrt{16}$$
$$=-1+4=3$$

전략
$\frac{1}{f(x)}$을 유리화한 후 $\frac{1}{f(1)}+\frac{1}{f(2)}+\frac{1}{f(3)}+\cdots+\frac{1}{f(15)}$의 값을 구한다.

15 답 $-\frac{13}{7}$

$$\frac{y}{x-2}+\frac{x}{y-2}=\frac{y(y-2)+x(x-2)}{(x-2)(y-2)}$$
$$=\frac{x^2+y^2-2(x+y)}{xy-2(x+y)+4}$$

한편 $x+y=3$이고 $xy+5=0$에서 $xy=-5$이므로

$$x^2+y^2=(x+y)^2-2xy$$
$$=3^2-2\times(-5)=19$$
$$\therefore (\text{주어진 식})=\frac{x^2+y^2-2(x+y)}{xy-2(x+y)+4}$$
$$=\frac{19-2\times 3}{-5-2\times 3+4}=-\frac{13}{7}$$

전략
먼저 주어진 식의 분모를 통분하여 간단히 하고 x^2+y^2의 값을 구한 후 이를 이용하여 식의 값을 구한다.

16 답 $\frac{\sqrt{10}+\sqrt{6}}{2}$

$$\frac{\sqrt{x}+\sqrt{y}}{\sqrt{x}-\sqrt{y}}=\frac{(\sqrt{x}+\sqrt{y})^2}{(\sqrt{x}-\sqrt{y})(\sqrt{x}+\sqrt{y})}=\frac{x+y+2\sqrt{xy}}{x-y}$$

한편 $x-y=4$, $x^2+y^2=28$이므로

$x^2+y^2=(x-y)^2+2xy$에서

$28=4^2+2xy$, $2xy=12$ $\quad\therefore xy=6$

또 $(x+y)^2=(x-y)^2+4xy=4^2+4\times 6=40$

$\therefore x+y=2\sqrt{10}$ ($\because x>0, y>0$)

$$\therefore (\text{주어진 식})=\frac{x+y+2\sqrt{xy}}{x-y}$$
$$=\frac{2\sqrt{10}+2\sqrt{6}}{4}=\frac{\sqrt{10}+\sqrt{6}}{2}$$

전략
$x-y=4$, $x^2+y^2=28$을 이용하여 xy, $x+y$의 값을 각각 구한다.

17 답 7

$x\neq 0$이므로 $x^2-x-1=0$의 양변을 x로 나누면

$$x-1-\frac{1}{x}=0 \qquad \therefore x-\frac{1}{x}=1$$
$$x^2+\frac{1}{x^2}=\left(x-\frac{1}{x}\right)^2+2=1^2+2=3$$
$$x^4+\frac{1}{x^4}=\left(x^2+\frac{1}{x^2}\right)^2-2=3^2-2=7$$
$$x^8+\frac{1}{x^8}=\left(x^4+\frac{1}{x^4}\right)^2-2=7^2-2=47$$
$$x^{16}+\frac{1}{x^{16}}=\left(x^8+\frac{1}{x^8}\right)^2-2=47^2-2=2207$$

따라서 $x^{16}+\frac{1}{x^{16}}$의 값의 일의 자리의 숫자는 7이다.

전략
먼저 $x^2-x-1=0$의 양변을 x로 나누어 $x-\frac{1}{x}$의 값을 구한다.

18 답 12

$(x-1):(x+1)=(y+1):(y-1)$에서

$(x-1)(y-1)=(x+1)(y+1)$

$xy-x-y+1=xy+x+y+1$

$2x+2y=0 \qquad \therefore x+y=0$

즉 $x+y=0$, $x^2+y^2=6$이므로

$x^2+y^2=(x+y)^2-2xy$에서

$6=0^2-2xy$, $2xy=-6 \qquad \therefore xy=-3$

$\therefore (x-y)^2=(x+y)^2-4xy$

$=0^2-4\times(-3)=12$

전략
먼저 비례식의 성질을 이용하여 $x+y$의 값을 구한 후 xy의 값을 구한다.

19 답 212

$(ax+by)^2+(bx+ay)^2$

$=a^2x^2+2abxy+b^2y^2+b^2x^2+2abxy+a^2y^2$

$=(a^2+b^2)x^2+4abxy+(a^2+b^2)y^2$

한편 $a+b=3$, $ab=-1$이므로

$a^2+b^2=(a+b)^2-2ab$

$=3^2-2\times(-1)=11$

또 $x-y=4$, $xy=2$이므로

$x^2+y^2=(x-y)^2+2xy$

$=4^2+2\times2=20$

$\therefore$ (주어진 식)$=(a^2+b^2)x^2+4abxy+(a^2+b^2)y^2$

$=11x^2+4\times(-1)\times2+11y^2$

$=11(x^2+y^2)-8$

$=11\times20-8$

$=212$

전략
a^2+b^2, x^2+y^2의 값을 구한 후 주어진 식의 값을 구한다.

20 답 5

$x+1=A$, $y+2=B$로 놓으면

$(x+1)^2+(y+2)^2=15$에서 $A^2+B^2=15$

한편 $x+1=A$, $y+2=B$에서 $x=A-1$, $y=B-2$이므로

$x+y=1$에 $x=A-1$, $y=B-2$를 대입하면

$(A-1)+(B-2)=1 \qquad \therefore A+B=4$

즉 $A^2+B^2=15$, $A+B=4$이므로

$A^2+B^2=(A+B)^2-2AB$에서

$15=4^2-2AB$, $2AB=1 \qquad \therefore AB=\frac{1}{2}$

$\therefore 10(x+1)(y+2)=10AB$

$=10\times\frac{1}{2}=5$

전략
$x+1=A$, $y+2=B$로 치환하고 $x+y=1$을 A, B에 대한 식으로 나타낸다.

STEP 3 | 전교 1등 확실하게 굳히는 문제 pp. 041~043

1 ③ **2** 248 cm^3 **3** 1 **4** 1
5 $\frac{\sqrt{6}-2}{2}$ **6** 4

1 답 ③

오른쪽 그림에서

$\overline{MG}=\overline{BN}=\frac{a+b}{2}$,

$\overline{EM}=\overline{AM}-\overline{AE}=\frac{a}{2}-b$이므로

$S=\frac{a+b}{2}\times\left(\frac{a}{2}-b\right)$

$=\frac{a+b}{2}\times\frac{a-2b}{2}$

$=\frac{a^2-ab-2b^2}{4}$

$\overline{NF}=\overline{BF}-\overline{BN}=a-\frac{a+b}{2}=\frac{a-b}{2}$, $\overline{GN}=\overline{MB}=\frac{a}{2}$이므로

$T=\frac{a-b}{2}\times\frac{a}{2}=\frac{a^2-ab}{4}$

$\therefore T-S=\frac{a^2-ab}{4}-\frac{a^2-ab-2b^2}{4}$

$=\frac{2b^2}{4}=\frac{b^2}{2}$

전략
곱셈 공식을 이용하여 S와 T를 각각 a, b에 대한 식으로 나타낸 후 $T-S$를 계산한다.

2 답 248 cm^3

직육면체 A의 가로의 길이, 세로의 길이, 높이를 각각 x cm, y cm, z cm라 하면 직육면체 A의 부피는 xyz cm^3이다.

직육면체 A의 모든 모서리의 길이의 합이 68 cm이므로

$4(x+y+z)=68$

직육면체 A의 겉넓이가 172 cm^2이므로

$2(xy+yz+zx)=172$

한편 직육면체 B의 가로의 길이, 세로의 길이, 높이는 각각 $(x+2)$ cm, $(y+2)$ cm, $(z+2)$ cm이므로 직육면체 B의 부피는

$(x+2)(y+2)(z+2)$

$=(xy+2x+2y+4)(z+2)$

$=xyz+2xz+2yz+4z+2xy+4x+4y+8$

$=xyz+2(xy+yz+zx)+4(x+y+z)+8$

$=xyz+172+68+8$

$=xyz+248$ (cm^3)

따라서 두 직육면체 A, B의 부피의 차는

$(xyz+248)-xyz=248$ (cm^3)

전략
직육면체 A의 가로의 길이, 세로의 길이, 높이를 각각 x cm, y cm, z cm로 놓고 직육면체 B의 부피를 x, y, z에 대한 식으로 나타낸다.

3 답 1

조건 ㈎에서 $a^2=1-b^2$ …… ㉠

조건 ㈏에서 $x^2=1-y^2$ …… ㉡

조건 ㈐에서 $ax=by$ …… ㉢

㉢의 양변을 제곱하면

$a^2x^2=b^2y^2$ …… ㉣

㉣에 ㉠, ㉡을 대입하면

$(1-b^2)(1-y^2)=b^2y^2$

$1-(b^2+y^2)+b^2y^2=b^2y^2$

$\therefore b^2+y^2=1$

전략

조건 ㈎, ㈏, ㈐의 식을 변형하여 b^2+y^2의 값을 구한다.

4 답 1

$f(x)=1+\frac{1}{2^x}$이고 $2\times\left(1-\frac{1}{2}\right)=1$이므로

$f(1)\times f(2)\times f(4)\times f(8)$

$=\left(1+\frac{1}{2}\right)\left(1+\frac{1}{2^2}\right)\left(1+\frac{1}{2^4}\right)\left(1+\frac{1}{2^8}\right)$

$=2\left(1-\frac{1}{2}\right)\left(1+\frac{1}{2}\right)\left(1+\frac{1}{2^2}\right)\left(1+\frac{1}{2^4}\right)\left(1+\frac{1}{2^8}\right)$

$=2\left(1-\frac{1}{2^2}\right)\left(1+\frac{1}{2^2}\right)\left(1+\frac{1}{2^4}\right)\left(1+\frac{1}{2^8}\right)$

$=2\left(1-\frac{1}{2^4}\right)\left(1+\frac{1}{2^4}\right)\left(1+\frac{1}{2^8}\right)$

$=2\left(1-\frac{1}{2^8}\right)\left(1+\frac{1}{2^8}\right)$

$=2\left(1-\frac{1}{2^{16}}\right)$

$=2\times\frac{2^{16}-1}{2^{16}}=\frac{2^{16}-1}{2^{15}}$

따라서 $m=16$, $n=15$이므로

$m-n=16-15=1$

전략

$(a+b)(a-b)=a^2-b^2$임을 이용한다.

5 답 $\frac{\sqrt{6}-2}{2}$

$x_1=\sqrt{6}-2$에서

$\frac{1}{x_1}=\frac{1}{\sqrt{6}-2}=\frac{\sqrt{6}+2}{(\sqrt{6}-2)(\sqrt{6}+2)}=\frac{\sqrt{6}+2}{2}$

이때 $2<\sqrt{6}<3$이므로 $4<\sqrt{6}+2<5$ $\quad\therefore 2<\frac{\sqrt{6}+2}{2}<\frac{5}{2}$

즉 $\frac{\sqrt{6}+2}{2}$의 정수 부분은 2이므로

$x_2=\frac{\sqrt{6}+2}{2}-2=\frac{\sqrt{6}-2}{2}$ …… 30 %

$\frac{1}{x_2}=\frac{2}{\sqrt{6}-2}=\frac{2(\sqrt{6}+2)}{(\sqrt{6}-2)(\sqrt{6}+2)}=\sqrt{6}+2$

이때 $2<\sqrt{6}<3$이므로 $4<\sqrt{6}+2<5$

즉 $\sqrt{6}+2$의 정수 부분은 4이므로

$x_3=(\sqrt{6}+2)-4=\sqrt{6}-2$ …… 30 %

⋮

따라서 $x_1=x_3=x_5=\cdots=x_{5049}=\sqrt{6}-2$,

$x_2=x_4=x_6=\cdots=x_{5050}=\frac{\sqrt{6}-2}{2}$이므로

$x_{5050}=\frac{\sqrt{6}-2}{2}$ …… 40 %

전략

x_1의 값을 이용하여 $x_2, x_3, \cdots$의 값을 차례로 구하여 규칙성을 찾아본다.

6 답 4

$\left(x-\frac{1}{x}\right)^n=A$, $\left(y-\frac{1}{y}\right)^n=B$로 놓으면

$\left\{\left(x-\frac{1}{x}\right)^n-\left(y-\frac{1}{y}\right)^n\right\}^2-\left\{\left(x-\frac{1}{x}\right)^n+\left(y-\frac{1}{y}\right)^n\right\}^2$

$=(A-B)^2-(A+B)^2$

$=A^2-2AB+B^2-(A^2+2AB+B^2)$

$=-4AB$

$=-4\left(x-\frac{1}{x}\right)^n\left(y-\frac{1}{y}\right)^n$

$=-4\left\{\left(x-\frac{1}{x}\right)\left(y-\frac{1}{y}\right)\right\}^n$

$=-4\left(xy-\frac{x}{y}-\frac{y}{x}+\frac{1}{xy}\right)^n$

$=-4\left(xy-\frac{x^2+y^2}{xy}+\frac{1}{xy}\right)^n$

한편 $x+y=2$, $xy=-1$이므로

$x^2+y^2=(x+y)^2-2xy$

$=2^2-2\times(-1)=6$

$\therefore$ (좌변)$=-4\left(xy-\frac{x^2+y^2}{xy}+\frac{1}{xy}\right)^n$

$=-4\times\left(-1-\frac{6}{-1}+\frac{1}{-1}\right)^n$

$=-4\times4^n$

$=-2^2\times2^{2n}$

$=-2^{2+2n}$

즉 $-2^{2+2n}=-1024=-2^{10}$이므로

$2+2n=10 \quad\therefore n=4$

전략

$\left(x-\frac{1}{x}\right)^n=A$, $\left(y-\frac{1}{y}\right)^n=B$로 치환하여 좌변을 전개한다.

02 인수분해

[확인 ❶] 답 ⑤

⑤ $6a^2b+12a^3b^2$의 인수는 1, $6a^2b$, $1+2ab$, $6a^2b(1+2ab)$의 4개이다.

[확인 ❷] 답 (1) $2ab(a-3b+2c)$ (2) $ab(a+3b)(a-3b)$ (3) $3(2x-y)^2$ (4) $(3x+2y)(2x+7y)$

(2) $a^3b-9ab^3=ab(a^2-9b^2)$
$=ab(a+3b)(a-3b)$

(3) $12x^2-12xy+3y^2=3(4x^2-4xy+y^2)$
$=3(2x-y)^2$

[확인 ❸] 답 (1) $(x+2y+4)(x+2y-1)$ (2) $(2x-1)(y-1)$ (3) $(x-1+a)(x-1-a)$ (4) $(x-1)(x+y+2)$

(1) $x+2y=A$로 놓으면
$(x+2y+1)(x+2y+2)-6$
$=(A+1)(A+2)-6$
$=A^2+3A-4$
$=(A+4)(A-1)$
$=(x+2y+4)(x+2y-1)$

(2) $2xy-2x-y+1$
$=2x(y-1)-(y-1)$
$=(y-1)(2x-1)$
$=(2x-1)(y-1)$

(3) $x^2-2x+1-a^2$
$=(x^2-2x+1)-a^2$
$=(x-1)^2-a^2$
$=(x-1+a)(x-1-a)$

(4) $x^2+x+xy-y-2$
$=(x-1)y+x^2+x-2$
$=(x-1)y+(x-1)(x+2)$
$=(x-1)(x+y+2)$

[확인 ❹] 답 (1) 19 (2) 1600 (3) 9200 (4) 8

(1) $1.9\times5.5+1.9\times4.5=1.9\times(5.5+4.5)$
$=1.9\times10=19$

(2) $38^2+4\times38+4=38^2+2\times38\times2+2^2$
$=(38+2)^2$
$=40^2=1600$

(3) $96^2-4^2=(96+4)(96-4)$
$=100\times92=9200$

(4) $x-y=(1+\sqrt{2})-(1-\sqrt{2})=2\sqrt{2}$
$\therefore x^2-2xy+y^2=(x-y)^2$
$=(2\sqrt{2})^2=8$

STEP 1 억울하게 울리는 문제 pp. 046~048

1 (1) $(5x-2)(3x-10)$
(2) $\frac{1}{6}(2x+3)(3x-2)$
(3) $(x+1)(x-2)(x+2)(x-3)$
(4) $(a^2+2a-2)(a^2+2a-9)$
(5) $(x+y-4)(2x+2y+3)$
(6) $(a+b)(b+c)(c+a)$
(7) $(x-1)(y-1)(z-1)$

2-1 $-x$ **2-2** $-x+\frac{5}{4}$

3-1 3, 5 **3-2** 24, 26

4-1 $\frac{101}{200}$ **4-2** 100

5-1 11 **5-2** 13

6-1 (1, 6), (2, 5), (3, 4), (4, 3), (5, 2), (6, 1)

6-2 3

7-1 (1, 4), (2, 3), (3, 2), (4, 1)

7-2 2

1 답 (1) $(5x-2)(3x-10)$
(2) $\frac{1}{6}(2x+3)(3x-2)$
(3) $(x+1)(x-2)(x+2)(x-3)$
(4) $(a^2+2a-2)(a^2+2a-9)$
(5) $(x+y-4)(2x+2y+3)$
(6) $(a+b)(b+c)(c+a)$
(7) $(x-1)(y-1)(z-1)$

(1) $(5x-2)(x-4)-2(2-5x)(x-3)$
$=(5x-2)(x-4)+2(5x-2)(x-3)$
$=(5x-2)\{x-4+2(x-3)\}$
$=(5x-2)(3x-10)$

(2) $x^2+\frac{5}{6}x-1=\frac{1}{6}(6x^2+5x-6)$
$=\frac{1}{6}(2x+3)(3x-2)$

(3) $x^2-x=A$로 놓으면
$(x^2-x-9)(x^2-x+1)+21$
$=(A-9)(A+1)+21$
$=A^2-8A+12$
$=(A-2)(A-6)$
$=(x^2-x-2)(x^2-x-6)$
$=(x+1)(x-2)(x+2)(x-3)$

(4) $(a-1)(a-2)(a+3)(a+4)-6$

$=(a-1)(a+3)(a-2)(a+4)-6$

$=(a^2+2a-3)(a^2+2a-8)-6$

이때 $a^2+2a=A$로 놓으면

(주어진 식)$=(A-3)(A-8)-6$

$=A^2-11A+18$

$=(A-2)(A-9)$

$=(a^2+2a-2)(a^2+2a-9)$

(5) $2x^2+4xy+2y^2-5x-5y-12$

$=2x^2+4xy-5x+2y^2-5y-12$

$=2x^2+(4y-5)x+2y^2-5y-12$

$=2x^2+(4y-5)x+(y-4)(2y+3)$

$=(x+y-4)(2x+2y+3)$

(6) $a(b^2+c^2)+b(c^2+a^2)+c(a^2+b^2)+2abc$

$=ab^2+ac^2+bc^2+ba^2+ca^2+cb^2+2abc$

$=(b+c)a^2+(b^2+2bc+c^2)a+bc^2+cb^2$

$=(b+c)a^2+(b+c)^2a+bc(b+c)$

$=(b+c)\{a^2+(b+c)a+bc\}$

$=(b+c)(a+b)(a+c)$

$=(a+b)(b+c)(c+a)$

(7) $xyz-xy-xz+x-yz+y+z-1$

$=x(yz-y-z+1)-(yz-y-z+1)$

$=(yz-y-z+1)(x-1)$

$=\{y(z-1)-(z-1)\}(x-1)$

$=(z-1)(y-1)(x-1)$

$=(x-1)(y-1)(z-1)$

2-1 답 $-x$

$\sqrt{\left(x+\frac{1}{x}\right)^2-4}+\sqrt{(-x)^2}-\sqrt{\left(x-\frac{1}{x}\right)^2+4}$

$=\sqrt{x^2+2+\frac{1}{x^2}-4}+\sqrt{(-x)^2}-\sqrt{x^2-2+\frac{1}{x^2}+4}$

$=\sqrt{x^2-2+\frac{1}{x^2}}+\sqrt{(-x)^2}-\sqrt{x^2+2+\frac{1}{x^2}}$

$=\sqrt{\left(x-\frac{1}{x}\right)^2}+\sqrt{(-x)^2}-\sqrt{\left(x+\frac{1}{x}\right)^2}$

한편 $0<x<1$에서 $\frac{1}{x}>1$이므로 $x-\frac{1}{x}<0$, $-x<0$, $x+\frac{1}{x}>0$

$\therefore \sqrt{\left(x-\frac{1}{x}\right)^2}+\sqrt{(-x)^2}-\sqrt{\left(x+\frac{1}{x}\right)^2}$

$=-\left(x-\frac{1}{x}\right)-(-x)-\left(x+\frac{1}{x}\right)$

$=-x+\frac{1}{x}+x-x-\frac{1}{x}=-x$

2-2 답 $-x+\frac{5}{4}$

$\sqrt{x^2-\frac{1}{2}x+\frac{1}{16}}+\sqrt{4x^2-6x+\frac{9}{4}}$

$=\sqrt{\left(x-\frac{1}{4}\right)^2}+\sqrt{\left(2x-\frac{3}{2}\right)^2}$

$1<4x$이므로 $x>\frac{1}{4}$ $\quad\therefore x-\frac{1}{4}>0$

$4x<3$이므로 $2x<\frac{3}{2}$ $\quad\therefore 2x-\frac{3}{2}<0$

$\therefore \sqrt{\left(x-\frac{1}{4}\right)^2}+\sqrt{\left(2x-\frac{3}{2}\right)^2}=\left(x-\frac{1}{4}\right)-\left(2x-\frac{3}{2}\right)$

$=x-\frac{1}{4}-2x+\frac{3}{2}$

$=-x+\frac{5}{4}$

3-1 답 3, 5

$2^{16}-1=(2^8+1)(2^8-1)$

$=(2^8+1)(2^4+1)(2^4-1)$

$=(2^8+1)(2^4+1)(2^2+1)(2^2-1)$

$=(2^8+1)(2^4+1)(2^2+1)(2+1)(2-1)$

$=257\times7\times5\times3$

따라서 $2^{16}-1$은 1과 10 사이의 두 자연수 3과 5에 의하여 나누어떨어진다.

3-2 답 24, 26

$5^{16}-1=(5^8+1)(5^8-1)$

$=(5^8+1)(5^4+1)(5^4-1)$

$=(5^8+1)(5^4+1)(5^2+1)(5^2-1)$

$=(5^8+1)(5^4+1)\times26\times24$

따라서 $5^{16}-1$은 20과 30 사이의 두 자연수 24와 26에 의하여 나누어떨어진다.

4-1 답 $\frac{101}{200}$

$f(x)=1-\frac{1}{x^2}=\left(1-\frac{1}{x}\right)\left(1+\frac{1}{x}\right)$이므로

$f(2)\times f(3)\times f(4)\times\cdots\times f(100)$

$=\left(1-\frac{1}{2}\right)\left(1+\frac{1}{2}\right)\left(1-\frac{1}{3}\right)\left(1+\frac{1}{3}\right)$

$\times\cdots\times\left(1-\frac{1}{100}\right)\left(1+\frac{1}{100}\right)$

$=\frac{1}{2}\times\frac{3}{2}\times\frac{2}{3}\times\frac{4}{3}\times\cdots\times\frac{99}{100}\times\frac{101}{100}$

$=\frac{1}{2}\times\frac{101}{100}=\frac{101}{200}$

4-2 답 100

$\frac{4}{1^2-3^2}+\frac{6}{2^2-4^2}+\cdots+\frac{2(n+1)}{n^2-(n+2)^2}$

$=\frac{4}{(1+3)(1-3)}+\frac{6}{(2+4)(2-4)}$

$+\cdots+\frac{2(n+1)}{(n+n+2)(n-n-2)}$

$=\underbrace{-\frac{1}{2}+\left(-\frac{1}{2}\right)+\left(-\frac{1}{2}\right)+\cdots+\left(-\frac{1}{2}\right)}_{n\text{개}}$

$=-\frac{n}{2}$

즉 $-\frac{n}{2}=-50$이므로 $n=100$

5-1 답 11

$n^2-4n-21=(n+3)(n-7)$

이때 $(n+3)(n-7)$이 소수가 되려면 $n+3=1$ 또는 $n-7=1$이어야 한다.

(i) $n+3=1$일 때, $n=-2$

이때 n은 자연수가 아니므로 조건을 만족하지 않는다.

(ii) $n-7=1$일 때, $n=8$

$\therefore (n+3)(n-7)=11\times1=11$

(i), (ii)에 의해 구하는 소수는 11이다.

5-2 답 13

$4n^2-7n-2=(n-2)(4n+1)$

이때 $(n-2)(4n+1)$이 소수가 되려면 $n-2=1$ 또는 $4n+1=1$이어야 한다.

(i) $n-2=1$일 때, $n=3$

$\therefore (n-2)(4n+1)=1\times13=13$

(ii) $4n+1=1$일 때, $n=0$

이때 n은 자연수가 아니므로 조건을 만족하지 않는다.

(i), (ii)에 의해 구하는 소수는 13이다.

6-1 답 (1, 6), (2, 5), (3, 4), (4, 3), (5, 2), (6, 1)

$x+y=A$로 놓으면

$(x+y)^2-2(x+y)-24=A^2-2A-24$

$=(A+4)(A-6)$

$=(x+y+4)(x+y-6)$

이때 $(x+y+4)(x+y-6)$이 소수가 되려면 $x+y+4=1$ 또는 $x+y-6=1$이어야 한다.

(i) $x+y+4=1$일 때, $x+y=-3$이므로 이를 만족하는 자연수 x, y는 존재하지 않는다.

(ii) $x+y-6=1$일 때, $x+y=7$이므로

$(x+y+4)(x+y-6)=11\times1=11$

즉 주어진 식이 소수가 된다.

(i), (ii)에 의해 $x+y=7$을 만족하는 자연수 x, y의 순서쌍 (x, y)는 (1, 6), (2, 5), (3, 4), (4, 3), (5, 2), (6, 1)이다.

6-2 답 3

$x+y=A$로 놓으면

$(x+y)^2-2(x+y)-35=A^2-2A-35$

$=(A+5)(A-7)$

$=(x+y+5)(x+y-7)$

이때 $(x+y+5)(x+y-7)$이 소수가 되려면 $x+y+5=1$ 또는 $x+y-7=1$이어야 한다.

(i) $x+y+5=1$일 때, $x+y=-4$이므로 이를 만족하는 자연수 x, y는 존재하지 않는다.

(ii) $x+y-7=1$일 때, $x+y=8$이므로

$(x+y+5)(x+y-7)=13\times1=13$

즉 주어진 식이 소수가 된다.

(i), (ii)에 의해 $x>y$이므로 $x+y=8$을 만족하는 자연수 x, y의 순서쌍 (x, y)는 (5, 3), (6, 2), (7, 1)의 3개이다.

7-1 답 (1, 4), (2, 3), (3, 2), (4, 1)

$2y^2-5y-18+4xy-5x+2x^2$

$=2x^2+(4y-5)x+2y^2-5y-18$

$=2x^2+(4y-5)x+(y+2)(2y-9)$

$=(x+y+2)(2x+2y-9)$

이때 $(x+y+2)(2x+2y-9)$가 소수가 되려면 $x+y+2=1$ 또는 $2x+2y-9=1$이어야 한다.

(i) $x+y+2=1$일 때, $x+y=-1$이므로 이를 만족하는 자연수 x, y는 존재하지 않는다.

(ii) $2x+2y-9=1$일 때, $2x+2y=10$, 즉 $x+y=5$이므로

$(x+y+2)(2x+2y-9)=7\times1=7$

즉 주어진 식이 소수가 된다.

(i), (ii)에 의해 $x+y=5$를 만족하는 자연수 x, y의 순서쌍 (x, y)는 (1, 4), (2, 3), (3, 2), (4, 1)이다.

7-2 답 2

$x^2+6y^2+5xy-4x-17y-45$

$=x^2+(5y-4)x+6y^2-17y-45$

$=x^2+(5y-4)x+(2y-9)(3y+5)$

$=(x+2y-9)(x+3y+5)$

이때 $(x+2y-9)(x+3y+5)$가 소수가 되려면 $x+2y-9=1$ 또는 $x+3y+5=1$이어야 한다.

(i) $x+2y-9=1$일 때, $x+2y=10$이므로 이를 만족하는 자연수 x, y의 순서쌍 (x, y)는 (8, 1), (6, 2), (4, 3), (2, 4)이다.

① $x=8$, $y=1$이면

$(x+2y-9)(x+3y+5)=1\times16$

즉 소수가 아니다.

② $x=6$, $y=2$이면

$(x+2y-9)(x+3y+5)=1\times17$

즉 소수이다.

③ $x=4$, $y=3$이면

$(x+2y-9)(x+3y+5)=1\times18$

즉 소수가 아니다.

④ $x=2$, $y=4$이면

$(x+2y-9)(x+3y+5)=1\times19$

즉 소수이다.

(ii) $x+3y+5=1$일 때, $x+3y=-4$이므로 이를 만족하는 자연수 x, y는 존재하지 않는다.

(i), (ii)에 의해 $(x+2y-9)(x+3y+5)$가 소수가 되도록 하는 자연수 x, y의 순서쌍 (x, y)는 (6, 2), (2, 4)의 2개이다.

STEP 2 | 반드시 등수 올리는 문제 pp. 049~053

01 $\pm 4ab$	**02** $-13, -7, 7, 13$	**03** 6	
04 990	**05** $-1, 3$	**06** 이등변삼각형	
07 -4	**08** $\frac{1}{9}$	**09** -3	
10 (1) 2028 (2) $\frac{290}{17}$		**11** 191	**12** 64
13 4가지	**14** $4\sqrt{7}+6$	**15** $-32\sqrt{3}$	**16** 2
17 4	**18** $\sqrt{10}$	**19** ③	**20** ④
21 $2\sqrt{3}-2$			

01 답 $\pm 4ab$

$$\frac{2}{3}a^2-\square+6b^2=\frac{2}{3}\left(a^2-\frac{3}{2}\times\square+9b^2\right)$$
$$=\frac{2}{3}\left\{a^2-\frac{3}{2}\times\square+(3b)^2\right\}$$

위의 식이 완전제곱식이 되려면

$\frac{3}{2}\times\square=\pm 2\times a\times 3b$ $\quad\therefore \square=\pm 4ab$

전략
a^2의 계수로 묶어 낸 다음, 완전제곱식이 되기 위한 조건을 이용한다.

02 답 $-13, -7, 7, 13$

$6x^2+kx-5=(2x+a)(bx+c)$
$=2bx^2+(2c+ab)x+ac$

$2b=6$에서 $b=3$

$ac=-5$를 만족하는 두 정수 a, c의 순서쌍 (a, c)는 $(-5, 1)$, $(-1, 5)$, $(1, -5)$, $(5, -1)$이다.

이때 $k=2c+ab=3a+2c$이므로 가능한 상수 k의 값은

$3\times(-5)+2\times 1=-13$, $3\times(-1)+2\times 5=7$,
$3\times 1+2\times(-5)=-7$, $3\times 5+2\times(-1)=13$이다.

전략
$6x^2+kx-5=(2x+a)(bx+c)$이므로 우변을 전개하여 계수를 비교한다.

03 답 6

k가 50 이하의 자연수일 때,

$x^2+x-k=(x+a)(x-b)$ (a, b는 자연수)라 하면

$a-b=1$, $-ab=-k$이므로 $k=a(a-1)$

따라서 가능한 k의 값은 2×1, 3×2, 4×3, 5×4, 6×5, 7×6이므로 구하는 이차식은 6개이다.

전략
k가 50 이하의 자연수일 때, x^2+x-k가 $(x+a)(x-b)$의 꼴로 인수분해되는 k의 값을 구한다. (단, a, b는 자연수)

04 답 990

$8n^3-2n=2n(4n^2-1)$
$=2n(2n+1)(2n-1)$
$=(2n-1)\times 2n\times(2n+1)$

따라서 가운데 수가 짝수이면서 연속한 세 자연수의 곱으로 나타낼 수 있는 가장 큰 세 자리의 자연수는

$9\times 10\times 11=990$

전략
$8n^3-2n$을 인수분해한다.

05 답 $-1, 3$

$n^2-2n+6=k^2$ (k는 정수)이라 하면

$(n-1)^2+5=k^2$

$(n-1)^2-k^2=-5$

$(n-1+k)(n-1-k)=-5$

(i) $n-1+k=-5$, $n-1-k=1$일 때,
$n=-1$, $k=-3$

(ii) $n-1+k=-1$, $n-1-k=5$일 때,
$n=3$, $k=-3$

(iii) $n-1+k=1$, $n-1-k=-5$일 때,
$n=-1$, $k=3$

(iv) $n-1+k=5$, $n-1-k=-1$일 때,
$n=3$, $k=3$

(i)~(iv)에 의해 구하는 정수 n의 값은 -1, 3이다.

전략
$n^2-2n+6=0, 1, 4, 9, \cdots$를 만족하는 정수 n의 값을 모두 찾기 어려우므로 $n^2-2n+6=k^2$ (k는 정수)으로 놓고 식을 정리해 본다.

06 답 이등변삼각형

$a^2(b-c)+b^2(c-a)+c^2(a-b)$
$=a^2b-a^2c+b^2c-ab^2+ac^2-bc^2$
$=(b-c)a^2-(b^2-c^2)a+b^2c-bc^2$
$=(b-c)a^2-(b-c)(b+c)a+bc(b-c)$
$=(b-c)\{a^2-(b+c)a+bc\}$
$=(b-c)(a-b)(a-c)$

즉 $(b-c)(a-b)(a-c)=0$이 성립하므로

$b-c=0$ 또는 $a-b=0$ 또는 $a-c=0$

따라서 세 변의 길이가 a, b, c인 삼각형은 $b=c$ 또는 $a=b$ 또는 $a=c$인 이등변삼각형이 된다.

전략
$AB=0$이면 $A=0$ 또는 $B=0$을 이용한다.

07 답 -4

$(4-x^2)(1-y^2)-8xy$
$=4-4y^2-x^2+x^2y^2-8xy$
$=(y^2-1)x^2-8yx-4y^2+4$
$=(y+1)(y-1)x^2-8yx-4(y+1)(y-1)$
$=(xy+x+2y-2)(xy-x-2y-2)$

따라서 $a=2, b=-2, c=-2, d=-2$이므로

$a+b+c+d=2+(-2)+(-2)+(-2)$
$=-4$

전략
주어진 식을 전개한 후 한 문자에 대하여 내림차순으로 정리하여 인수분해한다.

08 답 $\frac{1}{9}$

모든 경우의 수는 $6\times6=36$

$xy-3x-y+3=x(y-3)-(y-3)$
$=(y-3)(x-1)$
$=(x-1)(y-3)$

이므로 $\sqrt{xy-3x-y+3}$이 자연수가 되려면 $(x-1)(y-3)$이 제곱수이어야 한다.

이때 x, y는 6 이하의 자연수이므로 $x-1\le5, y-3\le3$

즉 $(x-1)(y-3)\le15$이고 15 이하의 자연수 중 제곱수는 1, 4, 9이다.

(i) $(x-1)(y-3)=1$을 만족하는 순서쌍 (x, y)는
$(2, 4)$의 1가지

(ii) $(x-1)(y-3)=4$를 만족하는 순서쌍 (x, y)는
$(3, 5), (5, 4)$의 2가지

(iii) $(x-1)(y-3)=9$를 만족하는 순서쌍 (x, y)는
$(4, 6)$의 1가지

(i)~(iii)에 의해 $\sqrt{xy-3x-y+3}$이 자연수가 되는 경우의 수는

$1+2+1=4$

따라서 구하는 확률은 $\frac{4}{36}=\frac{1}{9}$

전략
$\sqrt{A}$가 자연수이려면 A는 제곱수이어야 한다.

09 답 -3

$3x^2-xy-2y^2+8x+7y+k$
$=3x^2-xy+8x-2y^2+7y+k$
$=3x^2+(-y+8)x-(2y^2-7y-k)$

이때 $2y^2-7y-k=(2y+a)(y+b)$(a, b는 정수)라 하면

$(2y+a)(y+b)=2y^2+(a+2b)y+ab$에서

$a+2b=-7$ …… ㉠

$ab=-k$ …… ㉡

한편 $3x^2+(-y+8)x-(2y^2-7y-k)$가 모든 항의 계수와 상수항이 정수인 두 일차식의 곱으로 인수분해되므로

$3x^2+(-y+8)x-(2y^2-7y-k)=(3x+2y+a)(x-y-b)$

$3x \to (2y+a) \to 2xy+ax$
$x \to -(y+b) \to +)\ -3xy-3bx$
$(-y+a-3b)x$

즉 $a-3b=8$ …… ㉢

이때 ㉠, ㉢을 연립하여 풀면

$a=-1, b=-3$

따라서 ㉡에 $a=-1, b=-3$을 대입하면

$(-1)\times(-3)=-k \qquad \therefore k=-3$

전략
주어진 식을 x에 대하여 내림차순으로 정리하여 어떤 꼴로 인수분해될지 생각해 본다.

10 답 (1) 2028 (2) $\frac{290}{17}$

(1) $\frac{2022\times2025^2+2022\times2\times2025\times3+9\times2022}{2025^2-9}$
$=\frac{2022(2025^2+2\times2025\times3+3^2)}{2025^2-3^2}$
$=\frac{2022(2025+3)^2}{(2025+3)(2025-3)}$
$=\frac{2022\times2028^2}{2028\times2022}=2028$

(2) $\sqrt{291+\frac{1}{289}}=\sqrt{289+2+\frac{1}{289}}$
$=\sqrt{17^2+2\times17\times\frac{1}{17}+\left(\frac{1}{17}\right)^2}$
$=\sqrt{\left(17+\frac{1}{17}\right)^2}$
$=\sqrt{\left(\frac{290}{17}\right)^2}=\frac{290}{17}$

전략
• 수의 계산에서 주로 이용되는 인수분해 공식
(1) $a^2+2ab+b^2=(a+b)^2$
$a^2-2ab+b^2=(a-b)^2$
(2) $a^2-b^2=(a+b)(a-b)$

11 답 191

$11=a$로 놓으면

$11\times13\times15\times17+16=a(a+2)(a+4)(a+6)+16$
$=a(a+6)(a+2)(a+4)+16$
$=(a^2+6a)(a^2+6a+8)+16$

이때 $a^2+6a=A$로 놓으면

$(주어진 식)=A(A+8)+16$
$=A^2+8A+16$
$=(A+4)^2$
$=(a^2+6a+4)^2$
$=(11^2+6\times11+4)^2=191^2$

따라서 자연수 N의 값은 191이다.

전략
$11=a$로 놓고 13, 15, 17을 a를 사용하여 나타내어 본다.

12 답 64

연속하는 자연수 a, b, c, d, e를 각각 $a, a+1, a+2, a+3, a+4$라 하면

$e^2-a^2=(a+4)^2-a^2$
$=(a+4+a)(a+4-a)$
$=4(2a+4)$
$=8a+16$

즉 $8a+16=128$에서 $8a=112$ $\therefore a=14$

따라서 $a=14, b=15, c=16, d=17, e=18$이므로

$d^2-b^2=17^2-15^2$
$=(17+15)(17-15)$
$=32\times2=64$

전략
연속하는 자연수 a, b, c, d, e를 각각 $a, a+1, a+2, a+3, a+4$로 놓는다.

13 답 4가지

$225=3^2\times5^2$이므로 225의 약수를 이용하여 225를 두 자연수의 곱으로 표현할 수 있는 모든 경우를 나열하면 다음과 같다.

(i) $225=3^2\times5^2=(3^2\times5^2)\times1=225\times1$
$=(113+112)(113-112)$
$=113^2-112^2$

(ii) $225=3^2\times5^2=(3\times5^2)\times3=75\times3$
$=(39+36)(39-36)$
$=39^2-36^2$

(iii) $225=3^2\times5^2=(3^2\times5)\times5=45\times5$
$=(25+20)(25-20)$
$=25^2-20^2$

(iv) $225=3^2\times5^2=25\times9$
$=(17+8)(17-8)$
$=17^2-8^2$

(i)~(iv)에 의해 구하는 방법은 4가지이다.

전략
어떤 자연수 N에 대하여 $N=(a+b)(a-b)$ (a, b는 자연수, $a>b$)로 나타낼 때
$a+b=X, a-b=Y$라 하면
$a=\frac{X+Y}{2}, b=\frac{X-Y}{2}$

14 답 $4\sqrt{7}+6$

$a^2-b^2+4b-4=12$에서 좌변을 인수분해하면

$a^2-b^2+4b-4=a^2-(b^2-4b+4)$
$=a^2-(b-2)^2$
$=(a+b-2)\{a-(b-2)\}$
$=(a+b-2)(a-b+2)$

즉 $(a+b-2)(a-b+2)=12$에서 $a+b=\sqrt{7}$이므로

$(\sqrt{7}-2)(a-b+2)=12$

$a-b+2=\frac{12}{\sqrt{7}-2}$
$=\frac{12(\sqrt{7}+2)}{(\sqrt{7}-2)(\sqrt{7}+2)}$
$=4(\sqrt{7}+2)=4\sqrt{7}+8$

$\therefore a-b=4\sqrt{7}+8-2=4\sqrt{7}+6$

전략
$a^2-b^2+4b-4=12$의 좌변을 (1항)+(3항)으로 묶어 인수분해한다.

15 답 $-32\sqrt{3}$

$x^3-x^2y-xy^2+y^3=x^2(x-y)-y^2(x-y)$
$=(x-y)(x^2-y^2)$
$=(x-y)(x+y)(x-y)$
$=(x+y)(x-y)^2$

한편 $x=\frac{1}{\sqrt{3}-2}=\frac{\sqrt{3}+2}{(\sqrt{3}-2)(\sqrt{3}+2)}=-\sqrt{3}-2$,

$y=\frac{1}{\sqrt{3}+2}=\frac{\sqrt{3}-2}{(\sqrt{3}+2)(\sqrt{3}-2)}=-\sqrt{3}+2$이므로

$x+y=-\sqrt{3}-2+(-\sqrt{3}+2)=-2\sqrt{3}$
$x-y=-\sqrt{3}-2-(-\sqrt{3}+2)=-4$

$\therefore$ (주어진 식)$=(x+y)(x-y)^2$
$=-2\sqrt{3}\times(-4)^2$
$=-32\sqrt{3}$

전략
분모에 무리수가 있을 때에는 먼저 분모를 유리화한다.

16 답 2

$\frac{3x^2+y^2+4xy+6x+2y}{x+y+2}$
$=\frac{(3x^2+4xy+y^2)+6x+2y}{x+y+2}$
$=\frac{(x+y)(3x+y)+2(3x+y)}{x+y+2}$
$=\frac{(3x+y)(x+y+2)}{x+y+2}$
$=3x+y$
$=3(2-\sqrt{7})+(3\sqrt{7}-4)=2$

전략
주어진 식의 분자를 인수분해하여 식을 간단히 한 후 x와 y의 값을 대입한다.

17 답 4

$(x^{2n}+y^{2n})^2-(x^{2n}-y^{2n})^2$
$=(x^{2n}+y^{2n}+x^{2n}-y^{2n})\{x^{2n}+y^{2n}-(x^{2n}-y^{2n})\}$
$=2x^{2n}\times 2y^{2n}$
$=4(xy)^{2n}$
한편 $xy=(3+\sqrt{10})(3-\sqrt{10})=-1$이므로
(주어진 식)$=4(xy)^{2n}$
$=4\times(-1)^{2n}=4$

전략
$a^2-b^2=(a+b)(a-b)$임을 이용하여 주어진 식을 인수분해한다.

18 답 $\sqrt{10}$

$$\frac{\sqrt{4x^2y^2-8xy^3+4y^4}}{4y}=\frac{\sqrt{4y^2(x^2-2xy+y^2)}}{4y}=\frac{\sqrt{4y^2(x-y)^2}}{4y}=\frac{\sqrt{(2y)^2}\sqrt{(x-y)^2}}{4y}=\frac{2y(x-y)}{4y}\ (\because\ y>0,\ x-y>0)=\frac{x-y}{2}$$

한편 $x^2+y^2=60$, $xy=10$이므로
$(x-y)^2=x^2+y^2-2xy=60-2\times10=40$
$\therefore\ x-y=\sqrt{40}=2\sqrt{10}$ ($\because\ x-y>0$)
$\therefore$ (주어진 식)$=\frac{x-y}{2}=\frac{2\sqrt{10}}{2}=\sqrt{10}$

19 답 ③

점 D는 $\overline{AC}$의 중점이므로 $\overline{AD}=\frac{a+b}{2}$
따라서 $\overline{AD}$를 한 변으로 하는 정사각형의 넓이는
$S_1=\left(\frac{a+b}{2}\right)^2$
$\overline{DB}=\overline{AB}-\overline{AD}=a-\frac{a+b}{2}=\frac{a-b}{2}$
따라서 $\overline{DB}$를 한 변으로 하는 정사각형의 넓이는
$S_2=\left(\frac{a-b}{2}\right)^2$
$\therefore\ S_1-S_2=\left(\frac{a+b}{2}\right)^2-\left(\frac{a-b}{2}\right)^2$
$=\left(\frac{a+b}{2}+\frac{a-b}{2}\right)\left(\frac{a+b}{2}-\frac{a-b}{2}\right)$
$=ab$

전략
S_1, S_2를 각각 a, b에 대한 식으로 나타내고 인수분해 공식을 이용한다.

20 답 ④

사다리꼴 ABCD의 윗변의 길이를 a라 하면 아랫변의 길이가 $a+6$이고 높이는 $x-2$, 넓이는 $2x^2+7x-22$이므로
$2x^2+7x-22=\frac{1}{2}\times\{a+(a+6)\}\times(x-2)$
$(x-2)(2x+11)=(a+3)(x-2)$
이때 $x-2\neq0$이므로
$2x+11=a+3\qquad\therefore\ a=2x+8$

전략
(사다리꼴의 넓이)$=\frac{1}{2}\times$\{(윗변의 길이)+(아랫변의 길이)\}$\times$(높이)
임을 이용한다.

21 답 $2\sqrt{3}-2$

$S_1=\sqrt{2}x$, $S_2=\sqrt{2}y$, $S_3=x^2$, $S_4=y^2$이므로
조건 (가)에 의해 $\sqrt{2}x+y^2=\sqrt{3}$ …… ㉠
조건 (나)에 의해 $\sqrt{2}y+x^2=\sqrt{3}$ …… ㉡
㉡−㉠을 하면
$(x^2-y^2)-\sqrt{2}(x-y)=0$
$(x-y)(x+y)-\sqrt{2}(x-y)=0$
$(x-y)(x+y-\sqrt{2})=0$
이때 $x\neq y$에서 $x-y\neq0$이므로
$x+y-\sqrt{2}=0$, 즉 $x+y=\sqrt{2}$
㉠+㉡을 하면
$x^2+y^2+\sqrt{2}(x+y)=2\sqrt{3}$이므로
$x^2+y^2=2\sqrt{3}-\sqrt{2}(x+y)$
$=2\sqrt{3}-\sqrt{2}\times\sqrt{2}$
$=2\sqrt{3}-2$
$\therefore\ S_3+S_4=x^2+y^2=2\sqrt{3}-2$

전략
S_1, S_2, S_3, S_4를 각각 x, y에 대한 식으로 나타내고 조건 (가), (나)의 두 식을 더하거나 뺀다.

STEP 3 전교 1등 확실하게 굳히는 문제 pp. 054~056

1 20	**2** 15	**3** 20	**4** 12
5 풀이 참조	**6** 157	**7** 80	**8** 24

1 답 20

$5x^2-4x-4xy+2y^2-8y+20$
$=(x^2-4x+4)+(4x^2-4xy+y^2)+(y^2-8y+16)$
$=(x-2)^2+(2x-y)^2+(y-4)^2$

즉 $(x-2)^2+(2x-y)^2+(y-4)^2=0$에서
$x-2=0,\ 2x-y=0,\ y-4=0$
따라서 $x=2,\ y=4$이므로
$x^2+y^2=4+16=20$

전략
두 실수 a, b에 대하여 $a^2+b^2=0$이면 $a=b=0$이다.

2 답 15

$abc-2ab-2bc+2ac-4a+4b-4c+8$
$=abc-2ab+2ac-4a-2bc+4b-4c+8$
$=a(bc-2b+2c-4)-2(bc-2b+2c-4)$
$=(bc-2b+2c-4)(a-2)$
$=\{b(c-2)+2(c-2)\}(a-2)$
$=(c-2)(b+2)(a-2)$
$=(a-2)(b+2)(c-2)$
즉 $(a-2)(b+2)(c-2)=35$이고 $35=1\times5\times7$
이때 a, b, c는 서로 다른 세 자연수이고 $a<b<c$이므로 $a-2$, $b+2$, $c-2$ 중 가장 작은 수는 $a-2$이다.
(i) $a-2=1,\ b+2=5,\ c-2=7$일 때,
$a=3,\ b=3,\ c=9$
이때 $a<b<c$가 아니므로 조건을 만족하지 않는다.
(ii) $a-2=1,\ b+2=7,\ c-2=5$일 때,
$a=3,\ b=5,\ c=7$
(i), (ii)에 의해 $a+b+c=3+5+7=15$

전략
문자가 여러 개이고 차수가 같은 경우에는 어느 한 문자에 대하여 내림차순으로 정리한 후 인수분해한다.

3 답 20

오른쪽 그림과 같이 정팔면체의 각 꼭짓점에 적힌 수를 각각 a, b, c, d, e, f라 하면 정팔면체의 각 면에 적힌 수는 각각 $abc, acd, aed, abe, bcf, cdf, edf, bef$이다.

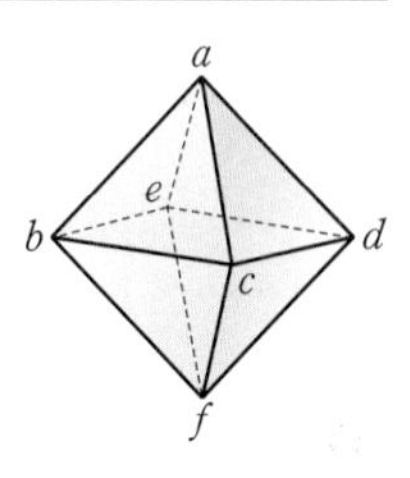

8개의 면에 적힌 수들의 합이 154이므로
$abc+acd+aed+abe+bcf+cdf+edf+bef=154$에서
$abc+acd+aed+abe+bcf+cdf+edf+bef$
$=a(bc+cd+ed+be)+f(bc+cd+ed+be)$
$=(bc+cd+ed+be)(a+f)$
$=\{c(b+d)+e(b+d)\}(a+f)$
$=(b+d)(c+e)(a+f)$
$=(a+f)(b+d)(c+e)$
즉 $(a+f)(b+d)(c+e)=154$이고 $154=2\times7\times11$이므로
$a+b+c+d+e+f=2+7+11=20$

전략
정팔면체의 각 꼭짓점에 적힌 수를 6개의 문자로 놓고 이를 이용하여 식을 세워 본다.

4 답 12

조건 (가)의 양변에 1을 더하면
$p+q+pq+1=12$에서
$(p+1)(q+1)=12$
조건 (나)의 양변에 1을 더하면
$q+r+qr+1=32$에서
$(q+1)(r+1)=32$
조건 (다)의 양변에 1을 더하면
$r+p+rp+1=24$에서
$(r+1)(p+1)=24$
이때 $p+1=P,\ q+1=Q,\ r+1=R$라 하면
$PQ=12,\ QR=32,\ RP=24$
위의 세 식을 변끼리 곱하면
$(PQR)^2=12\times32\times24=(2^2\times3)\times2^5\times(2^3\times3)$
$=2^{10}\times3^2=(2^5\times3)^2=96^2$
$\therefore PQR=96\ (\because p>0,\ q>0,\ r>0)$
이때 $P=\frac{PQR}{QR}=\frac{96}{32}=3,\ Q=\frac{PQR}{PR}=\frac{96}{24}=4,$
$R=\frac{PQR}{PQ}=\frac{96}{12}=8$이므로 $p=2,\ q=3,\ r=7$
$\therefore p+q+r=2+3+7=12$

전략
주어진 각 조건의 양변에 1을 더하고 좌변을 인수분해하여 공통부분을 치환한다.

5 답 풀이 참조

$5^n=x,\ 3^n=y$로 놓으면
$5^{2n+1}-3^{2n+1}+2\times15^n$
$=(5^n)^2\times5-(3^n)^2\times3+2\times(5^n\times3^n)$
$=5x^2+2xy-3y^2$
$=(x+y)(5x-3y)$
$=(5^n+3^n)(5\times5^n-3\times3^n)$
$=(5^n+3^n)(5^{n+1}-3^{n+1})$ …… 50 %
이때 n은 자연수이므로 $5^n+3^n>1,\ 5^{n+1}-3^{n+1}>1$ …… 20 %
즉 1보다 큰 두 자연수의 곱은 소수가 아니므로
$5^{2n+1}-3^{2n+1}+2\times15^n$은 소수가 아니다. …… 30 %

전략
$5^n=x,\ 3^n=y$로 놓고 주어진 식을 인수분해한다.

6 답 157

25^2+72^2

$=25^2+72^2+2\times25\times72-2\times25\times72$

$=25^2+2\times25\times72+72^2-2\times5^2\times(2^3\times3^2)$

$=(25+72)^2-(2^2\times3\times5)^2$

$=97^2-60^2$

$=(97+60)(97-60)$

$=157\times37$

이때 157은 소수이므로 가장 큰 소인수는 157이다.

전략
주어진 식에 적당한 수를 더하고 뺀 후 인수분해 공식을 이용한다.

7 답 80

$$\frac{3^4}{9^4-1}=\frac{3^4+1}{9^4-1}-\frac{1}{9^4-1}$$
$$=\frac{3^4+1}{(3^4+1)(3^4-1)}-\frac{1}{(3^2)^4-1}$$
$$=\frac{1}{3^4-1}-\frac{1}{3^8-1}$$

$$\frac{3^8}{9^8-1}=\frac{3^8+1}{9^8-1}-\frac{1}{9^8-1}$$
$$=\frac{3^8+1}{(3^8+1)(3^8-1)}-\frac{1}{(3^2)^8-1}$$
$$=\frac{1}{3^8-1}-\frac{1}{3^{16}-1}$$

$$\frac{3^{16}}{9^{16}-1}=\frac{3^{16}+1}{9^{16}-1}-\frac{1}{9^{16}-1}$$
$$=\frac{3^{16}+1}{(3^{16}+1)(3^{16}-1)}-\frac{1}{(3^2)^{16}-1}$$
$$=\frac{1}{3^{16}-1}-\frac{1}{3^{32}-1}$$

$\vdots$

$$\frac{3^{128}}{9^{128}-1}=\frac{3^{128}+1}{9^{128}-1}-\frac{1}{9^{128}-1}$$
$$=\frac{3^{128}+1}{(3^{128}+1)(3^{128}-1)}-\frac{1}{(3^2)^{128}-1}$$
$$=\frac{1}{3^{128}-1}-\frac{1}{3^{256}-1}$$

$$\therefore \frac{3^4}{9^4-1}+\frac{3^8}{9^8-1}+\frac{3^{16}}{9^{16}-1}+\cdots+\frac{3^{128}}{9^{128}-1}$$
$$=\left(\frac{1}{3^4-1}-\frac{1}{3^8-1}\right)+\left(\frac{1}{3^8-1}-\frac{1}{3^{16}-1}\right)+\left(\frac{1}{3^{16}-1}-\frac{1}{3^{32}-1}\right)+\cdots+\left(\frac{1}{3^{128}-1}-\frac{1}{3^{256}-1}\right)$$
$$=\frac{1}{3^4-1}-\frac{1}{3^{256}-1}$$
$$=\frac{1}{80}-\frac{1}{9^{128}-1}$$

따라서 구하는 자연수 n의 값은 80이다.

전략
각 분수식의 분자에 1을 더하고 빼는 방법으로 주어진 식을 변형한다.

8 답 24

$\sqrt{3}=x$라 하면 색종이 A 한 장의 넓이는 x^2, 색종이 B 한 장의 넓이는 $2x$, 색종이 C 한 장의 넓이는 1이다.
따라서 주어진 색종이를 모두 사용하여 겹치지 않게 빈틈없이 이어 붙여서 만든 직사각형의 넓이는

$5\times x^2+11\times2x+8\times1=5x^2+22x+8$

이때 $5x^2+22x+8=(x+4)(5x+2)$이므로 직사각형의 가로의 길이와 세로의 길이는 각각 $x+4$, $5x+2$ 또는 $5x+2$, $x+4$이다.
즉 구하는 직사각형의 둘레의 길이는

$2\{x+4+(5x+2)\}=12x+12$

$=12\sqrt{3}+12$

따라서 $a=12$, $b=12$이므로

$a+b=12+12=24$

전략
$\sqrt{3}=x$로 놓고 주어진 색종이를 모두 사용하여 겹치지 않게 빈틈없이 이어 붙여서 만든 직사각형의 넓이를 x를 사용하여 나타낸다.

III 이차방정식

01 이차방정식의 풀이

[확인 ❶] 답 ㉠, ㉢

㉠ $x^2-5=3x-x^2$에서 $2x^2-3x-5=0$

➡ 이차방정식이다.

㉡ $2x^2+4=3x+2x^2$에서 $-3x+4=0$

➡ 이차방정식이 아니다.

㉢ $(x-1)(x+3)=-x^2+x$에서 $x^2+2x-3=-x^2+x$

$\therefore 2x^2+x-3=0$ ➡ 이차방정식이다.

㉣ $x(x^2-2x)=x^2-2x$에서 $x^3-2x^2=x^2-2x$

$\therefore x^3-3x^2+2x=0$ ➡ 이차방정식이 아니다.

따라서 이차방정식인 것은 ㉠, ㉢이다.

[확인 ❷] 답 -7

$x=-2$를 $(a-1)x^2+a(a+8)x+18=0$에 대입하면

$4(a-1)-2a(a+8)+18=0$

$a^2+6a-7=0$, $(a+7)(a-1)=0$

$\therefore a=-7$ 또는 $a=1$

이때 $a-1\neq0$이어야 하므로 $a\neq1$

따라서 구하는 a의 값은 -7이다.

[확인 ❸] 답 $-3, 1$

$x^2-2(k+2)x+2k+7=0$이 중근을 가지려면

$2k+7=\left\{\dfrac{-2(k+2)}{2}\right\}^2$

$k^2+2k-3=0$, $(k+3)(k-1)=0$

$\therefore k=-3$ 또는 $k=1$

[확인 ❹] 답 $k\geq1$

$(x+3)^2=\dfrac{k-1}{2}$이 해를 가지려면 $\dfrac{k-1}{2}\geq0$이어야 한다.

$\therefore k\geq1$

[확인 ❺] 답 7

$2x^2-12x+a=0$에서 $x^2-6x+\dfrac{a}{2}=0$

$x^2-6x=-\dfrac{a}{2}$, $x^2-6x+9=-\dfrac{a}{2}+9$

$(x-3)^2=\dfrac{18-a}{2}$, $x-3=\pm\dfrac{\sqrt{36-2a}}{2}$

$\therefore x=3\pm\dfrac{\sqrt{36-2a}}{2}=\dfrac{6\pm\sqrt{36-2a}}{2}$

따라서 $36-2a=22$이므로

$2a=14$ $\quad\therefore a=7$

STEP 1 억울하게 울리는 문제 pp. 060~062

1 (1) 이고 (2) 갖는다 (3) 없다 (4) 1

2 (1) × (2) × (3) × (4) ○

3-1	-1	3-2	-2
4-1	9	4-2	2
5-1	34	5-2	32
6-1	3	6-2	$x=3$ 또는 $x=\dfrac{8}{3}$
7-1	$x=-4$ 또는 $x=1$	7-2	-2
8-1	$-9, 4$	8-2	11

1 답 (1) 이고 (2) 갖는다 (3) 없다 (4) 1

(1) $(a^2-4a)x^2+ax-1=5x^2+x$의 우변을 모두 좌변으로 이항하여 정리하면

$(a^2-4a-5)x^2+(a-1)x-1=0$

위의 식이 x에 대한 이차방정식이 되려면

$a^2-4a-5\neq0$이어야 하므로

$(a+1)(a-5)\neq0$

$\therefore a\neq-1$이고 $a\neq5$

(2) $ax^2+bx+c=0$의 양변을 a로 나누면

$x^2+\dfrac{b}{a}x+\dfrac{c}{a}=0$

위의 식이 중근을 가지려면

$\dfrac{c}{a}=\left(\dfrac{b}{2a}\right)^2$

$\therefore b^2-4ac=0$

(3) $ax^2+p=0$에서 $ax^2=-p$

즉 $x^2=-\dfrac{p}{a}$에서 $ap>0$이면 $-\dfrac{p}{a}<0$이므로 해가 없다.

(4) $x=m$을 $x^2-3x-1=0$에 대입하면

$m^2-3m-1=0$

$\therefore m^{1000}-3m^{999}-m^{998}+1$

$=m^{998}(m^2-3m-1)+1$

$=m^{998}\times0+1=1$

2 답 (1) × (2) × (3) × (4) ○

(1) $ax^2+bx+c=0$이 x에 대한 이차방정식이 되려면 $a\neq0$이어야 한다.

(2) $x^2=k$에서

(ⅰ) $k\geq0$이면 $x=\pm\sqrt{k}$

(ⅱ) $k<0$이면 해는 없다.

(3) $(x+p)^2=q$에서 $q<0$이면 해가 없다.

(4) $(x+p)^2=q$에서 $q>0$이면

$x+p=\pm\sqrt{q}$

$\therefore x=-p\pm\sqrt{q}$

즉 서로 다른 두 근이 존재한다.

3-1 답 -1

$x=p$를 $x^2-5x+1=0$에 대입하면

$p^2-5p+1=0 \quad \therefore p^2-5p=-1$

$\therefore 3p^2-15p+2=3(p^2-5p)+2$

$=3\times(-1)+2=-1$

3-2 답 -2

$x=p$를 $x^2+4x-1=0$에 대입하면

$p^2+4p-1=0 \quad \therefore p^2+4p=1$

$\therefore \frac{1}{2}p^2+2p-\frac{5}{2}=\frac{1}{2}(p^2+4p)-\frac{5}{2}$

$=\frac{1}{2}\times1-\frac{5}{2}=-2$

4-1 답 9

이차방정식 $x^2-8x+10=0$의 두 근이 m, n이므로

$m^2-8m+10=0 \quad \therefore m^2-8m=-10$

$n^2-8n+10=0 \quad \therefore n^2-8n=-10$

$\therefore (m^2-8m+9)(n^2-8n+1)$

$=(-10+9)\times(-10+1)$

$=-1\times(-9)=9$

4-2 답 2

이차방정식 $3x^2+4x-5=0$의 두 근이 α, β이므로

$3\alpha^2+4\alpha-5=0 \quad \therefore 3\alpha^2+4\alpha=5$

$3\beta^2+4\beta-5=0 \quad \therefore 3\beta^2+4\beta=5$

$\therefore (3\alpha^2+4\alpha-7)(9-8\beta-6\beta^2)$

$=\{(3\alpha^2+4\alpha)-7\}\{9-2(3\beta^2+4\beta)\}$

$=(5-7)\times(9-2\times5)$

$=-2\times(-1)=2$

5-1 답 34

$x=\alpha$를 $x^2-6x+1=0$에 대입하면

$\alpha^2-6\alpha+1=0$

이때 $\alpha\neq0$이므로 양변을 α로 나누면

$\alpha-6+\frac{1}{\alpha}=0 \quad \therefore \alpha+\frac{1}{\alpha}=6$

$\therefore \alpha^2+\frac{1}{\alpha^2}=\left(\alpha+\frac{1}{\alpha}\right)^2-2$

$=6^2-2=34$

5-2 답 32

$x=\alpha$를 $x^2-6x+2=0$에 대입하면

$\alpha^2-6\alpha+2=0$

이때 $\alpha\neq0$이므로 양변을 α로 나누면

$\alpha-6+\frac{2}{\alpha}=0 \quad \therefore \alpha+\frac{2}{\alpha}=6$

$\therefore \alpha^2+\frac{4}{\alpha^2}=\left(\alpha+\frac{2}{\alpha}\right)^2-4$

$=6^2-4=32$

6-1 답 3

$x^2+(m+3)x+3m=0$이 중근을 가지려면

$3m=\left(\frac{m+3}{2}\right)^2$, $m^2-6m+9=0$

$(m-3)^2=0 \quad \therefore m=3$

6-2 답 $x=3$ 또는 $x=\frac{8}{3}$

$x^2-6x+m=0$이 중근을 가지려면

$m=\left(\frac{-6}{2}\right)^2=9$

$m=9$를 $3x^2-(2m-1)x+24=0$에 대입하면

$3x^2-17x+24=0$, $(x-3)(3x-8)=0$

$\therefore x=3$ 또는 $x=\frac{8}{3}$

7-1 답 $x=-4$ 또는 $x=1$

$2x^2-4x+k=0$이 중근을 가지려면

$(-4)^2-4\times2\times k=0$, $16-8k=0 \quad \therefore k=2$

$k=2$를 $(k-1)x^2+3x-4=0$에 대입하면

$x^2+3x-4=0$, $(x+4)(x-1)=0$

$\therefore x=-4$ 또는 $x=1$

7-2 답 -2

$4x^2+(k-1)x+k+4=0$이 중근을 가지려면

$(k-1)^2-4\times4\times(k+4)=0$

$k^2-18k-63=0$, $(k+3)(k-21)=0$

$\therefore k=-3$ 또는 $k=21$

이때 $k<0$이므로 $k=-3$

$k=-3$을 $4x^2+(k-1)x+k+4=0$에 대입하면

$4x^2-4x+1=0$, $(2x-1)^2=0$

$\therefore x=\frac{1}{2}$, 즉 $m=\frac{1}{2}$

$\therefore k+2m=-3+2\times\frac{1}{2}=-2$

8-1 답 -9, 4

$mx^2-12x+m+5=0$이 중근을 가지려면

$(-12)^2-4\times m\times(m+5)=0$

$m^2+5m-36=0$, $(m+9)(m-4)=0$

$\therefore m=-9$ 또는 $m=4$

8-2 답 11

$(m-3)x^2-(m-3)x+2=0$이 중근을 가지려면

$\{-(m-3)\}^2-4\times(m-3)\times2=0$

$m^2-14m+33=0$, $(m-3)(m-11)=0$

$\therefore m=3$ 또는 $m=11$

이때 $m\neq3$이므로 $m=11$

STEP 2 | 반드시 등수 올리는 문제 pp. 063~067

01 9	**02** 1	**03** 8
04 -5	**05** 3	**06** 0
07 $-6, 2$	**08** -4	
09 $x=-\frac{1}{4}$ 또는 $x=1$		**10** -1
11 5	**12** 17	**13** 2
14 -7	**15** 24	**16** $p=72, q=81$
17 $\overline{AB}=\overline{BC}$인 이등변삼각형		**18** $-\frac{5}{12}$
19 24, 54, 96	**20** $x=\frac{5\pm\sqrt{29}}{2}$	

01 답 9

$x=\alpha$를 $x^2-2x-5=0$에 대입하면

$\alpha^2-2\alpha-5=0 \qquad \therefore \alpha^2-2\alpha=5$

$x=\beta$를 $2x^2-3x-3=0$에 대입하면

$2\beta^2-3\beta-3=0 \qquad \therefore 2\beta^2-3\beta=3$

$\therefore 3\alpha^2-4\beta^2-6\alpha+6\beta$

$=3(\alpha^2-2\alpha)-2(2\beta^2-3\beta)$

$=3\times5-2\times3$

$=15-6=9$

전략
$x=p$가 이차방정식의 해일 때, $x=p$를 이차방정식에 대입하면 등식이 성립한다.

02 답 1

$x=a$를 $2x^2-(3k-1)x-2=0$에 대입하면

$2a^2-(3k-1)a-2=0$

이때 $a\neq0$이므로 양변을 $2a$로 나누면

$a-\frac{3k-1}{2}-\frac{1}{a}=0$

$\therefore a-\frac{1}{a}=\frac{3k-1}{2}$

한편 $a-\frac{1}{a}=k$이므로

$\frac{3k-1}{2}=k \qquad \therefore k=1$

전략
$x=a$를 주어진 이차방정식에 대입한 후 적당한 값으로 나누어 $a-\frac{1}{a}$의 꼴이 나오도록 변형한다.

03 답 8

$x=a$를 $x^2-4x+1=0$에 대입하면

$a^2-4a+1=0$, $a^2+1=4a$

또 $a\neq0$이므로 $a^2-4a+1=0$의 양변을 a로 나누면

$a-4+\frac{1}{a}=0 \qquad \therefore a+\frac{1}{a}=4$

$\therefore (a-1)^2+\frac{8}{a^2+1}$

$=a^2-2a+1+\frac{8}{a^2+1}$

$=4a-2a+\frac{8}{4a}$

$=2a+\frac{2}{a}=2\left(a+\frac{1}{a}\right)$

$=2\times4=8$

전략
$x=a$가 주어진 이차방정식의 해임을 이용하여 $(a-1)^2+\frac{8}{a^2+1}$을 간단히 정리한다.

04 답 -5

$x=a$를 $x^2-5x+1=0$에 대입하면

$a^2-5a+1=0 \qquad \therefore a^2=5a-1,\ a^2-5a=-1$

$\therefore a^5-7a^4+11a^3-a^2-5a-4$

$=a^3(a^2-7a+11)-a^2-5a-4$

$=a^3\{(5a-1)-7a+11\}-(5a-1)-5a-4$

$=a^3(-2a+10)-10a-3$

$=-2a^4+10a^3-10a-3$

$=-2a^2(a^2-5a)-10a-3$

$=2a^2-10a-3$

$=2(a^2-5a)-3$

$=2\times(-1)-3=-5$

전략
$x=a$가 주어진 이차방정식의 해임을 이용하여 $a^5-7a^4+11a^3-a^2-5a-4$를 간단히 정리한다.

05 답 3

$x=m-\sqrt{n}$을 $x^2-2mx+3n=0$에 대입하면

$(m-\sqrt{n})^2-2m(m-\sqrt{n})+3n=0$

$m^2-2m\sqrt{n}+n-2m^2+2m\sqrt{n}+3n=0$

$\therefore -m^2+4n=0$

즉 $4n=m^2$을 만족하는 10보다 작은 자연수 m, n의 순서쌍 (m, n)은 $(2, 1)$, $(4, 4)$, $(6, 9)$의 3개이다.

전략
$x=m-\sqrt{n}$을 주어진 이차방정식에 대입한 후 식을 정리한다.

06 답 0

$x=2$를 $x^2-3ax+8=0$에 대입하면

$4-6a+8=0$, $-6a=-12$ $\quad \therefore a=2$

$a=2$를 $x^2-3ax+8=0$에 대입하면

$x^2-6x+8=0$, $(x-2)(x-4)=0$

$\therefore x=2$ 또는 $x=4$

따라서 다른 한 근은 $x=4$이므로

$x=4$를 $x^2+(b-3)x-2b=0$에 대입하면

$16+4(b-3)-2b=0$, $2b+4=0$ $\quad \therefore b=-2$

$\therefore a+b=2+(-2)=0$

전략
이차방정식 $x^2-3ax+8=0$의 다른 한 근을 구하고 이차방정식 $x^2+(b-3)x-2b=0$에 대입한다.

07 답 -6, 2

$x^2+(a-2)x-2a=0$에서 $(x+a)(x-2)=0$

$\therefore x=-a$ 또는 $x=2$

(i) $-a<2$일 때

두 근 사이에 있는 정수가 -1, 0, 1의 3개이어야 하므로

$-a=-2$ $\quad \therefore a=2$

(ii) $-a>2$일 때

두 근 사이에 있는 정수가 3, 4, 5의 3개이어야 하므로

$-a=6$ $\quad \therefore a=-6$

(i), (ii)에 의해 구하는 a의 값은 -6, 2이다.

전략
인수분해를 이용하여 주어진 이차방정식의 두 근을 찾고, 두 근 사이의 정수가 3개가 되도록 하는 a의 값을 모두 구한다.

08 답 -4

$x=-1$을 $ax^2+\frac{5}{3}bx-5a+3b=0$에 대입하면

$a-\frac{5}{3}b-5a+3b=0$, $-4a+\frac{4}{3}b=0$ $\quad \therefore b=3a$

$b=3a$를 $ax^2+\frac{5}{3}bx-5a+3b=0$에 대입하면

$ax^2+5ax-5a+9a=0$

$ax^2+5ax+4a=0$

이때 $a\neq0$이므로 양변을 a로 나누면

$x^2+5x+4=0$, $(x+4)(x+1)=0$

$\therefore x=-4$ 또는 $x=-1$

따라서 다른 한 근은 -4이다.

전략
b를 a에 대한 식으로 나타내어 주어진 이차방정식을 정리한다.

09 답 $x=-\frac{1}{4}$ 또는 $x=1$

$(2-a)x^2+(a^2+3a-1)x+(a+1)=0$의 x^2의 계수와 상수항을 서로 바꾸면

$(a+1)x^2+(a^2+3a-1)x+(2-a)=0$

$x=1$을 $(a+1)x^2+(a^2+3a-1)x+(2-a)=0$에 대입하면

$a+1+a^2+3a-1+2-a=0$

$a^2+3a+2=0$, $(a+2)(a+1)=0$

$\therefore a=-2$ 또는 $a=-1$

이때 $a=-1$이면 $(a+1)x^2+(a^2+3a-1)x+(2-a)=0$이 이차방정식이 되지 않으므로 $a=-2$

$a=-2$를 $(2-a)x^2+(a^2+3a-1)x+(a+1)=0$에 대입하면

$4x^2-3x-1=0$, $(4x+1)(x-1)=0$

$\therefore x=-\frac{1}{4}$ 또는 $x=1$

전략
주어진 이차방정식의 x^2의 계수와 상수항을 바꾸어 만들어진 이차방정식에 $x=1$을 대입한다.

10 답 -1

$(x+1)◎(x-3)=(x+1)-(x-3)+(x+1)(x-3)$

$=x^2-2x+1$

즉 $x^2-2x+1=x-1$에서 $x^2-3x+2=0$

$(x-1)(x-2)=0$ $\quad \therefore x=1$ 또는 $x=2$

이때 $\alpha>\beta$이므로 $\alpha=2$, $\beta=1$

따라서 $\alpha-3\beta=2-3\times1=-1$이므로

$\alpha-3\beta+(\alpha-3\beta)^2+(\alpha-3\beta)^3+\cdots+(\alpha-3\beta)^{2029}$

$=-1+(-1)^2+(-1)^3+\cdots+(-1)^{2029}$

$=(-1+1)+(-1+1)+\cdots+(-1)$

$=-1$

전략
주어진 규칙에 따라 x에 대한 이차방정식을 세워 본다.

11 답 5

$F(k-1, k+1)$

$=2f(k-1)-f(k+1)$

$=2\{(k-1)^2+5(k-1)\}-\{(k+1)^2+5(k+1)\}$

$=2(k^2+3k-4)-(k^2+7k+6)$

$=k^2-k-14$

즉 $k^2-k-14=6$에서

$k^2-k-20=0$, $(k+4)(k-5)=0$

$\therefore k=5\ (\because k>0)$

전략

주어진 규칙에 따라 k에 대한 이차방정식을 세운다.

12 답 17

$\langle x\rangle^2+3\langle x\rangle-10=0$에서

$(\langle x\rangle+5)(\langle x\rangle-2)=0$

$\therefore \langle x\rangle=-5$ 또는 $\langle x\rangle=2$

이때 $\langle x\rangle$는 자연수 x의 약수의 개수를 나타내므로 $\langle x\rangle=2$

즉 자연수 x의 약수가 2개이므로 x는 소수이다.

따라서 10 이하의 자연수 중 소수는 2, 3, 5, 7이므로 그 합은

$2+3+5+7=17$

전략

$\langle x\rangle$에 대한 이차방정식을 인수분해를 이용하여 푼다.

13 답 2

(가) $x^2-(1+a)x+a=0$에서

$(x-1)(x-a)=0$

$\therefore x=1$ 또는 $x=a$ …… ㉠

(나) $x^2-2(a-3b)x-12ab=0$에서

$(x-2a)(x+6b)=0$

$\therefore x=2a$ 또는 $x=-6b$ …… ㉡

(다) $x^2-(b-3)x-3b=0$에서

$(x+3)(x-b)=0$

$\therefore x=-3$ 또는 $x=b$ …… ㉢

세 이차방정식의 공통인 근이 양수이므로 ㉢에서 공통인 근은 $x=b$이다.

$\therefore b>0$

㉡에서 $-6b<0$이므로 공통인 근은 $x=2a$이다.

$\therefore a>0$

(i) ㉠에서 공통인 근이 $x=1$일 때,

$1=b=2a$이므로 $a=\frac{1}{2}$, $b=1$

(ii) ㉠에서 공통인 근이 $x=a$일 때,

$a=b=2a$이므로 $2a=a$ $\quad\therefore a=0$

이때 $a>0$이어야 하므로 조건에 맞지 않는다.

(i), (ii)에 의해 $a=\frac{1}{2}$, $b=1$이므로

$2a+b=2\times\frac{1}{2}+1=2$

전략

공통인 근이 양수이므로 $x=-3$은 공통인 근이 될 수 없다.

14 답 −7

$9x^2+(3-5k)x+4=0$이 중근을 가지려면

$(3-5k)^2-4\times9\times4=0$이어야 하므로

$9-30k+25k^2-144=0$

$5k^2-6k-27=0$, $(k-3)(5k+9)=0$

$\therefore k=3$ 또는 $k=-\frac{9}{5}$

이때 $k<0$이므로 $k=-\frac{9}{5}$

$k=-\frac{9}{5}$를 $9x^2+(3-5k)x+4=0$에 대입하면

$9x^2+12x+4=0$, $(3x+2)^2=0$

$\therefore x=-\frac{2}{3}$, 즉 $m=-\frac{2}{3}$

$\therefore 5k-3m=5\times\left(-\frac{9}{5}\right)-3\times\left(-\frac{2}{3}\right)=-7$

전략

이차방정식 $ax^2+bx+c=0$이 중근을 가지려면 $b^2-4ac=0$이어야 한다.

참고

$(3x)^2+(3-5k)x+(\pm2)^2=0$에서

$3-5k=2\times3\times(\pm2)$임을 이용하여 k의 값을 구해도 된다.

15 답 24

$2x^2+mx-m=0$이 중근을 가지려면

$m^2-4\times2\times(-m)=0$이어야 하므로

$m^2+8m=0$, $m(m+8)=0$

$\therefore m=0$ 또는 $m=-8$

이때 $m=0$이면 $mnx^2+nx+1=0$이 이차방정식이 되지 않으므로 $m=-8$

$m=-8$을 $mnx^2+nx+1=0$에 대입하면

$-8nx^2+nx+1=0$, $8nx^2-nx-1=0$

위의 이차방정식이 중근을 가지려면

$(-n)^2-4\times8n\times(-1)=0$이어야 하므로

$n^2+32n=0$, $n(n+32)=0$

$\therefore n=0$ 또는 $n=-32$

이때 $n=0$이면 $mnx^2+nx+1=0$이 이차방정식이 되지 않으므로 $n=-32$

$\therefore m-n=-8-(-32)=24$

전략

$mnx^2+nx+1=0$이 이차방정식이므로 $m\neq0$, $n\neq0$

16 답 $p=72,\ q=81$

$x^2+px+16q=0$이 중근을 가지려면

$p^2-4\times1\times16q=0$이어야 하므로

$p^2-64q=0,\ p^2=64q$

$\therefore p=8\sqrt{q}\ (\because p>0,\ q>0)$

이때 $p,\ q$는 두 자리의 자연수이므로 q는 제곱수이고 p의 값이 최대가 되려면 $q=81$

$\therefore p=8\sqrt{81}=72$

> **전략**
> 이차방정식 $ax^2+bx+c=0$이 중근을 가지려면 $b^2-4ac=0$이어야 한다.

17 답 $\overline{AB}=\overline{BC}$인 이등변삼각형

$bx^2+(a+c)x+\frac{ac}{b}=0$이 중근을 가지려면

$(a+c)^2-4\times b\times\frac{ac}{b}=0$이어야 하므로

$(a+c)^2-4ac=0,\ (a-c)^2=0$

$\therefore a=c$

따라서 $\triangle ABC$는 $\overline{AB}=\overline{BC}$인 이등변삼각형이다.

> **전략**
> 삼각형의 세 변의 길이를 $a,\ b,\ c$라 할 때, $a=b$ 또는 $b=c$ 또는 $c=a$이면 이 삼각형은 이등변삼각형이다.

18 답 $-\frac{5}{12}$

$x^2-n^2-2n-1=0$에서

$x^2=n^2+2n+1=(n+1)^2 \qquad \therefore x=\pm(n+1)$

이때 n은 자연수이고 $a_n<b_n$이므로

$a_n=-(n+1),\ b_n=n+1$

$\therefore \frac{1}{a_2}-\frac{1}{b_{11}}=-\frac{1}{3}-\frac{1}{12}=-\frac{5}{12}$

> **전략**
> 주어진 이차방정식의 두 근 $a_n,\ b_n$을 각각 구한다.

19 답 24, 54, 96

$(2x-5)^2=24k$에서

$2x-5=\pm\sqrt{24k} \qquad \therefore x=\frac{5\pm\sqrt{24k}}{2}$

이때 $24k=2^3\times3\times k$이므로 주어진 이차방정식의 해가 유리수가 되려면 $k=2\times3\times m^2$(m은 자연수)이어야 한다.

$\therefore k=2\times3\times1^2,\ 2\times3\times2^2,\ 2\times3\times3^2,\ 2\times3\times4^2,\ \cdots$

따라서 두 자리의 자연수 k의 값은 24, 54, 96이다.

20 답 $x=\frac{5\pm\sqrt{29}}{2}$

$(x+4)\diamond(2x-1)=(x+4)(2x-1)-(x+4)-(2x-1)^2$

$=-2x^2+10x-9$

즉 $-2x^2+10x-9=-11$에서

$2x^2-10x-2=0$

$x^2-5x-1=0,\ x^2-5x=1$

$x^2-5x+\left(\frac{-5}{2}\right)^2=1+\left(\frac{-5}{2}\right)^2$

$\left(x-\frac{5}{2}\right)^2=\frac{29}{4},\ x-\frac{5}{2}=\pm\frac{\sqrt{29}}{2}$

$\therefore x=\frac{5\pm\sqrt{29}}{2}$

> **전략**
> 주어진 규칙에 따라 x에 대한 이차방정식을 세워 본다.

STEP 3 | 전교 1등 확실하게 굳히는 문제 pp. 068~071

1 3	**2** 9	**3** 2030
4 4	**5** 17	**6** 67
7 $-\frac{1}{2}\le x<\frac{1}{2}$ 또는 $\frac{11}{2}\le x<\frac{13}{2}$		**8** $\frac{1}{312}$
9 1, 8		

1 답 3

$x=\frac{a-b}{a+b}$를 $x^2-4x+1=0$에 대입하면

$\left(\frac{a-b}{a+b}\right)^2-4\times\frac{a-b}{a+b}+1=0$

$a+b\neq0$이므로 양변에 $(a+b)^2$을 곱하면

$(a-b)^2-4(a-b)(a+b)+(a+b)^2=0$

$a^2-2ab+b^2-4a^2+4b^2+a^2+2ab+b^2=0$

$\therefore a^2=3b^2$

$\therefore \frac{a^2}{b^2}=\frac{3b^2}{b^2}=3$

> **전략**
> $x=\frac{a-b}{a+b}$를 $x^2-4x+1=0$에 대입한다.

2 답 9

$x=\alpha$를 $ax^2+3ax+b=0$에 대입하면

$a\alpha^2+3a\alpha+b=0 \qquad \cdots\cdots ㉠$

$x=\beta$를 $bx^2+3ax+a=0$에 대입하면

$b\beta^2+3a\beta+a=0$

이때 $\beta\neq0$이므로 양변을 β^2으로 나누면

$b+\frac{3a}{\beta}+\frac{a}{\beta^2}=0$, 즉 $\frac{a}{\beta^2}+\frac{3a}{\beta}+b=0$ …… ㉡

…… 40%

㉠－㉡을 하면

$a\left(\alpha^2-\frac{1}{\beta^2}\right)+3a\left(\alpha-\frac{1}{\beta}\right)=0$

$a\left(\alpha+\frac{1}{\beta}\right)\left(\alpha-\frac{1}{\beta}\right)+3a\left(\alpha-\frac{1}{\beta}\right)=0$

$a\left(\alpha-\frac{1}{\beta}\right)\left(\alpha+\frac{1}{\beta}+3\right)=0$ …… 30%

이때 $a\neq0$, $\alpha\neq\frac{1}{\beta}$이므로

$\alpha+\frac{1}{\beta}+3=0$ $\quad\therefore \alpha+\frac{1}{\beta}=-3$ …… 20%

$\therefore \alpha^2+\frac{2\alpha}{\beta}+\frac{1}{\beta^2}=\left(\alpha+\frac{1}{\beta}\right)^2=(-3)^2=9$ …… 10%

참고

이차방정식 $ax^2+bx+c=0$의 두 근을 α, β라 할 때, 이 이차방정식의 x^2의 계수와 상수항을 서로 바꾼 이차방정식 $cx^2+bx+a=0$의 두 근은 $\frac{1}{\alpha}$, $\frac{1}{\beta}$이다.

예를 들어 이차방정식 $x^2-5x+6=0$의 두 근은 2, 3이고, 이차방정식 $6x^2-5x+1=0$의 두 근은 $\frac{1}{2}$, $\frac{1}{3}$이다.

3 답 2030

$(2029x)^2-2028\times2030x-1=0$에서

$2029=k$라 하면

$k^2x^2-(k-1)(k+1)x-1=0$

$k^2x^2-(k^2-1)x-1=0$, $(x-1)(k^2x+1)=0$

$\therefore x=1$ 또는 $x=-\frac{1}{k^2}$, 즉 $x=1$ 또는 $x=-\frac{1}{2029^2}$

이때 두 근 중 큰 근은 1이므로 $m=1$

$x^2+2028x-2029=0$에서 $(x-1)(x+2029)=0$

$\therefore x=1$ 또는 $x=-2029$

이때 두 근 중 작은 근은 -2029이므로 $n=-2029$

$\therefore m-n=1-(-2029)=2030$

전략

인수분해를 이용하여 주어진 두 이차방정식의 해를 각각 구한다.

4 답 4

$\{f(x)\}^2+f(x)-2=2x^2-4x-2$에서

$\{f(x)\}^2+f(x)-2=2(x^2-2x-1)$

$\{f(x)\}^2+f(x)-2=2f(x)$

$\{f(x)\}^2-f(x)-2=0$, $\{f(x)+1\}\{f(x)-2\}=0$

$\therefore f(x)=-1$ 또는 $f(x)=2$

(i) $f(x)=-1$, 즉 $x^2-2x-1=-1$일 때,

$x^2-2x=0$, $x(x-2)=0$

$\therefore x=0$ 또는 $x=2$

(ii) $f(x)=2$, 즉 $x^2-2x-1=2$일 때,

$x^2-2x-3=0$, $(x+1)(x-3)=0$

$\therefore x=-1$ 또는 $x=3$

(i), (ii)에 의해 주어진 방정식의 모든 근의 합은

$0+2+(-1)+3=4$

전략

$2x^2-4x-2=2(x^2-2x-1)=2f(x)$임을 이용한다.

5 답 17

$f(x)=\frac{1}{\sqrt{x+1}+\sqrt{x}}=\frac{\sqrt{x+1}-\sqrt{x}}{(\sqrt{x+1}+\sqrt{x})(\sqrt{x+1}-\sqrt{x})}$

$=\sqrt{x+1}-\sqrt{x}$

이므로

$p=f(1)+f(2)+f(3)+\cdots+f(80)$

$=(\sqrt{2}-\sqrt{1})+(\sqrt{3}-\sqrt{2})+\cdots+(\sqrt{81}-\sqrt{80})$

$=-\sqrt{1}+\sqrt{81}=-1+9=8$

$x=8$을 $(a-1)x^2-(a^2-1)x+8(a-1)=0$에 대입하면

$64(a-1)-8(a^2-1)+8(a-1)=0$

$a^2-9a+8=0$, $(a-1)(a-8)=0$

$\therefore a=1$ 또는 $a=8$

이때 $a=1$이면 $(a-1)x^2-(a^2-1)x+8(a-1)=0$이 이차방정식이 되지 않으므로 $a=8$

$a=8$을 $(a-1)x^2-(a^2-1)x+8(a-1)=0$에 대입하면

$7x^2-63x+56=0$

$x^2-9x+8=0$, $(x-1)(x-8)=0$

$\therefore x=1$ 또는 $x=8$

따라서 다른 한 근은 1이므로 $q=1$

$\therefore p+q+a=8+1+8=17$

전략

먼저 p의 값을 구하고, $x=p$를 주어진 이차방정식에 대입한다.

6 답 67

$4489=(10a+b)^2$(a, b는 한 자리의 자연수)이라 하면

$4489=100a^2+20ab+b^2$에서

b^2의 일의 자리의 숫자는 9이어야 하므로

$b=3$ 또는 $b=7$

(i) $b=3$일 때,

$4489=100a^2+60a+9$, $100a^2+60a-4480=0$

$5a^2+3a-224=0$, $(a+7)(5a-32)=0$

$\therefore a=-7$ 또는 $a=\frac{32}{5}$

이때 a는 한 자리의 자연수이어야 하므로 조건에 맞지 않다.

(ii) $b=7$일 때,

$4489=100a^2+140a+49$, $100a^2+140a-4440=0$

$5a^2+7a-222=0$, $(a-6)(5a+37)=0$

$\therefore a=6$ 또는 $a=-\frac{37}{5}$

이때 a는 한 자리의 자연수이어야 하므로

$a=6$

(i), (ii)에서 $a=6$, $b=7$이므로

$\sqrt{4489}=\sqrt{67^2}=67$

전략

$4489=(10a+b)^2$을 전개하여 b의 값을 먼저 구한다.

7 답 $-\frac{1}{2}\le x<\frac{1}{2}$ 또는 $\frac{11}{2}\le x<\frac{13}{2}$

$\left[x-\frac{1}{2}\right]=n$($n$은 정수)이라 하면

$n\le x-\frac{1}{2}<n+1$, $n+1\le x+\frac{1}{2}<n+2$

$\therefore \left[x+\frac{1}{2}\right]=n+1$

따라서 주어진 방정식은 $n^2-4(n+1)-1=0$

$n^2-4n-5=0$, $(n+1)(n-5)=0$

$\therefore n=-1$ 또는 $n=5$

(i) $n=-1$일 때, $-1\le x-\frac{1}{2}<0$

$\therefore -\frac{1}{2}\le x<\frac{1}{2}$

(ii) $n=5$일 때, $5\le x-\frac{1}{2}<6$

$\therefore \frac{11}{2}\le x<\frac{13}{2}$

(i), (ii)에 의해 구하는 x의 값의 범위는

$-\frac{1}{2}\le x<\frac{1}{2}$ 또는 $\frac{11}{2}\le x<\frac{13}{2}$

전략

$\left[x-\frac{1}{2}\right]=n$($n$은 정수)이라 하면 $\left[x+\frac{1}{2}\right]=n+1$이다.

8 답 $\frac{1}{312}$

모든 경우의 수는 $40\times 39=1560$

이차방정식 $x^2+ax+b=0$이 중근을 가지려면

$a^2-4b=0$ $\quad\therefore a^2=4b$

따라서 $a^2=4b$를 만족하는 a, b의 순서쌍 (a, b)는 $(2, 1)$, $(4, 4)$, $(6, 9)$, $(8, 16)$, $(10, 25)$, $(12, 36)$의 6개이다.

이때 꺼낸 공은 다시 넣지 않으므로 중근을 갖는 이차방정식은 5개이다.

따라서 구하는 확률은 $\frac{5}{1560}=\frac{1}{312}$

전략

꺼낸 공은 다시 넣지 않으므로 a와 b가 같은 경우는 제외한다.

9 답 1, 8

$x^2+\frac{1}{2}mx+n=0$이 중근을 가지려면

$\frac{1}{4}m^2-4n=0$ $\quad\therefore m^2=16n$

이때 m, n은 한 자리의 자연수이므로 $m^2=16n$을 만족하는 m, n의 순서쌍 (m, n)은 $(4, 1)$, $(8, 4)$이다.

(i) $m=4$, $n=1$일 때,

$m=4$, $n=1$을 $(17n-m^2)x^2+8nx+m^2=0$에 대입하면

$x^2+8x+16=0$, $(x+4)^2=0$

$\therefore x=-4$, 즉 $a=-4$

$\therefore a+m+n=-4+4+1=1$

(ii) $m=8$, $n=4$일 때,

$m=8$, $n=4$를 $(17n-m^2)x^2+8nx+m^2=0$에 대입하면

$4x^2+32x+64=0$, $x^2+8x+16=0$

$(x+4)^2=0$ $\quad\therefore x=-4$, 즉 $a=-4$

$\therefore a+m+n=-4+8+4=8$

따라서 가능한 $a+m+n$의 값은 1, 8이다.

전략

이차방정식 $x^2+\frac{1}{2}mx+n=0$이 중근을 가지므로 이를 이용하여 m과 n의 관계식을 구한다.

02 이차방정식의 활용

[확인 ❶] 답 (1) $x=\frac{5\pm\sqrt{13}}{6}$ (2) $x=\frac{4\pm\sqrt{6}}{2}$

(1) $3x^2-5x+1=0$에서

$x=\frac{-(-5)\pm\sqrt{(-5)^2-4\times3\times1}}{2\times3}=\frac{5\pm\sqrt{13}}{6}$

(2) $2x^2-8x+5=0$에서

$x=\frac{-(-4)\pm\sqrt{(-4)^2-2\times5}}{2}=\frac{4\pm\sqrt{6}}{2}$

[확인 ❷] 답 (1) $x=\frac{-5\pm\sqrt{35}}{2}$ (2) $x=\frac{-3\pm\sqrt{57}}{4}$
(3) $x=-10\pm2\sqrt{31}$ (4) $x=-5$ 또는 $x=5$

(1) $0.2x^2+x-0.5=0$의 양변에 10을 곱하면

$2x^2+10x-5=0$

$\therefore x=\frac{-5\pm\sqrt{5^2-2\times(-5)}}{2}=\frac{-5\pm\sqrt{35}}{2}$

(2) $\frac{1}{3}x^2+\frac{1}{2}x-1=0$의 양변에 6을 곱하면

$2x^2+3x-6=0$

$\therefore x=\frac{-3\pm\sqrt{3^2-4\times2\times(-6)}}{2\times2}=\frac{-3\pm\sqrt{57}}{4}$

(3) $0.3(x-2)^2=0.4(x-1)(x+3)$의 양변에 10을 곱하면

$3(x-2)^2=4(x-1)(x+3)$

$x^2+20x-24=0$

$\therefore x=-10\pm\sqrt{10^2-1\times(-24)}$

$=-10\pm2\sqrt{31}$

(4) $(x+1)^2-2(x+1)-24=0$에서

$x+1=A$로 놓으면

$A^2-2A-24=0$, $(A+4)(A-6)=0$

$\therefore A=-4$ 또는 $A=6$

즉 $x+1=-4$ 또는 $x+1=6$

$\therefore x=-5$ 또는 $x=5$

[확인 ❸] 답 $m\le\frac{5}{4}$

$x^2-(2m-1)x+m^2-1=0$이 근을 가지려면

$\{-(2m-1)\}^2-4\times1\times(m^2-1)\ge0$이어야 한다.

$-4m+5\ge0$ $\therefore m\le\frac{5}{4}$

[확인 ❹] 답 (1) 7 (2) -9

$2x^2-4x-3=0$에서

$\alpha+\beta=2$, $\alpha\beta=-\frac{3}{2}$

(1) $\alpha^2+\beta^2=(\alpha+\beta)^2-2\alpha\beta$

$=2^2-2\times\left(-\frac{3}{2}\right)=7$

(2) $(2\alpha-1)(2\beta-1)=4\alpha\beta-2(\alpha+\beta)+1$

$=4\times\left(-\frac{3}{2}\right)-2\times2+1$

$=-9$

[확인 ❺] 답 (1) $x^2-x-6=0$ (2) 60

(1) $x^2-3x-2=0$에서 $\alpha+\beta=3$, $\alpha\beta=-2$이므로

구하는 이차방정식은

$(x-3)(x+2)=0$ $\therefore x^2-x-6=0$

(2) $x=-3$을 중근으로 갖고 x^2의 계수가 4인 이차방정식은

$4(x+3)^2=0$ $\therefore 4x^2+24x+36=0$

따라서 $a=24$, $b=36$이므로

$a+b=24+36=60$

[확인 ❻] 답 12

n각형의 대각선의 총 개수는 $\frac{n(n-3)}{2}$개이므로

$\frac{n(n-3)}{2}=54$

$n^2-3n-108=0$, $(n+9)(n-12)=0$

$\therefore n=-9$ 또는 $n=12$

이때 n은 자연수이므로 $n=12$

STEP 1 | 억울하게 울리는 문제 pp. 074~075

1 (1) $x=-1$ 또는 $x=\frac{5}{4}$ (2) $x=\frac{4\pm\sqrt{7}}{9}$
(3) $x=-2\pm2\sqrt{2}$ (4) $x=-2\pm\sqrt{10}$
(5) $x=-2$ 또는 $x=6$ (6) $x=89$ 또는 $x=101$
(7) $x=-2$ 또는 $x=2$ (8) $x=0$ 또는 $x=1$

2-1 $4x^2+8x+3=0$ **2-2** $2x^2-6x-1=0$

3-1 -4 **3-2** $a=-4$, $b=-4$

4-1 17 **4-2** 2

1 답 (1) $x=-1$ 또는 $x=\frac{5}{4}$ (2) $x=\frac{4\pm\sqrt{7}}{9}$
(3) $x=-2\pm2\sqrt{2}$ (4) $x=-2\pm\sqrt{10}$
(5) $x=-2$ 또는 $x=6$ (6) $x=89$ 또는 $x=101$
(7) $x=-2$ 또는 $x=2$ (8) $x=0$ 또는 $x=1$

(1) $0.04x^2+0.25=0.01x+0.3$의 양변에 100을 곱하면

$4x^2+25=x+30$

$4x^2-x-5=0$, $(x+1)(4x-5)=0$

$\therefore x=-1$ 또는 $x=\frac{5}{4}$

(2) $\frac{3}{4}x^2-\frac{2}{3}x+\frac{1}{12}=0$의 양변에 12를 곱하면

$9x^2-8x+1=0$

$\therefore x=\frac{-(-4)\pm\sqrt{(-4)^2-9\times1}}{9}$

$=\frac{4\pm\sqrt{7}}{9}$

(3) $\frac{(x-1)^2}{2}=\frac{x(x-5)}{3}+\frac{7}{6}$의 양변에 6을 곱하면

$3(x-1)^2=2x(x-5)+7$

$x^2+4x-4=0$

$\therefore x=-2\pm\sqrt{2^2-1\times(-4)}$

$=-2\pm2\sqrt{2}$

(4) $\frac{x(3x-2)}{10}=0.2(x-1)(2x+3)$의 양변에 10을 곱하면

$x(3x-2)=2(x-1)(2x+3)$

$x^2+4x-6=0$

$\therefore x=-2\pm\sqrt{2^2-1\times(-6)}$

$=-2\pm\sqrt{10}$

(5) $\frac{7}{10}(x+2)(x-2)=0.3(x+4)^2-0.8(x+5)+\frac{6}{5}$의 양변에 10을 곱하면

$7(x+2)(x-2)=3(x+4)^2-8(x+5)+12$

$x^2-4x-12=0$, $(x+2)(x-6)=0$

$\therefore x=-2$ 또는 $x=6$

(6) $(x-99)^2+8(x-99)-20=0$에서

$x-99=A$로 놓으면

$A^2+8A-20=0$, $(A+10)(A-2)=0$

$\therefore A=-10$ 또는 $A=2$

즉 $x-99=-10$ 또는 $x-99=2$

$\therefore x=89$ 또는 $x=101$

(7) $x^2=\sqrt{x^2}+2$에서

(i) $x\geq0$일 때, $\sqrt{x^2}=x$이므로

$x^2=x+2$

$x^2-x-2=0$, $(x+1)(x-2)=0$

$\therefore x=-1$ 또는 $x=2$

그런데 $x\geq0$이므로 $x=2$

(ii) $x<0$일 때, $\sqrt{x^2}=-x$이므로

$x^2=-x+2$

$x^2+x-2=0$, $(x-1)(x+2)=0$

$\therefore x=1$ 또는 $x=-2$

그런데 $x<0$이므로 $x=-2$

(i), (ii)에 의해 주어진 이차방정식의 해는 $x=-2$ 또는 $x=2$

(8) $x^2+|3x-2|=2$에서

(i) $3x-2\geq0$, 즉 $x\geq\frac{2}{3}$일 때,

$x^2+3x-2=2$

$x^2+3x-4=0$, $(x-1)(x+4)=0$

$\therefore x=1$ 또는 $x=-4$

그런데 $x\geq\frac{2}{3}$이므로 $x=1$

(ii) $3x-2<0$, 즉 $x<\frac{2}{3}$일 때,

$x^2-(3x-2)=2$

$x^2-3x=0$, $x(x-3)=0$

$\therefore x=0$ 또는 $x=3$

그런데 $x<\frac{2}{3}$이므로 $x=0$

(i), (ii)에 의해 주어진 이차방정식의 해는 $x=0$ 또는 $x=1$

2-1 답 $4x^2+8x+3=0$

$2x^2+3x-1=0$에서

$\alpha+\beta=-\frac{3}{2}$, $\alpha\beta=-\frac{1}{2}$이므로

구하는 이차방정식은

$4\left(x+\frac{3}{2}\right)\left(x+\frac{1}{2}\right)=0$, $4\left(x^2+2x+\frac{3}{4}\right)=0$

$\therefore 4x^2+8x+3=0$

2-2 답 $2x^2-6x-1=0$

$\alpha+\beta=3$, $\alpha^2+\beta^2=10$이므로

$\alpha^2+\beta^2=(\alpha+\beta)^2-2\alpha\beta$에서

$10=3^2-2\alpha\beta$, $2\alpha\beta=-1$ $\quad\therefore \alpha\beta=-\frac{1}{2}$

따라서 구하는 이차방정식은

$2\left(x^2-3x-\frac{1}{2}\right)=0$ $\quad\therefore 2x^2-6x-1=0$

3-1 답 -4

$x^2-x-1=0$에서

$\alpha+\beta=1$, $\alpha\beta=-1$이므로

$(\alpha+1)+(\beta+1)=\alpha+\beta+2$

$=1+2=3$

$(\alpha+1)(\beta+1)=\alpha\beta+(\alpha+\beta)+1$

$=-1+1+1=1$

따라서 구하는 이차방정식은 $x^2-3x+1=0$

즉 $a=-3$, $b=1$이므로

$a-b=-3-1=-4$

3-2 답 $a=-4, b=-4$

$x^2+ax+b=0$에서

$\alpha+\beta=-a$, $\alpha\beta=b$

$x^2-6x+1=0$에서

$(\alpha+1)+(\beta+1)=6$이므로 $(\alpha+\beta)+2=6$

$-a+2=6$ $\quad\therefore a=-4$

$(\alpha+1)(\beta+1)=1$이므로 $\alpha\beta+(\alpha+\beta)+1=1$

$b+4+1=1$ $\quad\therefore b=-4$

4-1 답 17

$x^2+ax+b=0$의 한 근이 $2-\sqrt{3}$이므로 다른 한 근은 $2+\sqrt{3}$이다.

$(2-\sqrt{3})+(2+\sqrt{3})=-a$에서 $a=-4$

$(2-\sqrt{3})(2+\sqrt{3})=b$에서 $b=1$

$\therefore a^2+b^2=(-4)^2+1^2=17$

4-2 답 2

$x^2+2ax+b=0$의 한 근이 $\sqrt{3}+1$이므로 다른 한 근은 $-\sqrt{3}+1$이다.

$(\sqrt{3}+1)+(-\sqrt{3}+1)=-2a$에서

$-2a=2 \quad \therefore a=-1$

$(\sqrt{3}+1)(-\sqrt{3}+1)=b$에서 $b=-2$

$\therefore ab=-1\times(-2)=2$

STEP 2 | 반드시 등수 올리는 문제

pp. 076~081

01 24	**02** -10	**03** 3
04 $\frac{3-\sqrt{21}}{2}$	**05** $x=2, y=3$	**06** $\frac{-1\pm\sqrt{13}}{3}$
07 $x=-3$ 또는 $x=2$ 또는 $x=\frac{-1\pm\sqrt{33}}{2}$		
08 1	**09** 2	**10** $-\frac{3}{16}$
11 -18	**12** 6	**13** 10
14 -2	**15** 28	**16** -4
17 -998	**18** 21	**19** $x^2-6x+6=0$
20 $x=-1$ 또는 $x=\frac{5}{3}$		**21** 3초
22 20	**23** 2초 후	**24** 18 cm
25 9	**26** 144	**27** $1+\sqrt{5}$
28 $\frac{1+\sqrt{5}}{2}$		

01 답 24

$\frac{5x-x^2}{4}+\frac{1-x}{2}=\frac{5}{12}x$의 양변에 12를 곱하면

$3(5x-x^2)+6(1-x)=5x$

$3x^2-4x-6=0$

$\therefore x=\frac{-(-2)\pm\sqrt{(-2)^2-3\times(-6)}}{3}$

$=\frac{2\pm\sqrt{22}}{3}$

따라서 $A=2$, $B=22$이므로

$A+B=2+22=24$

> **전략** 주어진 이차방정식을 간단히 하고 근의 공식을 이용하여 해를 구한다.

02 답 -10

$(x-1)(x+3)=\frac{1}{2}(x-2)^2$의 양변에 2를 곱하면

$2(x-1)(x+3)=(x-2)^2$

$x^2+8x-10=0$

$\therefore x=-4\pm\sqrt{4^2-1\times(-10)}$

$=-4\pm\sqrt{26}$

따라서 두 근 중 작은 근은 $-4-\sqrt{26}$이므로

$a=-4-\sqrt{26}$

이때 $5<\sqrt{26}<6$에서 $-6<-\sqrt{26}<-5$

$\therefore -10<-4-\sqrt{26}<-9$

따라서 구하는 정수 n의 값은 -10이다.

> **전략** 근의 공식을 이용하여 이차방정식의 두 근을 구한다.

03 답 3개

$2x^2-5x+a-1=0$에서

$x=\frac{-(-5)\pm\sqrt{(-5)^2-4\times2\times(a-1)}}{2\times2}$

$=\frac{5\pm\sqrt{33-8a}}{4}$

이때 해가 모두 유리수가 되려면 $33-8a$는 0 또는 33보다 작은 제곱수이어야 한다.

즉 $33-8a=0, 1, 4, 9, 16, 25$이므로

$a=\frac{33}{8}, 4, \frac{29}{8}, 3, \frac{17}{8}, 1$

따라서 자연수 a의 값은 1, 3, 4의 3개이다.

> **전략** 이차방정식의 해가 모두 유리수가 되려면 근의 공식에서 근호 안의 수가 0 또는 제곱수이어야 한다.

04 답 $\frac{3-\sqrt{21}}{2}$

$(x-y)(3+y-x)=-3$에서

$x-y=A$로 놓으면

$A(3-A)=-3$

$A^2-3A-3=0$

$\therefore A=\frac{-(-3)\pm\sqrt{(-3)^2-4\times1\times(-3)}}{2\times1}$

$=\frac{3\pm\sqrt{21}}{2}$

즉 $x-y=\frac{3\pm\sqrt{21}}{2}$

이때 $x<y$이므로 $x-y<0$

$\therefore x-y=\frac{3-\sqrt{21}}{2}$

> **전략** $x-y=A$로 놓고 A에 대한 이차방정식을 푼다.

05 답 $x=2, y=3$

$(x+2y-4)(x+2y+1)=36$에서

$x+2y=A$로 놓으면

$(A-4)(A+1)=36$

$A^2-3A-40=0$

$(A+5)(A-8)=0$

$\therefore A=-5$ 또는 $A=8$

$\therefore x+2y=-5$ 또는 $x+2y=8$

이때 x, y는 양수이므로 $x+2y=8$

따라서 $x+2y=8, 2x-y=1$을 연립하여 풀면

$x=2, y=3$

전략
$x+2y=A$로 놓고 A에 대한 이차방정식을 푼다.

06 답 $\frac{-1\pm\sqrt{13}}{3}$

$f(x)=ax^2+bx+c$(a, b, c는 상수, $a\neq0$)라 하면

$f(0)=c$이므로

조건 (가)에서 $c=-5$

$\therefore f(x)=ax^2+bx-5$

조건 (나)에서

$a(2x+1)^2+b(2x+1)-5-12x-11=a(2x)^2+b\times2x-5$

$(4a-12)x+a+b-11=0$

이때 $4a-12=0, a+b-11=0$이어야 하므로

$a=3, b=8$

따라서 $f(x)=3x^2+8x-5$이므로

$f(k)=6k-1$에서

$3k^2+8k-5=6k-1$

$3k^2+2k-4=0$

$\therefore k=\frac{-1\pm\sqrt{1^2-3\times(-4)}}{3}$

$=\frac{-1\pm\sqrt{13}}{3}$

전략
$f(x)=ax^2+bx+c$(a, b, c는 상수, $a\neq0$)라 하고 조건을 이용하여 a, b, c의 값을 구한다.

07 답 $x=-3$ 또는 $x=2$ 또는 $x=\frac{-1\pm\sqrt{33}}{2}$

$(x-1)(x-3)(x+2)(x+4)+24=0$에서

$\{(x-1)(x+2)\}\{(x-3)(x+4)\}+24=0$

$(x^2+x-2)(x^2+x-12)+24=0$

$x^2+x=A$로 놓으면

$(A-2)(A-12)+24=0$

$A^2-14A+48=0$

$(A-6)(A-8)=0$

$\therefore A=6$ 또는 $A=8$

$\therefore x^2+x=6$ 또는 $x^2+x=8$

(i) $x^2+x=6$에서 $x^2+x-6=0$

$(x+3)(x-2)=0$

$\therefore x=-3$ 또는 $x=2$

(ii) $x^2+x=8$에서 $x^2+x-8=0$

$\therefore x=\frac{-1\pm\sqrt{1^2-4\times1\times(-8)}}{2\times1}$

$=\frac{-1\pm\sqrt{33}}{2}$

(i), (ii)에 의해 구하는 해는

$x=-3$ 또는 $x=2$ 또는 $x=\frac{-1\pm\sqrt{33}}{2}$

전략
공통부분이 나오도록 $(x-1)(x-3)(x+2)(x+4)$를 적당히 두 개씩 묶어 치환하여 전개한다.

08 답 1

$kx^2+(2k+1)x+k=0$이 근을 가지려면

$(2k+1)^2-4\times k\times k\geq0$

$4k+1\geq0 \qquad \therefore k\geq-\frac{1}{4}$

그런데 $k\neq0$이어야 하므로 $-\frac{1}{4}\leq k<0, k>0$

따라서 구하는 정수 k의 최솟값은 1이다.

전략
이차방정식 $ax^2+bx+c=0$이 근을 가지려면 $b^2-4ac\geq0$이어야 한다.

09 답 2

$x^2+ax+b=0$이 서로 다른 두 근을 가지려면

$a^2-4b>0$ ...... ㉠

$x^2+(a-2c)x+b-ac=0$에서

$(a-2c)^2-4(b-ac)=a^2-4b+4c^2$

이때 ㉠에서 $a^2-4b>0$이고 $4c^2\geq0$이므로

$a^2-4b+4c^2>0$

따라서 이차방정식 $x^2+(a-2c)x+b-ac=0$은 서로 다른 두 근을 갖는다.

전략
이차방정식 $ax^2+bx+c=0$이 서로 다른 두 근을 가지려면 $b^2-4ac>0$이어야 한다.

10 답 $-\frac{3}{16}$

$x^2-3x-2k+1=0$에서

$\alpha+\beta=3, \alpha\beta=-2k+1$

이때 $\alpha^2+\beta^2=(\alpha+\beta)^2-2\alpha\beta$이므로

$\frac{25}{4}=3^2-2(-2k+1) \qquad \therefore k=-\frac{3}{16}$

전략
$\alpha^2+\beta^2=(\alpha+\beta)^2-2\alpha\beta$임을 이용한다.

11 답 -18

$x^2+(k+2)x+60=0$의 두 근을 3α, $5\alpha(\alpha\neq0)$라 하면

(두 근의 곱)$=3\alpha\times5\alpha=60$

$15\alpha^2=60$, $\alpha^2=4$ $\quad\therefore \alpha=\pm2$

(i) $\alpha=2$일 때, 두 근은 6, 10이므로

(두 근의 합)$=6+10=-(k+2)$

$16=-k-2$ $\quad\therefore k=-18$

(ii) $\alpha=-2$일 때, 두 근은 -6, -10이므로

(두 근의 합)$=-6+(-10)=-(k+2)$

$-16=-k-2$ $\quad\therefore k=14$

(i), (ii)에 의해 구하는 음수 k의 값은 -18이다.

전략
두 근의 비가 3 : 5이므로 두 근을 3α, $5\alpha(\alpha\neq0)$로 놓는다.

12 답 6

$x^2+ax-18=0$의 두 근을 α, β라 하면

$\alpha+\beta=-a$, $\alpha\beta=-18$

이때 두 근이 모두 정수이므로 $\alpha\beta=-18$을 만족하는 순서쌍 (α, β)는 $(1, -18)$, $(2, -9)$, $(3, -6)$, $(6, -3)$, $(9, -2)$, $(18, -1)$, $(-1, 18)$, $(-2, 9)$, $(-3, 6)$, $(-6, 3)$, $(-9, 2)$, $(-18, 1)$이다.

따라서 가능한 정수 a의 값은 -17, -7, -3, 3, 7, 17의 6개이다.

전략
이차방정식의 두 근을 α, β로 놓고 근과 계수의 관계를 이용한다.

13 답 10

$x^2-3x+1=0$에서 $\alpha+\beta=3$, $\alpha\beta=1$이므로

$$\left(\frac{1}{\sqrt{\alpha}}-\frac{1}{\sqrt{\beta}}\right)^2=\frac{1}{\alpha}+\frac{1}{\beta}-\frac{2}{\sqrt{\alpha\beta}}=\frac{\alpha+\beta}{\alpha\beta}-\frac{2}{\sqrt{\alpha\beta}}=\frac{3}{1}-\frac{2}{\sqrt{1}}=1$$

$$\therefore \left(\frac{1}{\sqrt{\alpha}}-\frac{1}{\sqrt{\beta}}\right)^2+\left(\frac{1}{\sqrt{\alpha}}-\frac{1}{\sqrt{\beta}}\right)^4+\left(\frac{1}{\sqrt{\alpha}}-\frac{1}{\sqrt{\beta}}\right)^6+\cdots+\left(\frac{1}{\sqrt{\alpha}}-\frac{1}{\sqrt{\beta}}\right)^{20}$$

$$=\left(\frac{1}{\sqrt{\alpha}}-\frac{1}{\sqrt{\beta}}\right)^2+\left\{\left(\frac{1}{\sqrt{\alpha}}-\frac{1}{\sqrt{\beta}}\right)^2\right\}^2+\left\{\left(\frac{1}{\sqrt{\alpha}}-\frac{1}{\sqrt{\beta}}\right)^2\right\}^3+\cdots+\left\{\left(\frac{1}{\sqrt{\alpha}}-\frac{1}{\sqrt{\beta}}\right)^2\right\}^{10}$$

$$=1+1^2+1^3+\cdots+1^{10}$$

$$=\underbrace{1+1+1+\cdots+1}_{10\text{개}}=10$$

전략
두 근의 합과 곱을 이용하여 $\left(\frac{1}{\sqrt{\alpha}}-\frac{1}{\sqrt{\beta}}\right)^2$의 값을 먼저 구해 본다.

14 답 -2

$x^2-x+p=0$에서

$\alpha+\beta=1$, $\alpha\beta=p$

$x^2-qx-1=0$에서

$\left(\alpha+\frac{1}{\beta}\right)+\left(\beta+\frac{1}{\alpha}\right)=q$, $\left(\alpha+\frac{1}{\beta}\right)\left(\beta+\frac{1}{\alpha}\right)=-1$

$\left(\alpha+\frac{1}{\beta}\right)+\left(\beta+\frac{1}{\alpha}\right)=q$에서 $\alpha+\beta+\frac{1}{\alpha}+\frac{1}{\beta}=q$

$\alpha+\beta+\frac{\alpha+\beta}{\alpha\beta}=q$

이때 $\alpha+\beta=1$, $\alpha\beta=p$이므로

$1+\frac{1}{p}=q$ $\quad\therefore \frac{1}{p}=q-1$ $\quad\cdots\cdots$ ㉠

$\left(\alpha+\frac{1}{\beta}\right)\left(\beta+\frac{1}{\alpha}\right)=-1$에서 $\alpha\beta+\frac{1}{\alpha\beta}+2=-1$

이때 $\alpha\beta=p$이므로

$p+\frac{1}{p}+2=-1$ $\quad\therefore p+\frac{1}{p}=-3$ $\quad\cdots\cdots$ ㉡

㉠을 ㉡에 대입하면 $p+(q-1)=-3$

$\therefore p+q=-2$

전략
주어진 두 이차방정식에서 근과 계수의 관계를 이용한다.

15 답 28

(두 근의 합)$=-2+6=4$이므로

$\frac{b+\sqrt{b^2-ac}}{a}+\frac{b-\sqrt{b^2-ac}}{a}=4$에서

$\frac{2b}{a}=4$ $\quad\therefore \frac{b}{a}=2$

(두 근의 곱)$=-2\times6=-12$이므로

$\frac{b+\sqrt{b^2-ac}}{a}\times\frac{b-\sqrt{b^2-ac}}{a}=-12$에서

$\frac{ac}{a^2}=-12$ $\quad\therefore \frac{c}{a}=-12\ (\because a\neq0)$

$ax^2+bx+c=0$에서 $\alpha+\beta=-\frac{b}{a}$, $\alpha\beta=\frac{c}{a}$이므로

$\alpha+\beta=-2$, $\alpha\beta=-12$

$$\therefore \alpha^2+\beta^2=(\alpha+\beta)^2-2\alpha\beta=(-2)^2-2\times(-12)=28$$

전략
주어진 근의 공식 $x=\frac{b\pm\sqrt{b^2-ac}}{a}$에서 두 근의 합과 곱을 각각 구해 본다.

16 답 -4

$x^2-(k+2)x+4=0$이 중근을 가지므로

$\{-(k+2)\}^2-4\times1\times4=0$, $k^2+4k-12=0$

$(k+6)(k-2)=0$ $\quad\therefore k=-6$ 또는 $k=2$

따라서 두 근이 -6, 2이고 x^2의 계수가 $\frac{1}{2}$인 이차방정식은

$\frac{1}{2}(x+6)(x-2)=0$ $\therefore \frac{1}{2}x^2+2x-6=0$

따라서 $a=2$, $b=-6$이므로

$a+b=2+(-6)=-4$

전략
이차방정식 $x^2-(k+2)x+4=0$이 중근을 가짐을 이용하여 k의 값을 먼저 구한다.

17 답 -998

$(x-998)^2=2x-998$의 두 근이 α, β이므로

$(x-998)^2-2x+998=(x-\alpha)(x-\beta)$

$x=998$을 대입하면

$-2\times998+998=(998-\alpha)(998-\beta)$

$\therefore (\alpha-998)(\beta-998)=-998$

다른 풀이

$(x-998)^2=2x-998$에서 $x-998=t$로 놓으면

$t^2=2t+998$, 즉 $t^2-2t-998=0$

한편 x에 대한 이차방정식 $(x-998)^2=2x-98$의 두 근이 α, β이고 $x-998=t$이므로 $\alpha-998$, $\beta-998$은 t에 대한 이차방정식 $t^2-2t-998=0$의 두 근이다.

$\therefore (\alpha-998)(\beta-998)=-998$

전략
두 근이 α, β이고 x^2의 계수가 1인 이차방정식이 $(x-998)^2=2x-998$과 같음을 이용한다.

18 답 21

$x^2-2x-3=0$에서

$\alpha+\beta=2$, $\alpha\beta=-3$

또 $\alpha^2-2\alpha-3=0$에서 $\alpha^2-3=2\alpha$

$\beta^2-2\beta-3=0$에서 $\beta^2-3=2\beta$

$(\alpha^2+\alpha-3)+(\beta^2+\beta-3)$

$=(2\alpha+\alpha)+(2\beta+\beta)$

$=3\alpha+3\beta=3(\alpha+\beta)$

$=3\times2=6$

$(\alpha^2+\alpha-3)(\beta^2+\beta-3)$

$=(2\alpha+\alpha)(2\beta+\beta)$

$=3\alpha\times3\beta=9\alpha\beta$

$=9\times(-3)=-27$

따라서 구하는 이차방정식은 $x^2-6x-27=0$이므로

$p=-6$, $q=-27$

$\therefore p-q=-6-(-27)=21$

전략
$x=\alpha$, $x=\beta$를 주어진 이차방정식에 각각 대입해 본다.

19 답 $x^2-6x+6=0$

직사각형 PFCG에서 $\overline{PF}=x$, $\overline{PG}=y$라 하면

$2(x+y)=28$에서 $x+y=14$

$xy=46$

한편 $\overline{AE}=10-x$, $\overline{AH}=10-y$이므로

$(10-x)+(10-y)=20-(x+y)$

$=20-14=6$

$(10-x)(10-y)=100-10(x+y)+xy$

$=100-10\times14+46=6$

따라서 구하는 이차방정식은

$x^2-6x+6=0$

전략
$\overline{PF}=x$, $\overline{PG}=y$로 놓고 $\overline{AE}$, $\overline{AH}$의 길이를 각각 x, y에 대한 식으로 나타낸다.

20 답 $x=-1$ 또는 $x=\frac{5}{3}$

경아는 두 근 $1\pm\sqrt{6}$을 얻었으므로

(두 근의 합)$=(1+\sqrt{6})+(1-\sqrt{6})=2$

(두 근의 곱)$=(1+\sqrt{6})(1-\sqrt{6})=1-6=-5$

경아가 잘못 본 x^2의 계수를 a라 하면

$a(x^2-2x-5)=0$ $\therefore ax^2-2ax-5a=0$

또 서준이는 두 근 $-\frac{1}{3}$, 1을 얻었으므로

(두 근의 합)$=-\frac{1}{3}+1=\frac{2}{3}$

(두 근의 곱)$=-\frac{1}{3}\times1=-\frac{1}{3}$

서준이가 바르게 본 x^2의 계수를 b라 하면

$b\left(x^2-\frac{2}{3}x-\frac{1}{3}\right)=0$ $\therefore bx^2-\frac{2}{3}bx-\frac{1}{3}b=0$

이때 경아와 서준이는 x의 계수는 바르게 보았으므로

$-2a=-\frac{2}{3}b$ $\therefore a=\frac{1}{3}b$ …… ㉠

또 경아는 상수항을 바르게 보았으므로

(상수항)$=-5a$

서준이는 x^2의 계수를 바르게 보았으므로

(x^2의 계수)$=b$

따라서 처음에 주어진 이차방정식은

$bx^2-\frac{2}{3}bx-5a=0$

㉠을 위의 식에 대입하면 $bx^2-\frac{2}{3}bx-\frac{5}{3}b=0$

$b\neq0$이므로 양변을 b로 나누면

$x^2-\frac{2}{3}x-\frac{5}{3}=0$, $3x^2-2x-5=0$

$(x+1)(3x-5)=0$ $\therefore x=-1$ 또는 $x=\frac{5}{3}$

전략
경아가 잘못 본 x^2의 계수를 a로 놓고, 서준이가 바르게 본 x^2의 계수를 b로 놓아 이차방정식을 각각 구해 본다.

21 답 3초

$-5t^2+45t+110=200$에서

$t^2-9t+18=0$, $(t-3)(t-6)=0$

$\therefore t=3$ 또는 $t=6$

따라서 공이 200 m 이상의 높이에서 머무르는 시간은 3초부터 6초까지이므로 3초 동안이다.

전략

공이 높이가 200 m인 지점에 위치하는 시간을 구해 본다.

22 답 20

x %만큼 인상한 커피 한 잔의 가격은 $a\left(1+\frac{x}{100}\right)$원이고, $2x$ %만큼 감소한 커피의 하루 판매량은 $500\left(1-\frac{2x}{100}\right)$잔이다.

또 28 %만큼 감소한 하루 매출액은 $a\times500\times\left(1-\frac{28}{100}\right)$원이므로

$a\left(1+\frac{x}{100}\right)\times500\left(1-\frac{2x}{100}\right)=a\times500\times\left(1-\frac{28}{100}\right)$

$(100+x)(100-2x)=7200$, $x^2+50x-1400=0$

$(x+70)(x-20)=0$

$\therefore x=-70$ 또는 $x=20$

이때 $x>0$이므로 $x=20$

전략

(커피 한 잔의 가격)×(하루 판매량)=(하루 매출액)임을 이용한다.

참고

원가, 정가에 대한 문제

(1) 원가가 a원인 물건에 x %의 이익을 붙인 정가

(정가)$=a+a\times\frac{x}{100}=a\left(1+\frac{x}{100}\right)$(원)

(2) 정가가 b원인 물건을 y % 할인한 판매 금액

(판매 금액)$=b-b\times\frac{y}{100}=b\left(1-\frac{y}{100}\right)$(원)

23 답 2초 후

출발한 지 x초 후에 $\triangle PQD$의 넓이가 64 cm^{2}가 된다고 하면

$\overline{PD}=(40-4x)$ cm, $\overline{DQ}=2x$ cm이므로

$\frac{1}{2}\times(40-4x)\times2x=64$

$x^2-10x+16=0$, $(x-2)(x-8)=0$

$\therefore x=2$ 또는 $x=8$

따라서 $\triangle PQD$의 넓이가 처음으로 64 cm^{2}가 되는 것은 출발한 지 2초 후이다.

전략

$\triangle PQD$의 넓이를 이용하여 이차방정식을 세운다.

24 답 18 cm

$\overline{AC}=2x$ cm라 하면 $\overline{BC}=(30-2x)$ cm

이때 색칠한 부분의 넓이가 54π cm^{2}이므로

$\frac{1}{2}\times\pi\times15^2-\frac{1}{2}\times\pi\times x^2-\frac{1}{2}\times\pi\times(15-x)^2=54\pi$

$x^2-15x+54=0$, $(x-6)(x-9)=0$

$\therefore x=6$ 또는 $x=9$

이때 $\overline{AC}>\overline{CB}$이므로 $x=9$

$\therefore \overline{AC}=2x=2\times9=18$ (cm)

전략

(색칠한 부분의 넓이)=(큰 반원의 넓이)−(작은 두 반원의 넓이)임을 이용한다.

25 답 9

[그림 1]에서 큰 원의 반지름의 길이를 R, 작은 원의 반지름의 길이를 r라 하면

$R+r=9$, $R-r=4$

이때 [그림 1]의 색칠한 부분의 넓이와 [그림 2]의 원의 넓이가 같으므로

$\pi R^2-\pi r^2=\pi(x-3)^2$

$R^2-r^2=(x-3)^2$, $(R+r)(R-r)=(x-3)^2$

$9\times4=(x-3)^2$, $x^2-6x-27=0$

$(x+3)(x-9)=0$ $\quad\therefore x=-3$ 또는 $x=9$

이때 $x>3$이므로 $x=9$

다른 풀이

[그림 1]에서 큰 원의 반지름의 길이를 R, 작은 원의 반지름의 길이를 r라 하면

$R+r=9$, $R-r=4$

위의 두 식을 연립하여 풀면 $R=\frac{13}{2}$, $r=\frac{5}{2}$

따라서 [그림 1]의 색칠한 부분의 넓이는

$$\begin{aligned}\pi\times\left(\frac{13}{2}\right)^2-\pi\times\left(\frac{5}{2}\right)^2&=\pi\times\left\{\left(\frac{13}{2}\right)^2-\left(\frac{5}{2}\right)^2\right\}\\&=\pi\times\left(\frac{13}{2}+\frac{5}{2}\right)\left(\frac{13}{2}-\frac{5}{2}\right)\\&=\pi\times9\times4=36\pi\end{aligned}$$

이때 [그림 1]의 색칠한 부분의 넓이와 [그림 2]의 원의 넓이가 같으므로 [그림 2]의 원의 반지름의 길이는 6이다.

즉 $x-3=6$에서 $x=9$

전략

[그림 1]에서 (색칠한 부분의 넓이)=(큰 원의 넓이)−(작은 원의 넓이)임을 이용한다.

26 답 144

정사각형 ABCD의 한 변의 길이를 x라 하면

$\overline{DF}=x-5$

이때 □AECF=□ABCD−(△ABE+△AFD)이므로

$78=x^2-\frac{1}{2}\times 4\times x-\frac{1}{2}\times x\times(x-5)$

$x^2+x-156=0$, $(x+13)(x-12)=0$

$\therefore x=-13$ 또는 $x=12$

이때 $x>0$이므로 $x=12$

$\therefore$ □ABCD$=12^2=144$

전략

정사각형의 한 변의 길이를 x라 하고 x에 대한 이차방정식을 세운다.

27 답 $1+\sqrt{5}$

△ABC는 $\overline{AB}=\overline{AC}$인 이등변삼각형이므로

$\angle ACB=\angle B=72^\circ$

$\therefore \angle ACD=\angle DCB=\frac{1}{2}\angle ACB=\frac{1}{2}\times 72^\circ=36^\circ$

△ABC에서 $\angle A=180^\circ-(72^\circ+72^\circ)=36^\circ$

즉 △ADC에서 $\angle A=\angle ACD$이므로 $\overline{DA}=\overline{DC}$

△DBC에서 $\angle BDC=180^\circ-(72^\circ+36^\circ)=72^\circ$

즉 △DBC에서 $\angle B=\angle BDC$이므로 $\overline{DC}=\overline{BC}=2$

$\therefore \overline{AD}=\overline{DC}=\overline{BC}=2$

$\overline{AB}=x$라 하면 $\overline{BD}=x-2$

△ABC∽△CBD(AA 닮음)이므로

$\overline{AB}:\overline{CB}=\overline{BC}:\overline{BD}$에서 $x:2=2:(x-2)$

$x(x-2)=4$, $x^2-2x-4=0$

$\therefore x=-(-1)\pm\sqrt{(-1)^2-1\times(-4)}$

$=1\pm\sqrt{5}$

이때 $x>0$이므로 $x=1+\sqrt{5}$

$\therefore \overline{AB}=1+\sqrt{5}$

전략

$\overline{AB}=x$라 하고 △ABC∽△CBD(AA 닮음)임을 이용하여 x에 대한 이차방정식을 세운다.

28 답 $\frac{1+\sqrt{5}}{2}$

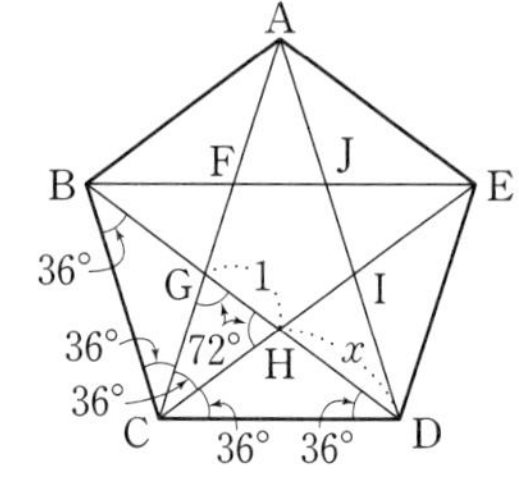

정오각형의 한 내각의 크기는

$\frac{180^\circ\times(5-2)}{5}=108^\circ$

△BCD에서

$\angle CBD=\angle CDB$

$=\frac{1}{2}\times(180^\circ-108^\circ)$

$=36^\circ$

마찬가지 방법으로 $\angle BCA=36^\circ$, $\angle DCE=36^\circ$

따라서 △HCD는 $\angle HCD=\angle HDC=36^\circ$이므로

$\overline{HC}=\overline{HD}=x$인 이등변삼각형이다.

한편 △BCG에서 $\angle CGH=36^\circ+36^\circ=72^\circ$

△HCD에서 $\angle GHC=36^\circ+36^\circ=72^\circ$

따라서 △GCH는 $\angle CGH=\angle GHC=72^\circ$이므로

$\overline{CG}=\overline{CH}=x$인 이등변삼각형이다.

$\therefore \angle GCH=180^\circ-(72^\circ+72^\circ)=36^\circ$

따라서 △GCD는 $\angle DGC=\angle DCG=72^\circ$이므로

$\overline{CD}=\overline{GD}=x+1$인 이등변삼각형이다.

이때 △GCD∽△GHC(AA 닮음)이므로

$\overline{GC}:\overline{GH}=\overline{GD}:\overline{GC}$에서 $x:1=(x+1):x$

$x^2=x+1$, $x^2-x-1=0$

$\therefore x=\frac{-(-1)\pm\sqrt{(-1)^2-4\times1\times(-1)}}{2\times1}$

$=\frac{1\pm\sqrt{5}}{2}$

이때 $x>0$이므로 $x=\frac{1+\sqrt{5}}{2}$

전략

닮음인 두 삼각형을 찾아 닮음비를 이용하여 x에 대한 이차방정식을 세운다.

STEP 3 | 전교 1등 확실하게 굳히는 문제 pp. 082~084

1 $\frac{-1+3\sqrt{17}}{2}$　**2** 37　**3** $A=44$, $B=4$

4 $\frac{1}{10}$　**5** 56　**6** 1900 m

7 $\frac{10+10\sqrt{13}}{3}$ cm

1 답 $\frac{-1+3\sqrt{17}}{2}$

$x^2+y=33$에서 $y=33-x^2$

이때 y는 x의 소수 부분이므로 $0<y<1$

$0<33-x^2<1$, $-33<-x^2<-32$

$32<x^2<33$　$\therefore \sqrt{32}<x<\sqrt{33}$ ($\because x>0$)

이때 $5<\sqrt{32}<6$, $5<\sqrt{33}<6$이므로 x의 정수 부분은 5

$\therefore y=x-5$

$y=x-5$를 $x^2+y=33$에 대입하면

$x^2+(x-5)=33$, $x^2+x-38=0$

$\therefore x=\frac{-1\pm\sqrt{1^2-4\times1\times(-38)}}{2\times1}$

$=\frac{-1\pm3\sqrt{17}}{2}$

이때 $x>0$이므로 $x=\frac{-1+3\sqrt{17}}{2}$

전략

y는 x의 소수 부분이므로 $0<y<1$임을 이용하여 y를 x에 대한 식으로 나타낸다.

2 답 37

$x^2+(a-4)x-1=0$의 두 근이 α, β이므로

$\alpha+\beta=-(a-4)$, 즉 $\alpha+\beta=-a+4$ …… ㉠

$\alpha\beta=-1$ …… ㉡

$x^2+ax+b=0$의 두 근이 α, γ이므로

$\alpha+\gamma=-a$ …… ㉢

$\alpha\gamma=b$ …… ㉣

㉠−㉢을 하면 $\beta-\gamma=4$

이때 $2\alpha=\beta-\gamma$이므로 $2\alpha=4$ $\quad\therefore \alpha=2$

$\alpha=2$를 ㉠, ㉡, ㉢, ㉣에 각각 대입하여 풀면

$\beta=-\frac{1}{2}$, $\gamma=-\frac{9}{2}$, $a=\frac{5}{2}$, $b=-9$

$\therefore 4a-3b=4\times\frac{5}{2}-3\times(-9)=37$

전략
이차방정식의 근과 계수의 관계를 이용한다.

3 답 $A=44$, $B=4$

두 근이 $x=1$ 또는 $x=10$이고 x^2의 계수가 k인 이차방정식은

$k(x-1)(x-10)=0$

$kx^2-11kx+10k=0$ …… 20 %

이때 위의 식이 $(A\triangle B)x^2-(A\nabla B)x+40=0$과 같으므로

$10k=40$ $\quad\therefore k=4$ …… 20 %

$\therefore A\triangle B=k=4$, $A\nabla B=11k=44$

즉 두 자연수 A, B의 최대공약수는 4이고 최소공배수는 44이다. …… 20 %

$A=4a$, $B=4b$(a, b는 서로소, $a>b$)라 하면

(최소공배수)$=4ab=44$에서 $ab=11$

$\therefore a=11$, $b=1$

$\therefore A=44$, $B=4$ …… 40 %

전략
두 근이 $x=1$ 또는 $x=10$인 이차방정식을 세워 본다.

4 답 $\frac{1}{10}$

(대지의 넓이)$=a^2$

(건축물의 넓이)$=(a-b)(a-2b)=a^2-3ab+2b^2$

$\frac{a^2-3ab+2b^2}{a^2}\times100=72$에서 $\frac{a^2-3ab+2b^2}{a^2}=\frac{72}{100}$

$7a^2-75ab+50b^2=0$, $(a-10b)(7a-5b)=0$

$\therefore a=10b$ 또는 $a=\frac{5}{7}b$

이때 $a>b>0$이므로 $a=10b$

$\therefore \frac{b}{a}=\frac{1}{10}$

전략
건폐율의 뜻에 따라 식을 세워 본다.

5 답 56

시속 a km로 달리는 자동차의 정지거리는

$\frac{3}{10}a+\left(\frac{1}{100}a^2-\frac{1}{5}a+3\right)=40$

$a^2+10a-3700=0$

$\therefore a=-5\pm\sqrt{5^2-1\times(-3700)}=-5\pm\sqrt{3725}$

이때 $a>0$이므로 $a=-5+\sqrt{3725}$

주어진 표에서 $61^2=3721$, $62^2=3844$이므로 $\sqrt{3725}$에 가장 가까운 정수는 61이다.

따라서 a에 가장 가까운 정수는 $-5+61=56$

전략
(공주거리)+(제동거리)=(정지거리)임을 이용하여 a에 대한 이차방정식을 세운다.

6 답 1900 m

유리의 속력을 분속 a m, 태현이의 속력을 분속 b m라 하고 두 지점 A, B 사이의 거리를 x m라 하면 두 사람이 처음 만났을 때, 유리가 이동한 거리는 800 m, 태현이가 이동한 거리는 $(x-800)$ m이고 두 사람이 만날 때까지 걸린 시간은 서로 같으므로

$\frac{800}{a}=\frac{x-800}{b}$ $\quad\therefore \frac{b}{a}=\frac{x-800}{800}$ …… ㉠

두 사람이 두 번째로 만났을 때, 유리가 이동한 거리는 $(x+500)$ m, 태현이가 이동한 거리는

$x+(x-500)=2x-500$ (m)

이고 두 사람이 만날 때까지 걸린 시간은 서로 같으므로

$\frac{x+500}{a}=\frac{2x-500}{b}$ $\quad\therefore \frac{b}{a}=\frac{2x-500}{x+500}$ …… ㉡

㉠, ㉡에서 $\frac{x-800}{800}=\frac{2x-500}{x+500}$

$(x-800)(x+500)=800(2x-500)$

$x^2-1900x=0$, $x(x-1900)=0$

$\therefore x=0$ 또는 $x=1900$

이때 $x>0$이므로 $x=1900$

따라서 두 지점 A, B 사이의 거리는 1900 m이다.

전략
두 사람이 만날 때까지 걸린 시간이 서로 같음을 이용하여 식을 세워 본다.

7 답 $\frac{10+10\sqrt{13}}{3}$ cm

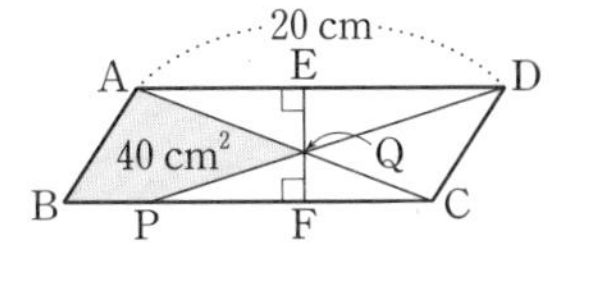

점 Q를 지나면서 $\overline{AD}$에 수직인 직선을 그어 $\overline{AD}$, $\overline{BC}$와 만나는 점을 각각 E, F라 하면 $\overline{EF}$는 평행사변형 ABCD의 높이이므로

$20\times\overline{EF}=120 \qquad \therefore \overline{EF}=6$ cm

이때 $\overline{QF}=h$ cm라 하면 $\overline{QE}=(6-h)$ cm

$\overline{PC}=x$ cm라 하면

$\triangle AQD \backsim \triangle CQP$ (AA 닮음)이므로

$20 : x=(6-h) : h$에서 $x(6-h)=20h$

$(20+x)h=6x \qquad \therefore h=\dfrac{6x}{20+x}$

한편 $\triangle ABC=\dfrac{1}{2}\square ABCD=\dfrac{1}{2}\times 120=60\ (cm^2)$이므로

$\triangle QPC=\triangle ABC-\square ABPQ$

$=60-40=20\ (cm^2)$

즉 $\dfrac{1}{2}\times x\times\dfrac{6x}{20+x}=20$에서 $\dfrac{3x^2}{20+x}=20$

$3x^2-20x-400=0$

$\therefore x=\dfrac{-(-10)\pm\sqrt{(-10)^2-3\times(-400)}}{3}$

$=\dfrac{10\pm10\sqrt{13}}{3}$

이때 $x>0$이므로 $x=\dfrac{10+10\sqrt{13}}{3}$

$\therefore \overline{PC}=\dfrac{10+10\sqrt{13}}{3}$ cm

전략

$\overline{PC}=x$ cm라 하고, $\triangle QPC$의 넓이를 이용하여 x에 대한 이차방정식을 세운다.

IV 이차함수

01 이차함수의 그래프

[확인 ❶] 답 27

$y=ax^2$에 $x=-1$, $y=3$을 대입하면

$3=a\times(-1)^2 \qquad \therefore a=3$

즉 $y=3x^2$에 $x=3$을 대입하면

$y=3\times3^2=27$

[확인 ❷] 답 $c<d<b<a$

a, b는 양수이고, c, d는 음수이다.

이차함수 $y=ax^2$의 그래프의 폭이 이차함수 $y=bx^2$의 그래프의 폭보다 좁으므로

$|b|<|a|$

이때 a, b는 양수이므로 $b<a$

또 이차함수 $y=cx^2$의 그래프의 폭이 이차함수 $y=dx^2$의 그래프의 폭보다 좁으므로 $|d|<|c|$

이때 c, d는 음수이므로 $c<d$

$\therefore c<d<b<a$

[확인 ❸] 답 $(0, -12)$

$y=\dfrac{1}{3}x^2-k$에 $x=-6$, $y=0$을 대입하면

$0=\dfrac{1}{3}\times(-6)^2-k \qquad \therefore k=12$

즉 $y=\dfrac{1}{3}x^2-12$의 그래프의 꼭짓점의 좌표는 $(0, -12)$이다.

[확인 ❹] 답 -5

$y=ax^2$의 그래프를 x축의 방향으로 -2만큼 평행이동한 그래프의 식은 $y=a(x+2)^2$

이 그래프가 점 $(-1, -3)$을 지나므로

$-3=a\times(-1+2)^2 \qquad \therefore a=-3$

즉 $y=-3(x+2)^2$의 그래프의 축의 방정식은 $x=-2$이므로

$b=-2$

$\therefore a+b=-3+(-2)=-5$

[확인 ❺] 답 $-1, 3$

$y=-x^2+1$의 그래프를 x축의 방향으로 p만큼, y축의 방향으로 2만큼 평행이동한 그래프의 식은

$y=-(x-p)^2+1+2=-(x-p)^2+3$

이 그래프가 점 $(1,\ -1)$을 지나므로
$-1=-(1-p)^2+3$
$p^2-2p-3=0,\ (p+1)(p-3)=0$
$\therefore p=-1$ 또는 $p=3$

[확인 ❻] 답 ④

그래프가 아래로 볼록하므로 $a>0$
꼭짓점 $(p,\ q)$가 제3사분면 위에 있으므로 $p<0,\ q<0$

STEP 1 억울하게 울리는 문제 pp. 088~089

1-1	㉠, ㉡, ㉢	**1-2**	㉠, ㉣
2-1	⑤	**2-2**	④
3-1	1	**3-2**	7
4-1	4	**4-2**	-12

1-1 답 ㉠, ㉡, ㉢

㉣ $x>0$일 때, x의 값이 증가하면 y의 값은 감소한다.

1-2 답 ㉠, ㉣

㉡ $y=-ax^2$의 그래프와 x축에 대칭이다.
㉢ a의 절댓값이 클수록 그래프의 폭이 좁아진다.

2-1 답 ⑤

① 축의 방정식은 $x=1$이다.
② 꼭짓점의 좌표는 $(1,\ -4)$이다.
③ $y=a(x-1)^2-4$에 $x=3,\ y=0$을 대입하면
$0=4a-4 \qquad \therefore a=1$
즉 $y=(x-1)^2-4$의 그래프는 $y=(x-1)^2$의 그래프를 y축의 방향으로 -4만큼 평행이동한 것이다.
④ $y=-x^2$의 그래프와 폭이 같다.
⑤ 오른쪽 그림과 같이 이차함수 $y=(x-1)^2-4$의 그래프는 $y=-(x-1)^2+4$의 그래프와 x축에 대칭이다.

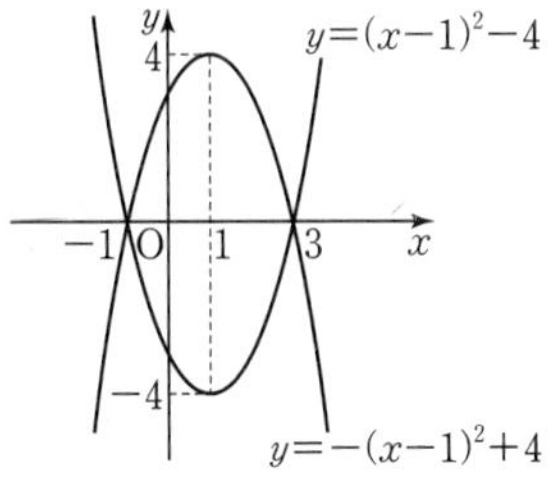

따라서 옳은 것은 ⑤이다.

2-2 답 ④

① 꼭짓점의 좌표는 $(-1,\ -2)$이고, 축의 방정식은 $x=-1$이다.
② 이차함수 $y=2x^2$의 그래프를 x축의 방향으로 -1만큼, y축의 방향으로 -2만큼 평행이동한 것이다.
③ 오른쪽 그림과 같이 이차함수 $y=2(x+1)^2-2$의 그래프는 $y=-2(x+1)^2-2$의 그래프와 직선 $y=-2$에 대칭이다.
⑤ $x>-1$일 때, x의 값이 감소하면 y의 값도 감소한다.

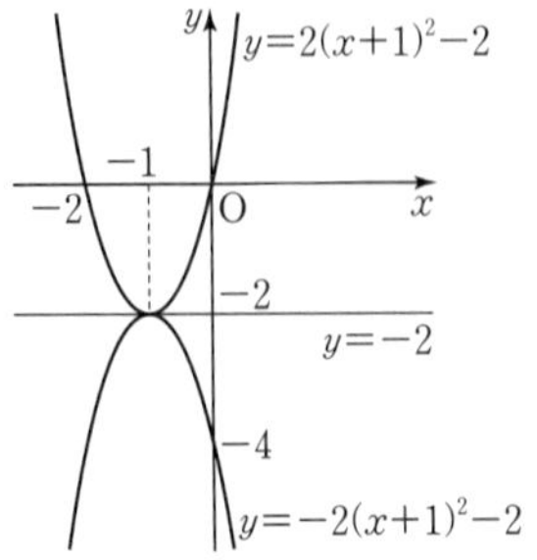

3-1 답 1

$y=2(x-1)^2-1$의 그래프를 x축의 방향으로 -2만큼, y축의 방향으로 3만큼 평행이동한 그래프의 식은
$y=2(x-1+2)^2-1+3$
$=2(x+1)^2+2$
따라서 $a=2,\ b=1,\ c=2$이므로
$a+b-c=2+1-2=1$

3-2 답 7

$y=2(x+1)^2-3$의 그래프를 x축의 방향으로 1만큼, y축의 방향으로 -2만큼 평행이동한 그래프의 식은
$y=2(x+1-1)^2-3-2$
$=2x^2-5$
따라서 $a=2,\ b=0,\ c=-5$이므로
$a-b-c=2-0-(-5)=7$

4-1 답 4

$y=a(x-1)^2$의 그래프를 x축에 대칭이동한 그래프의 식은
$-y=a(x-1)^2 \qquad \therefore y=-a(x-1)^2$
이 그래프를 x축의 방향으로 -3만큼, y축의 방향으로 n만큼 평행이동한 그래프의 식은
$y=-a(x-1+3)^2+n$
$=-a(x+2)^2+n$
$=-ax^2-4ax-4a+n$
이므로 $-a=2,\ -4a=2m,\ -4a+n=10$
따라서 $a=-2,\ m=4,\ n=2$이므로
$a+m+n=-2+4+2=4$

4-2 답 -12

$y=a(x-1)^2$의 그래프를 y축에 대칭이동한 그래프의 식은

$y=a(-x-1)^2$　　$\therefore y=a(x+1)^2$

이 그래프를 x축의 방향으로 -3만큼, y축의 방향으로 n만큼 평행이동한 그래프의 식은

$y=a(x+1+3)^2+n$

$=a(x+4)^2+n$

$=ax^2+8ax+16a+n$

이므로 $a=2$, $8a=2m$, $16a+n=10$

따라서 $a=2$, $m=8$, $n=-22$이므로

$a+m+n=2+8+(-22)=-12$

STEP 2 | 반드시 등수 올리는 문제　　pp. 090~094

01 $-\frac{3}{4}<b<-\frac{3}{16}$		**02** 3
03 $-\frac{1}{2}$	**04** $\frac{1}{4}$	**05** $P\left(3, \frac{9}{4}\right)$
06 $a=\frac{9}{8}$, $D\left(\frac{4}{5}, \frac{18}{25}\right)$		**07** $\frac{1}{2}$
08 $-2, -8, -18$	**09** 31	**10** $\frac{1}{9}$
11 $\frac{2}{3}$	**12** $6\sqrt{3}$	**13** ③, ⑤
14 $2<k\le 11$	**15** 8	**16** 2
17 2	**18** 4	**19** 16
20 4		

01 답 $-\frac{3}{4}<b<-\frac{3}{16}$

점 $(2, 3)$을 지나는 그래프를 나타내는 이차함수의 식을 $y=mx^2$이라 하면

$3=4m$　　$\therefore m=\frac{3}{4}$

점 $(4, 3)$을 지나는 그래프를 나타내는 이차함수의 식을 $y=nx^2$이라 하면

$3=16n$　　$\therefore n=\frac{3}{16}$

즉 이차함수 $y=ax^2$의 그래프는 두 이차함수 $y=\frac{3}{4}x^2$, $y=\frac{3}{16}x^2$의 그래프 사이에 있으므로

$\frac{3}{16}<a<\frac{3}{4}$　　...... ㉠

한편 두 이차함수 $y=ax^2$, $y=bx^2$의 그래프는 x축에 대칭이므로

$a=-b$　　...... ㉡

㉠, ㉡에서 $\frac{3}{16}<-b<\frac{3}{4}$　　$\therefore -\frac{3}{4}<b<-\frac{3}{16}$

전략
먼저 a의 값의 범위를 구해 본다.

02 답 3

$\overline{AB}=6-2=4$이므로

$\overline{CD}=\overline{AB}=4$

이때 이차함수 $y=-ax^2$의 그래프는 y축에 대칭이므로

점 C의 x좌표는 2이고 점 D의 x좌표는 -2이다.

$\therefore C(2, -4a)$, $D(-2, -4a)$

이때 평행사변형 ABCD의 넓이가 48이므로

$4\times|-4a|=48$　　$\therefore a=3$ ($\because a>0$)

전략
□ABCD가 평행사변형이므로 $\overline{AB}=\overline{CD}$임을 알고, 이차함수 $y=-ax^2$의 그래프가 y축에 대칭임을 이용한다.

03 답 $-\frac{1}{2}$

점 Q의 좌표를 $Q(t, 0)(t>0)$이라 하면

$P(t, t^2)$, $R(t, at^2)$이므로

$\overline{PQ}=t^2$, $\overline{QR}=|at^2|=-at^2$ ($\because a<0$)

즉 $\overline{PQ}:\overline{QR}=2:1$에서

$t^2:-at^2=2:1$, $-2at^2=t^2$

$\therefore a=-\frac{1}{2}$ ($\because t\ne 0$)

전략
점 Q의 좌표를 $(t, 0)(t>0)$이라 하고 $\overline{PQ}$와 $\overline{QR}$의 길이를 구해 본다.

04 답 $\frac{1}{4}$

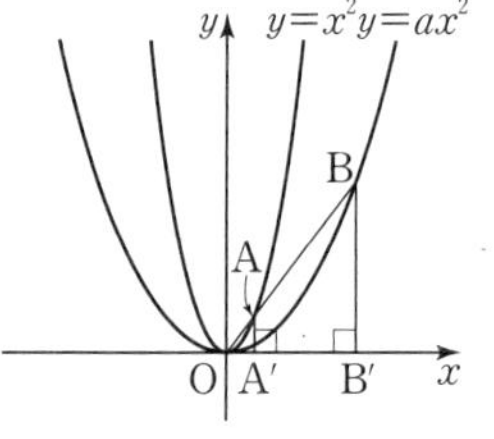

오른쪽 그림과 같이 두 점 A, B에서 x축에 내린 수선의 발을 각각 A′, B′이라 하자.

점 A′의 좌표를 $A'(t, 0)(t>0)$이라 하면

$\overline{OA}:\overline{OB}=1:4$에서

$\overline{OA'}:\overline{OB'}=1:4$이므로 $B'(4t, 0)$

$\therefore A(t, t^2)$, $B(4t, 16at^2)$

이때 세 점 O, A, B가 일직선 위에 있으므로

($\overline{OA}$의 기울기)=($\overline{OB}$의 기울기)에서

$\frac{t^2-0}{t-0}=\frac{16at^2-0}{4t-0}$

이때 $t\ne 0$이므로 $t=4at$　　$\therefore a=\frac{1}{4}$

전략
- $\triangle OAA' \backsim \triangle OBB'$이므로 $\overline{OA}:\overline{OB}=\overline{OA'}:\overline{OB'}$이다.
- 세 점 O, A, B가 일직선 위에 있으므로 ($\overline{OA}$의 기울기)=($\overline{OB}$의 기울기)이다.

05 답 $P\left(3, \frac{9}{4}\right)$

$A(-2, 1)$, $B(4, 4)$이므로 두 점 A, B를 지나는 직선의 방정식은

$y=\frac{1}{2}x+2 \quad \therefore C(0, 2)$

$\triangle OBA=\triangle OBC+\triangle OCA$

$=\frac{1}{2}\times2\times4+\frac{1}{2}\times2\times2=6$

이때 점 P의 좌표를 $P\left(t, \frac{1}{4}t^2\right)(t>0)$이라 하면

$\triangle OPC=\frac{1}{2}\triangle OBA$이므로

$\frac{1}{2}\times2\times t=\frac{1}{2}\times6 \quad \therefore t=3$

따라서 점 P의 좌표는 $P\left(3, \frac{9}{4}\right)$이다.

전략
$\triangle OBA=\triangle OBC+\triangle OCA$임을 이용한다.

06 답 $a=\frac{9}{8}$, $D\left(\frac{4}{5}, \frac{18}{25}\right)$

점 A의 x좌표를 $2t(t>0)$라 하면

$A(2t, 2t^2)$, $D(2t, 4at^2)$

또 $\overline{EA}=2\overline{AB}$에서 점 B의 x좌표가 $3t$이므로

$B(3t, 2t^2)$, $C\left(3t, \frac{9}{2}t^2\right)$

이때 $\overline{CD}$는 x축에 평행하므로 점 C와 점 D의 y좌표는 같다.

$\therefore D\left(2t, \frac{9}{2}t^2\right)$

즉 $4at^2=\frac{9}{2}t^2$이므로 $a=\frac{9}{8}$ ($\because t\neq0$)

□ABCD가 정사각형이므로 $\overline{AB}=\overline{AD}$에서

$3t-2t=\frac{9}{2}t^2-2t^2$, $\frac{5}{2}t^2-t=0$

$t\left(\frac{5}{2}t-1\right)=0 \quad \therefore t=\frac{2}{5}$ ($\because t\neq0$)

$\therefore D\left(\frac{4}{5}, \frac{18}{25}\right)$

전략
점 A의 x좌표를 $2t(t>0)$라 하고 네 점 A, B, C, D의 좌표를 구해 본다.

07 답 $\frac{1}{2}$

두 점 A, C는 각각 두 이차함수 $y=-2x^2+\frac{1}{2}$, $y=2x^2-\frac{1}{2}$의 그래프의 꼭짓점이므로

$A\left(0, \frac{1}{2}\right)$, $C\left(0, -\frac{1}{2}\right) \quad \therefore \overline{AC}=\frac{1}{2}-\left(-\frac{1}{2}\right)=1$

두 점 B, D는 이차함수 $y=2x^2-\frac{1}{2}$의 그래프와 x축과의 교점이므로

$2x^2-\frac{1}{2}=0$, $x^2=\frac{1}{4} \quad \therefore x=\pm\frac{1}{2}$

즉 $B\left(-\frac{1}{2}, 0\right)$, $D\left(\frac{1}{2}, 0\right)$이므로 $\overline{BD}=\frac{1}{2}-\left(-\frac{1}{2}\right)=1$

이때 □ABCD는 마름모이므로

(□ABCD의 넓이)$=\frac{1}{2}\times1\times1=\frac{1}{2}$

전략
$\overline{AC}$와 $\overline{BD}$는 서로 다른 것을 수직이등분하므로 □ABCD는 마름모이다.
∴ (□ABCD의 넓이)$=\frac{1}{2}\times\overline{AC}\times\overline{BD}$

08 답 $-2, -8, -18$

$y=\frac{1}{2}x^2+k$에 $y=0$을 대입하면

$\frac{1}{2}x^2+k=0$, $x^2=-2k \quad \therefore x=\pm\sqrt{-2k}$

$\overline{AB}=\sqrt{-2k}-(-\sqrt{-2k})=2\sqrt{-2k}$이므로 $\overline{AB}$의 길이가 자연수가 되려면 $k=-2m^2$(m은 자연수)의 꼴이어야 한다.

이때 $-20\leq k\leq0$이므로 $k=-2\times1^2, -2\times2^2, -2\times3^2$

$\therefore k=-2, -8, -18$

전략
$\overline{AB}$의 길이를 k에 대한 식으로 나타내고, $\overline{AB}$의 길이가 자연수가 되도록 하는 정수 k의 값을 모두 구한다.

09 답 31

점 B의 x좌표를 t라 하면 $B(t, 2t^2+3)$, $Q(t, 0)$이고

$\overline{PQ}=10$이므로 $P(t-10, 0)$, $A(t-10, 2(t-10)^2+3)$

□APQB의 넓이가 575이므로

$\frac{1}{2}\times\{2(t-10)^2+3+2t^2+3\}\times10=575$

$4t^2-40t+91=0$, $(2t-7)(2t-13)=0$

$\therefore t=\frac{7}{2}$ 또는 $t=\frac{13}{2}$

이때 $\overline{PO}>\overline{OQ}$이므로 $t=\frac{7}{2}$

따라서 점 B의 좌표는 $\left(\frac{7}{2}, \frac{55}{2}\right)$이므로 점 B의 x좌표와 y좌표의 합은

$\frac{7}{2}+\frac{55}{2}=31$

전략
점 B의 x좌표를 t라 하고 네 점 A, B, P, Q의 좌표를 구해 본다.

10 답 $\frac{1}{9}$

$y=a(x-1)^2$에 $x=0$을 대입하면 $y=a \quad \therefore A(0, a)$

$y=a(x-1)^2$에 $y=a$를 대입하면

$a=a(x-1)^2$, $(x-1)^2=1$ ($\because a\neq0$)

$x-1=\pm1 \quad \therefore x=0$ 또는 $x=2$, 즉 $D(2, a)$

이때 $\overline{AB}=\overline{BC}=\overline{CD}$이고 $\overline{AD}=2$이므로

$\overline{AB}=\frac{1}{3}\overline{AD}=\frac{2}{3} \quad \therefore B\left(\frac{2}{3}, a\right)$

점 $B\left(\frac{2}{3}, a\right)$가 이차함수 $y=(x-1)^2$의 그래프 위에 있으므로

$y=(x-1)^2$에 $x=\frac{2}{3}$, $y=a$를 대입하면

$a=\left(\frac{2}{3}-1\right)^2=\frac{1}{9}$

전략
세 선분의 길이가 모두 같음을 이용하여 직선과 두 이차함수의 그래프가 만나는 점의 좌표를 구해 본다.

11 답 $\frac{2}{3}$

모든 경우의 수는 6이다.

$y=(x-2)^2$에 $x=0$을 대입하면 $y=4$ $\quad\therefore A(0, 4)$

$y=(x-2)^2$에 $y=4$를 대입하면

$(x-2)^2=4$, $x-2=\pm2$ $\quad\therefore x=0$ 또는 4, 즉 $B(4, 4)$

이때 $y=x+a$의 그래프가 $\overline{AB}$와 만나기 위해서는 오른쪽 그림의 색칠한 부분에 있어야 한다.

(i) 점 $A(0, 4)$를 지날 때,
$y=x+a$에 $x=0$, $y=4$를 대입하면 $a=4$

(ii) 점 $B(4, 4)$를 지날 때,
$y=x+a$에 $x=4$, $y=4$를 대입하면
$4=4+a$ $\quad\therefore a=0$

(i), (ii)에 의해 구하는 a의 값의 범위는 $0\leq a\leq 4$

즉 그래프가 $\overline{AB}$와 만나는 경우는 1, 2, 3, 4의 4가지이므로 그 확률은 $\frac{4}{6}=\frac{2}{3}$

전략
두 점 A, B의 좌표를 각각 구하여 그래프가 $\overline{AB}$와 만나는 경우를 살펴 본다.

12 답 $6\sqrt{3}$

$y=\frac{1}{3}x^2-4$의 그래프가 점 $(b, 0)$을 지나므로

$y=\frac{1}{3}x^2-4$에 $x=b$, $y=0$을 대입하면

$0=\frac{1}{3}b^2-4$ $\quad\therefore b=-2\sqrt{3}$ $(\because b<0)$

또 $y=a(x+2\sqrt{3})^2$의 그래프가 점 $(0, -4)$를 지나므로

$y=a(x+2\sqrt{3})^2$에 $x=0$, $y=-4$를 대입하면

$-4=12a$ $\quad\therefore a=-\frac{1}{3}$

$\therefore \frac{b}{a}=-2\sqrt{3}\div\left(-\frac{1}{3}\right)=-2\sqrt{3}\times(-3)=6\sqrt{3}$

전략
$y=\frac{1}{3}x^2-4$의 그래프는 점 $(b, 0)$을 지나고 $y=a(x-b)^2$의 그래프는 점 $(0, -4)$를 지난다.

13 답 ③, ⑤

① 이차함수의 그래프가 아래로 볼록하려면 x^2의 계수가 양수이어야 한다.
즉 아래로 볼록한 그래프는 ㉠, ㉢, ㉣이다.

② x^2의 계수의 절댓값이 클수록 그래프의 폭은 좁다. 각 이차함수의 x^2의 계수의 절댓값을 구하면 다음과 같다.
㉠ 2 ㉡ 1 ㉢ $\frac{10}{3}$ ㉣ $\frac{5}{2}$ ㉤ $\frac{1}{2}$ ㉥ 3
이때 $\frac{1}{2}<1<2<\frac{5}{2}<3<\frac{10}{3}$이므로 두 번째로 폭이 좁은 그래프는 ㉥이다.

③ 각 이차함수의 그래프는 다음과 같다.
㉠ $y=2x^2-1$ ㉡ $y=-(x-2)^2$

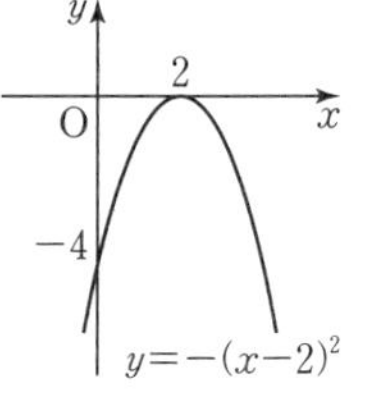

㉢ $y=\frac{10}{3}(x+1)^2+1$ ㉣ $y=\frac{5}{2}(x-1)^2-\frac{7}{2}$

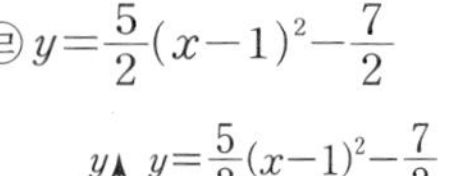

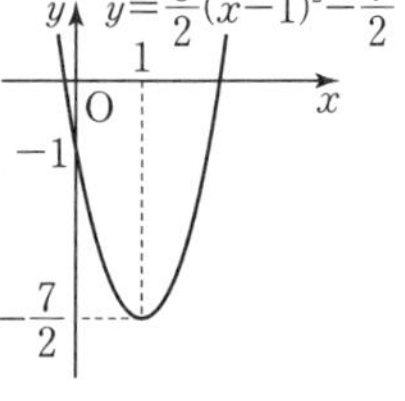

㉤ $y=-\frac{1}{2}(x+2)^2+5$ ㉥ $y=-3(x+1)^2+1$

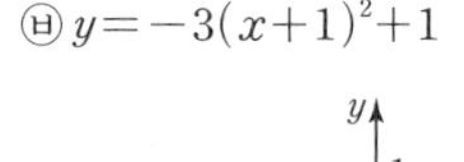

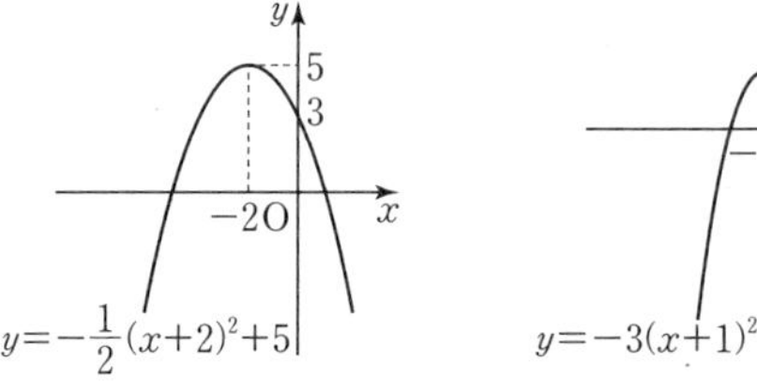

즉 모든 사분면을 지나는 그래프는 ㉠, ㉣, ㉤이다.

④ 각 이차함수의 그래프의 꼭짓점의 좌표를 구하면 다음과 같다.
㉠ $(0, -1)$ ㉡ $(2, 0)$ ㉢ $(-1, 1)$
㉣ $\left(1, -\frac{7}{2}\right)$ ㉤ $(-2, 5)$ ㉥ $(-1, 1)$
즉 꼭짓점의 좌표가 같은 그래프는 ㉢, ㉥이다.

⑤ 각 이차함수의 그래프가 y축과 만나는 점의 y좌표를 구하면 다음과 같다.
㉠ -1 ㉡ -4 ㉢ $\frac{13}{3}$ ㉣ -1 ㉤ 3 ㉥ -2
즉 그래프가 y축과 만나는 점의 y좌표가 같은 것은 ㉠, ㉣이다.

따라서 옳지 않은 것은 ③, ⑤이다.

전략
각 이차함수의 그래프를 그려서 모든 사분면을 지나는 그래프를 찾는다.

14 답 $2<k\le 11$

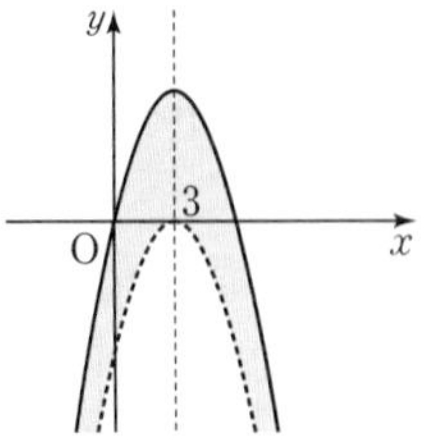

그래프가 위로 볼록하므로 제1, 3, 4사분면을 지나려면 오른쪽 그림의 색칠한 부분에 그래프가 있어야 한다.

$y=-(x-3)^2-2+k$의 그래프의 꼭짓점의 좌표는 $(3,\ -2+k)$이고

(꼭짓점의 y좌표)>0이어야 하므로

$-2+k>0 \quad \therefore k>2$

$y=-(x-3)^2-2+k$에 $x=0$을 대입하면

$y=-9-2+k=-11+k$

즉 $y=-(x-3)^2-2+k$의 그래프가 y축과 만나는 점의 y좌표는 $-11+k$이고 (y축과 만나는 점의 y좌표)≤ 0이어야 하므로

$-11+k\le 0 \quad \therefore k\le 11$

$\therefore 2<k\le 11$

전략
제1, 3, 4사분면을 지나도록 위로 볼록한 포물선을 그려 본다.

15 답 8

점 B는 $y=-(x-1)^2+4$의 그래프가 y축과 만나는 점이므로

$y=-(x-1)^2+4$에 $x=0$을 대입하면

$y=-1+4=3 \quad \therefore \mathrm{B}(0,\ 3)$

즉 $k=3$이므로 $y=-(x-1)^2+4$에 $y=3$을 대입하면

$-(x-1)^2+4=3,\ x^2-2x=0$

$x(x-2)=0 \quad \therefore x=0$ 또는 $x=2$, 즉 $\mathrm{C}(2,\ 3)$

이때 $\overline{\mathrm{AB}}=2\overline{\mathrm{BC}}$이므로 $\mathrm{A}(-4,\ 3)$

따라서 $y=-(x-p)^2+q$의 그래프가 두 점 $\mathrm{A}(-4,\ 3)$, $\mathrm{B}(0,\ 3)$을 지나므로

$3=-(-4-p)^2+q \quad \therefore p^2+8p-q=-19$ …… ㉠

$3=-(0-p)^2+q \quad \therefore p^2-q=-3$ …… ㉡

㉠, ㉡을 연립하여 풀면 $p=-2,\ q=7$

$\therefore k+p+q=3+(-2)+7=8$

전략
세 점 A, B, C의 좌표를 각각 구해 본다.

16 답 2

$y=-\frac{1}{2}(x+1)^2$의 그래프를 x축의 방향으로 k만큼, y축의 방향으로 $(k+1)$만큼 평행이동한 그래프의 식은

$y=-\frac{1}{2}(x+1-k)^2+k+1$

따라서 꼭짓점의 좌표는 $(k-1,\ k+1)$이고

이 점이 직선 $x+2y-7=0$ 위에 있으므로

$(k-1)+2(k+1)-7=0 \quad \therefore k=2$

전략
이차함수 $y=a(x-p)^2$의 그래프를 x축의 방향으로 m만큼, y축의 방향으로 n만큼 평행이동한 그래프의 식은 $y=a(x-p-m)^2+n$이다.

17 답 2

$g(x)=f(x)+4$이므로 $y=g(x)$의 그래프는 $y=f(x)$의 그래프를 y축의 방향으로 4만큼 평행이동한 것이다.

또 $h(x)=g(x+2)$이므로 $y=h(x)$의 그래프는 $y=g(x)$의 그래프를 x축의 방향으로 -2만큼 평행이동한 것이다.

따라서 $y=h(x)$의 그래프는 $y=f(x)$의 그래프를 x축의 방향으로 -2만큼, y축의 방향으로 4만큼 평행이동한 것이므로

$p=-2,\ q=4$

$\therefore p+q=-2+4=2$

전략
주어진 표를 이용하여 $g(x)=f(x)+4$, $h(x)=g(x+2)$임을 확인한다.

18 답 4

$y=(x+2)^2-9$에 $y=0$을 대입하면

$(x+2)^2-9=0,\ (x+2)^2=9$

$x+2=\pm 3 \quad \therefore x=-5$ 또는 $x=1$

즉 $y=(x+2)^2-9$의 그래프가 x축과 만나는 두 점의 좌표는 $(-5,\ 0)$, $(1,\ 0)$이다.

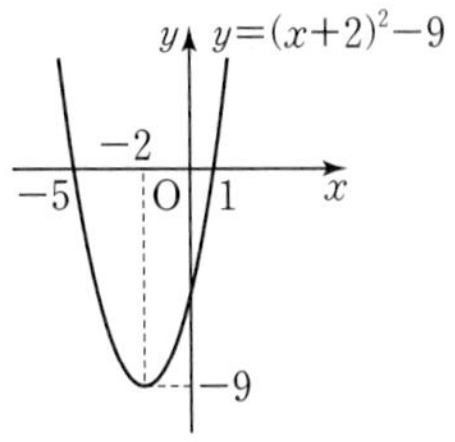

이 그래프를 x축의 방향으로 m만큼 평행이동하여 제3사분면을 지나지 않으려면 $m\ge 5$

또 이 그래프를 x축의 방향으로 n만큼 평행이동하여 제4사분면을 지나지 않으려면 $n\le -1$

따라서 m의 최솟값은 5, n의 최댓값은 -1이므로 구하는 합은

$5+(-1)=4$

전략
이차함수 $y=(x+2)^2-9$의 그래프를 그려 본다.

19 답 16

$\overline{\mathrm{OB}}=\overline{\mathrm{BE}}=2$이므로 $\mathrm{B}(2,\ 0)$, $\mathrm{E}(4,\ 0)$이고 이차함수 $y=-x^2$의 그래프를 평행이동한 그래프는 직선 AE에 대칭이므로

$\overline{\mathrm{ED}}=\overline{\mathrm{BE}}=2 \quad \therefore \mathrm{D}(6,\ 0)$

점 C는 $y=-x^2$의 그래프 위에 있고, $\overline{\mathrm{BC}}$는 y축에 평행하므로 $\mathrm{C}(2,\ -4)$

또 $\overline{\mathrm{OB}}=\overline{\mathrm{ED}}$이므로 $\overline{\mathrm{BC}}=\overline{\mathrm{AE}} \quad \therefore \mathrm{A}(4,\ 4)$

$$\therefore \square\mathrm{ABCD}=\triangle\mathrm{ABD}+\triangle\mathrm{BCD}$$
$$=\frac{1}{2}\times\overline{\mathrm{BD}}\times\overline{\mathrm{AE}}+\frac{1}{2}\times\overline{\mathrm{BD}}\times\overline{\mathrm{BC}}$$
$$=\frac{1}{2}\times 4\times 4+\frac{1}{2}\times 4\times 4=16$$

전략
두 이차함수의 그래프는 서로 평행이동하면 일치하고, $\overline{\mathrm{OB}}=\overline{\mathrm{ED}}$이므로 $\overline{\mathrm{BC}}=\overline{\mathrm{AE}}$이다.

20 답 4

오른쪽 그림에서 $y=2x^2$의 그래프와 $y=2(x-2)^2$의 그래프가 만나는 점 P의 좌표는

$2x^2=2(x-2)^2$에서

$x^2=x^2-4x+4$

$4x=4 \qquad \therefore x=1$, 즉 $\mathrm{P}(1, 2)$

세 이차함수의 그래프는 평행이동하면 일치하므로 파란색 부분의 넓이와 노란색 부분의 넓이는 각각 같다.

$\therefore$ (구하는 부분의 넓이)$=\square\mathrm{OABC}=2\times2=4$

전략

이차함수의 그래프를 평행이동하면 그래프의 모양과 폭은 변하지 않는다.

STEP 3 | 전교 1등 **확실하게** 굳히는 문제 pp. 095~097

1 ㉡, ㉢	**2** π	**3** $\frac{1}{50}$
4 $\mathrm{D}\left(2, \frac{9}{2}\right)$	**5** $1-\sqrt{5}$	**6** 39

1 답 ㉡, ㉢

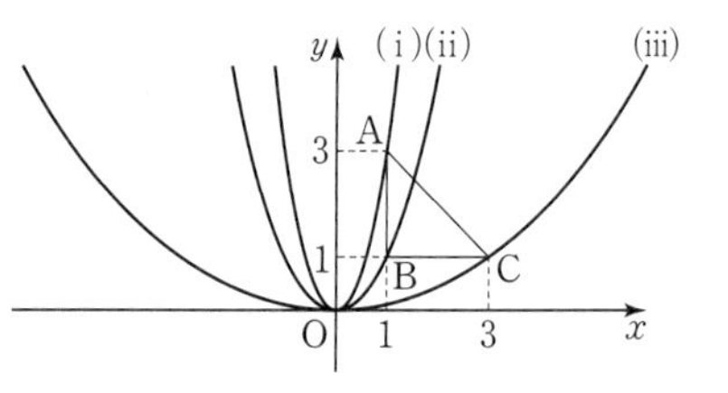

(i) $y=ax^2$의 그래프가 점 $\mathrm{A}(1, 3)$을 지날 때, $a=3$

(ii) $y=ax^2$의 그래프가 점 $\mathrm{B}(1, 1)$을 지날 때, $a=1$

(iii) $y=ax^2$의 그래프가 점 $\mathrm{C}(3, 1)$을 지날 때,

$1=9a \qquad \therefore a=\frac{1}{9}$

㉠ $a=1$일 때, 교점의 개수는 2이므로 $F(1)=2$

㉡ $a=2$일 때, 교점의 개수는 2이므로 $F(2)=2$

㉢ $a>3$일 때, 교점은 없으므로 $F(a)=0$

㉣ $a=\frac{1}{9}$일 때, 교점의 개수는 1이므로 $F\left(\frac{1}{9}\right)=1$

$a=3$일 때, 교점의 개수는 1이므로 $F(3)=1$

$\frac{1}{9}<a<3$일 때, 교점의 개수는 2이므로 $F(a)=2$

따라서 옳은 것은 ㉡, ㉢이다.

전략

먼저 $y=ax^2$의 그래프가 세 점 A, B, C를 지날 때의 a의 값을 각각 구해 본다.

2 답 π

점 A의 x좌표가 2이고 $y=\frac{1}{2}x^2$의 그래프 위에 있으므로

$y=\frac{1}{2}x^2$에 $x=2$를 대입하면

$y=\frac{1}{2}\times2^2=2 \qquad \therefore \mathrm{A}(2, 2)$

이때 점 A에서 x축, y축에 내린 수선의 발을 각각 B, C라 하면 $\square\mathrm{OBAC}$는 한 변의 길이가 2인 정사각형이고 $\overline{\mathrm{OA}}$는 정사각형 OBAC의 대각선이므로

$\angle\mathrm{AOA'}=45^\circ$,

$\overline{\mathrm{OA}}=\sqrt{2^2+2^2}=2\sqrt{2}$

한편 빗금친 부분의 넓이는 서로 같으므로 색칠한 부분의 넓이는 부채꼴 OAA′의 넓이와 같다.

$\therefore$ (구하는 부분의 넓이)$=\pi\times(2\sqrt{2})^2\times\frac{45}{360}=\pi$

전략

색칠한 부분의 넓이는 부채꼴 OAA′의 넓이와 같음을 이용한다.

3 답 $\frac{1}{50}$

점 A의 좌표를 $\mathrm{A}\left(a, \frac{1}{3}a^2\right)(a>0)$이라 하면

$\mathrm{B}\left(ka, \frac{1}{3}a^2\right)$, $\mathrm{C}\left(ka, \frac{1}{3}k^2a^2\right)$

이때 $\square\mathrm{ABCD}$는 정사각형이므로 $\overline{\mathrm{AB}}=\overline{\mathrm{BC}}$에서

$ka-a=\frac{1}{3}k^2a^2-\frac{1}{3}a^2$

$k-1=\frac{1}{3}k^2a-\frac{1}{3}a \ (\because a\neq0)$

$k-1=\frac{1}{3}a(k+1)(k-1)$

$\therefore a=\frac{3}{k+1} \ (\because k\neq1)$ …… ㉠

이때 $l(k)$는 정사각형 ABCD의 둘레의 길이이므로

$l(k)=4\overline{\mathrm{AB}}=4(ka-a)=4a(k-1)$ …… ㉡

㉡에 ㉠을 대입하면

$l(k)=4\times\frac{3}{k+1}\times(k-1)=\frac{12(k-1)}{k+1}$

$\therefore l(3)\times l(5)\times l(7)\times\cdots\times l(99)$

$=\frac{12\times2}{4}\times\frac{12\times4}{6}\times\frac{12\times6}{8}\times\cdots\times\frac{12\times98}{100}$

$=12^{49}\times\frac{2}{100}=12^{49}\times\frac{1}{50}$

$\therefore P=\frac{1}{50}$

전략

점 A의 좌표를 $\mathrm{A}\left(a, \frac{1}{3}a^2\right)(a>0)$이라 하고 두 점 B, C의 좌표를 각각 구해 본다.

4 답 $D\left(2, \frac{9}{2}\right)$

$\triangle CBA = \triangle DBA$이므로 $\overleftrightarrow{AB} /\!/ \overleftrightarrow{CD}$이다.

$\overleftrightarrow{AB}$의 기울기는 $\dfrac{\frac{1}{2}-0}{0-(-1)}=\dfrac{1}{2}$

점 D의 좌표를 (a, b)라 하면 $\overleftrightarrow{CD}$의 기울기도 $\frac{1}{2}$이므로

$\dfrac{b-2}{a-(-3)}=\dfrac{1}{2}$

즉 $2(b-2)=a+3$에서 $2b=a+7$ …… ㉠

또 점 $D(a, b)$는 $y=\frac{1}{2}(x+1)^2$의 그래프 위의 점이므로

$b=\frac{1}{2}(a+1)^2$ $\quad\therefore 2b=(a+1)^2$ …… ㉡

㉡에 ㉠을 대입하면

$a+7=(a+1)^2$, $a^2+a-6=0$

$(a+3)(a-2)=0$ $\quad\therefore a=-3$ 또는 $a=2$

이때 $a=-3$이면 점 C와 점 D가 일치하므로 $a=2$

$a=2$를 ㉠에 대입하면 $b=\frac{9}{2}$

$\therefore D\left(2, \frac{9}{2}\right)$

전략

$\triangle CBA = \triangle DBA$이면 $\overleftrightarrow{AB} /\!/ \overleftrightarrow{CD}$임을 이용한다.

5 답 $1-\sqrt{5}$

직선 l은 $y=ax^2+q$의 그래프의 꼭짓점 $(0, q)$를 지나면서 x축에 평행하므로 직선 l의 방정식은

$y=q$ …… 20 %

이때 $A(1, 0)$, $B(1, a+q)$, $C(1, q)$이고

$y=ax^2+q$의 그래프는 y축에 대칭이므로

$D(-1, a+q)$, $E(-1, 0)$ …… 20 %

□ABDE는 정사각형이므로 $\overline{AB}=\overline{AE}$에서

$a+q=1-(-1)$

$\therefore a+q=2$ …… ㉠ …… 20 %

또 □ACFE∽□BDFC이므로 $\overline{AC} : \overline{BD}=\overline{AE} : \overline{BC}$에서

$q : 2=2 : \{q-(a+q)\}$

$\therefore aq=-4$ …… ㉡ …… 20 %

㉠에서 $q=2-a$를 ㉡에 대입하면

$a(2-a)=-4$, $a^2-2a-4=0$

$\therefore a=-(-1)\pm\sqrt{(-1)^2-1\times(-4)}$
$=1\pm\sqrt{5}$

그런데 그래프가 위로 볼록하므로

$a=1-\sqrt{5}$ …… 20 %

전략

먼저 직선 l의 방정식과 세 점 A, B, C의 좌표를 구해 본다.

6 답 39

두 점 A, B의 x좌표를 각각 α, β라 하면

$A(\alpha, 2\alpha+k)$, $B(\beta, 2\beta+k)$, $A'(\alpha, 0)$, $B'(\beta, 0)$

점 C는 직선 $y=2x+k$와 x축이 만나는 점이므로

$C\left(-\frac{k}{2}, 0\right)$

한편 α, β는 이차방정식 $-x^2+1=2x+k$, 즉 $x^2+2x+k-1=0$의 근이므로 근과 계수의 관계에 의해

$\alpha+\beta=-2$, $\alpha\beta=k-1$

$\therefore \alpha^2+\beta^2=(\alpha+\beta)^2-2\alpha\beta$
$=(-2)^2-2(k-1)=-2k+6$

$\triangle ACA'=\frac{1}{2}\times\overline{A'C}\times\overline{A'A}$
$=\frac{1}{2}\left(-\frac{k}{2}-\alpha\right)(-2\alpha-k)$
$=\left(\frac{k}{2}+\alpha\right)^2$

$\triangle BCB'=\frac{1}{2}\times\overline{CB'}\times\overline{BB'}$
$=\frac{1}{2}\left(\beta+\frac{k}{2}\right)(2\beta+k)$
$=\left(\frac{k}{2}+\beta\right)^2$

이때 $\triangle ACA'$과 $\triangle BCB'$의 넓이의 합이 $\frac{3}{2}$이므로

$\left(\frac{k}{2}+\alpha\right)^2+\left(\frac{k}{2}+\beta\right)^2=\frac{3}{2}$

$(\alpha^2+\beta^2)+k(\alpha+\beta)+\frac{k^2}{2}=\frac{3}{2}$

$\therefore 2(\alpha^2+\beta^2)+2k(\alpha+\beta)+k^2-3=0$

위의 식에 $\alpha+\beta=-2$, $\alpha^2+\beta^2=-2k+6$을 대입하면

$2(-2k+6)+2k\times(-2)+k^2-3=0$

$k^2-8k+9=0$

$\therefore k=-(-4)\pm\sqrt{(-4)^2-1\times9}=4\pm\sqrt{7}$

그런데 $-2<k<2$이므로 $k=4-\sqrt{7}$

따라서 $p=4$, $q=-1$이므로

$10p+q=10\times4+(-1)=39$

전략

두 점 A, B의 x좌표는 이차방정식 $-x^2+1=2x+k$의 두 근임을 이용한다.

참고

$\overline{A'C}$=(점 C의 x좌표)−(점 A′의 x좌표)$=-\frac{k}{2}-\alpha$

$\overline{A'A}$=−(점 A의 y좌표)$=-(2\alpha+k)=-2\alpha-k$

$\overline{CB'}$=(점 B′의 x좌표)−(점 C의 x좌표)$=\beta-\left(-\frac{k}{2}\right)=\beta+\frac{k}{2}$

$\overline{BB'}$=(점 B의 y좌표)$=2\beta+k$

02 이차함수의 활용

[확인 ❶] 답 $-1, 5$

$y=ax^2-4ax+a^2-3$

$=a(x^2-4x+4-4)+a^2-3$

$=a(x-2)^2+a^2-4a-3$

이 그래프의 꼭짓점의 좌표가 $(2, 2)$이므로

$a^2-4a-3=2$, $a^2-4a-5=0$

$(a+1)(a-5)=0$ $\therefore a=-1$ 또는 $a=5$

[확인 ❷] 답 $a>0, b<0, c<0$

그래프가 아래로 볼록하므로 $a>0$

축이 y축의 오른쪽에 있으므로 a와 b의 부호는 다르다.

$\therefore b<0$

y축과 만나는 점이 x축의 아래쪽에 있으므로 $c<0$

[확인 ❸] 답 (1) $y=-x^2-4x-1$ (2) $y=2x^2-8x+4$

(1) $y=a(x+2)^2+3$에 $x=0, y=-1$을 대입하면

$-1=4a+3$ $\therefore a=-1$

$\therefore y=-(x+2)^2+3=-x^2-4x-1$

(2) $y=a(x-2)^2+q$에

$x=0, y=4$를 대입하면 $4=4a+q$ ······ ㉠

$x=3, y=-2$를 대입하면 $-2=a+q$ ······ ㉡

㉠, ㉡을 연립하여 풀면 $a=2, q=-4$

$\therefore y=2(x-2)^2-4$

$=2x^2-8x+4$

[확인 ❹] 답 (1) $y=3x^2-2x+1$ (2) $y=-\frac{3}{2}x^2+3x+\frac{9}{2}$

(1) $y=ax^2+bx+c$에

$x=-1, y=6$을 대입하면 $6=a-b+c$ ······ ㉠

$x=0, y=1$을 대입하면 $1=c$ ······ ㉡

$x=1, y=2$를 대입하면 $2=a+b+c$ ······ ㉢

㉠, ㉡, ㉢을 연립하여 풀면 $a=3, b=-2, c=1$

$\therefore y=3x^2-2x+1$

(2) $y=a(x+1)(x-3)$에 $x=1, y=6$을 대입하면

$6=-4a$ $\therefore a=-\frac{3}{2}$

$\therefore y=-\frac{3}{2}(x+1)(x-3)$

$=-\frac{3}{2}x^2+3x+\frac{9}{2}$

STEP 1 억울하게 울리는 문제 pp. 100~102

1 (1) × (2) ○ (3) × (4) ○ (5) × (6) ○ (7) ○

2-1 ③ **2-2** ②

3-1 ⑤

3-2 (1) > (2) > (3) 4= (4) <

4-1 $y=-3x^2-12x-8$ **4-2** $y=x^2-2x-3$

5-1 $-\frac{1}{2}$ **5-2** $\left(4, \frac{16}{3}\right)$

6-1 $(0, 2)$ **6-2** $\left(2, \frac{16}{3}\right)$

1 답 (1) × (2) ○ (3) × (4) ○ (5) × (6) ○ (7) ○

(1) $y=ax^2+bx+c$

$=a\left\{x^2+\frac{b}{a}x+\left(\frac{b}{2a}\right)^2-\left(\frac{b}{2a}\right)^2\right\}+c$

$=a\left(x+\frac{b}{2a}\right)^2-\frac{b^2-4ac}{4a}$

이므로 축의 방정식은 $x=-\frac{b}{2a}$이다.

(2) 축이 y축의 왼쪽에 있으면

$-\frac{b}{2a}<0$ $\therefore \frac{b}{2a}>0$

따라서 a, b의 부호는 서로 같다.

(3) $y=2x^2$의 그래프를 x축의 방향으로 -1만큼, y축의 방향으로 -4만큼 평행이동한 그래프의 식은

$y=2(x+1)^2-4$

$=2(x^2+2x+1)-4$

$=2x^2+4x-2$

(4) $y=3x^2+6x+1$

$=3(x^2+2x+1-1)+1$

$=3(x+1)^2-2$

이므로 그래프는 아래로 볼록하고, 축의 방정식은 $x=-1$이다.

따라서 $x>-1$일 때, x의 값이 증가하면 y의 값도 증가한다.

(5) $f(x)=ax^2+bx+c$에 대하여 $f(x)=0$이 서로 다른 두 개의 양의 근을 가지면 $y=f(x)$의 그래프는 다음 그림과 같다.

따라서 $y=f(x)$의 그래프는 제1, 2, 4사분면 또는 제1, 3, 4사분면을 지난다.

(6) $y=ax^2+bx+c$에 x 대신 $-x$를 대입하면

$y=a\times(-x)^2+b\times(-x)+c=ax^2-bx+c$

따라서 이차함수 $y=ax^2+bx+c$의 그래프를 y축에 대칭이동한 그래프의 식은 $y=ax^2-bx+c$이다.

(7) $y=(x-1)^2-4=x^2-2x-3$에 y 대신 $-y$를 대입하면

$-y=x^2-2x-3$ $\therefore y=-x^2+2x+3$

따라서 이차함수 $y=(x-1)^2-4$의 그래프와 $y=-x^2+2x+3$의 그래프는 x축에 서로 대칭이다.

2-1 답 ③

$y=ax^2+bx+c$에서

그래프가 아래로 볼록하므로 $a>0$

축이 y축의 왼쪽에 있으므로 a와 b의 부호는 같다.

$\therefore b>0$

y축과 만나는 점이 x축의 아래쪽에 있으므로 $c<0$

이때 $y=cx^2+bx+a$의 그래프는

$c<0$이므로 위로 볼록하다.

c와 b의 부호가 다르므로 축이 y축의 오른쪽에 있다.

$a>0$이므로 y축과 만나는 점이 x축의 위쪽에 있다.

따라서 $y=cx^2+bx+a$의 그래프는 오른쪽 그림과 같다.

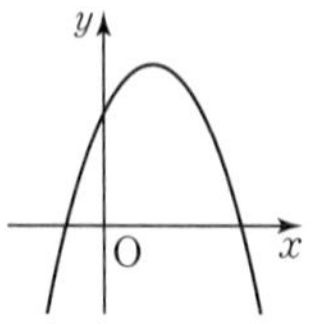

2-2 답 ②

$y=ax^2-bx-c$에서

그래프가 위로 볼록하므로 $a<0$

축이 y축의 오른쪽에 있으므로 a와 $-b$의 부호는 다르다.

$\therefore -b>0$, 즉 $b<0$

y축과 만나는 점이 x축의 위쪽에 있으므로 $-c>0$ $\quad\therefore c<0$

이때 $y=cx^2+bx-a$의 그래프는

$c<0$이므로 위로 볼록하다.

c와 b의 부호가 같으므로 축은 y축의 왼쪽에 있다.

$-a>0$이므로 y축과 만나는 점이 x축의 위쪽에 있다.

따라서 $y=cx^2+bx-a$의 그래프는 오른쪽 그림과 같다.

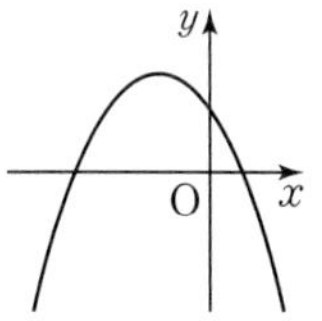

3-1 답 ⑤

$y=ax^2+bx+c$에서

그래프가 아래로 볼록하므로 $a>0$

축이 y축의 오른쪽에 있으므로 a와 b의 부호는 다르다.

$\therefore b<0$

y축과 만나는 점이 x축의 아래쪽에 있으므로 $c<0$

① $a>0$, $b<0$, $c<0$이므로 $abc>0$

② $b^2>0$이고 $a>0$, $c<0$이므로 $-4ac>0$

$\quad\therefore b^2-4ac>0$

③ $x=4$일 때, $y>0$이므로 $16a+4b+c>0$

④ $x=\frac{1}{3}$일 때, $y<0$이므로 $\frac{1}{9}a+\frac{1}{3}b+c<0$

$\quad\therefore a+3b+9c<0$

⑤ $x=-1$일 때, $y<0$이므로 $a-b+c<0$

따라서 옳지 않은 것은 ⑤이다.

3-2 답 (1) $>$ (2) $>$ (3) $=$ (4) $<$

$y=ax^2+bx+c$에서

그래프가 위로 볼록하므로 $a<0$

축이 y축의 왼쪽에 있으므로 a와 b의 부호는 같다.

$\therefore b<0$

y축과 만나는 점이 x축의 위쪽에 있으므로 $c>0$

(1) $a<0$, $b<0$, $c>0$이므로 $abc>0$

(2) $b^2>0$이고 $a<0$, $c>0$이므로 $-4ac>0$

$\quad\therefore b^2-4ac>0$

(3) $x=-2$일 때, $y=0$이므로 $4a-2b+c=0$

(4) $x=\frac{3}{2}$일 때, $y<0$이므로 $\frac{9}{4}a+\frac{3}{2}b+c<0$

$\quad\therefore \frac{9}{2}a+3b+2c<0$

4-1 답 $y=-3x^2-12x-8$

$y=a(x+2)^2+q$에

$x=0$, $y=-8$을 대입하면 $-8=4a+q$ ······ ㉠

$x=-3$, $y=1$을 대입하면 $1=a+q$ ······ ㉡

㉠, ㉡을 연립하여 풀면 $a=-3$, $q=4$

$\therefore y=-3(x+2)^2+4=-3x^2-12x-8$

4-2 답 $y=x^2-2x-3$

$y=a(x-1)^2+q$에

$x=0$, $y=-3$을 대입하면 $-3=a+q$ ······ ㉠

$x=3$, $y=0$을 대입하면 $0=4a+q$ ······ ㉡

㉠, ㉡을 연립하여 풀면 $a=1$, $q=-4$

$\therefore y=(x-1)^2-4=x^2-2x-3$

5-1 답 $-\frac{1}{2}$

$y=ax^2+bx+c$에

$x=-2$, $y=7$을 대입하면 $7=4a-2b+c$ ······ ㉠

$x=2$, $y=-1$을 대입하면 $-1=4a+2b+c$ ······ ㉡

$x=4$, $y=1$을 대입하면 $1=16a+4b+c$ ······ ㉢

㉠, ㉡, ㉢을 연립하여 풀면 $a=\frac{1}{2}$, $b=-2$, $c=1$

$\therefore a+b+c=\frac{1}{2}+(-2)+1=-\frac{1}{2}$

5-2 답 $\left(4, \frac{16}{3}\right)$

$y=ax^2+bx+c$에

$x=0$, $y=4$를 대입하면 $4=c$ ······ ㉠

$x=-4$, $y=0$을 대입하면 $0=16a-4b+c$ ······ ㉡

$x=2$, $y=5$를 대입하면 $5=4a+2b+c$ ······ ㉢

㉠, ㉡, ㉢을 연립하여 풀면 $a=-\frac{1}{12}$, $b=\frac{2}{3}$, $c=4$

$\therefore y=-\frac{1}{12}x^2+\frac{2}{3}x+4=-\frac{1}{12}(x-4)^2+\frac{16}{3}$

따라서 꼭짓점의 좌표는 $\left(4, \frac{16}{3}\right)$이다.

6-1 답 (0, 2)

$y=a(x+1)(x-4)$에 $x=3$, $y=2$를 대입하면

$2=-4a \quad \therefore a=-\frac{1}{2}$

$\therefore y=-\frac{1}{2}(x+1)(x-4)=-\frac{1}{2}x^2+\frac{3}{2}x+2$

따라서 y축과 만나는 점의 좌표는 $(0, 2)$이다.

6-2 답 $\left(2, \frac{16}{3}\right)$

$y=a(x+2)(x-6)$에 $x=0$, $y=4$를 대입하면

$4=-12a \quad \therefore a=-\frac{1}{3}$

$\therefore y=-\frac{1}{3}(x+2)(x-6)=-\frac{1}{3}(x-2)^2+\frac{16}{3}$

따라서 꼭짓점의 좌표는 $\left(2, \frac{16}{3}\right)$이다.

STEP 2 반드시 등수 올리는 문제 pp. 103~107

01 -4	**02** ③	**03** ④
04 $\frac{2}{9}$	**05** $a=5, b=-5$	
06 $(1-\sqrt{6}, -10), (1+\sqrt{6}, -10)$		**07** $-\frac{3}{8}$
08 제4사분면	**09** ④	**10** ②
11 ④	**12** $a=14, b=3$	**13** -3
14 10001	**15** ⑤	
16 $y=-x^2+6x-5$		**17** -4
18 $y=x^2-3x+3$	**19** -8	**20** 8

01 답 -4

$y=x^2-2x+a+3=x^2-2x+1-1+a+3$
$\quad=(x-1)^2+a+2$

이므로 꼭짓점의 좌표가 $(1, a+2)$이고 아래로 볼록한 그래프이다.

이 그래프가 직선 $y=-2$와 한 점에서 만나려면 오른쪽 그림과 같아야 하므로

$a+2=-2 \quad \therefore a=-4$

전략
이차함수의 그래프가 직선 $y=k$와 한 점에서 만나려면 직선 $y=k$는 이차함수의 그래프의 꼭짓점을 지나야 한다.

02 답 ③

$y=kx^2-2kx+k+3=k(x^2-2x+1)+3$
$\quad=k(x-1)^2+3$

이므로 꼭짓점의 좌표가 $(1, 3)$인 이 이차함수의 그래프가 모든 사분면을 지나려면 그래프가 오른쪽 그림과 같이 위로 볼록해야 한다.

$\therefore k<0$ …… ㉠

또 $y=k(x-1)^2+3$에 $x=0$을 대입하면 $y>0$이어야 하므로

$k\times(0-1)^2+3>0 \quad \therefore k>-3$ …… ㉡

㉠, ㉡에서 $-3<k<0$

전략
이차함수 $y=kx^2-2kx+k+3$의 그래프의 꼭짓점의 좌표를 구해 본다.

03 답 ④

$y=ax^2+bx+c$의 그래프가 모든 사분면을 지나려면 다음 조건을 만족해야 한다.

(i) $a>0$이면 $c<0$이어야 한다.

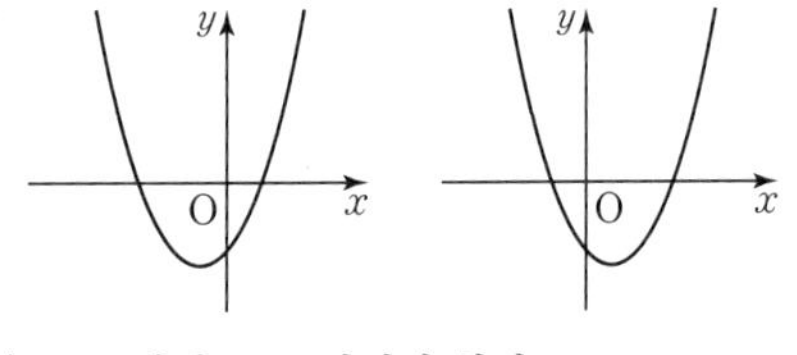

(ii) $a<0$이면 $c>0$이어야 한다.

(i), (ii)에 의해 $ac<0$

전략
이차함수 $y=ax^2+bx+c$의 그래프가 모든 사분면을 지나도록 그려 본다.

04 답 $\frac{2}{9}$

모든 경우의 수는 $6\times6=36$

$y=(x-a)(x-b)+1$
$\quad=x^2-(a+b)x+ab+1$
$\quad=\left\{x^2-(a+b)x+\left(\frac{a+b}{2}\right)^2-\left(\frac{a+b}{2}\right)^2\right\}+ab+1$
$\quad=\left(x-\frac{a+b}{2}\right)^2-\frac{(a+b)^2}{4}+ab+1$
$\quad=\left(x-\frac{a+b}{2}\right)^2-\frac{(a-b)^2}{4}+1$

이므로 꼭짓점의 좌표는 $\left(\frac{a+b}{2}, -\frac{(a-b)^2}{4}+1\right)$이다.

이때 이 그래프가 x축과 한 점에서 만나려면 꼭짓점의 y좌표가 0이어야 하므로

$-\frac{(a-b)^2}{4}+1=0$, $(a-b)^2=4$ $\quad\therefore a-b=\pm 2$

(i) $a-b=2$를 만족하는 순서쌍 (a, b)는

$(3, 1), (4, 2), (5, 3), (6, 4)$의 4개

(ii) $a-b=-2$를 만족하는 순서쌍 (a, b)는

$(1, 3), (2, 4), (3, 5), (4, 6)$의 4개

(i), (ii)에 의해 주어진 그래프가 x축과 한 점에서 만나는 경우의 수는 $4+4=8$이므로 구하는 확률은

$\frac{8}{36}=\frac{2}{9}$

전략

이차함수의 그래프가 x축과 한 점에서 만나려면 꼭짓점의 y좌표가 0이어야 한다.

05 답 $a=5$, $b=-5$

$y=x^2-4x-5$에 $y=0$을 대입하면

$x^2-4x-5=0$, $(x+1)(x-5)=0$

$\therefore x=-1$ 또는 $x=5$, 즉 $A(-1, 0)$, $B(5, 0)$

또 $y=x^2-4x-5$에 $x=0$을 대입하면 $y=-5$, 즉 $C(0, -5)$

$\triangle ACD$와 $\triangle DCB$의 넓이의 비가 $1:2$가 되려면

$\overline{AD}:\overline{DB}=1:2$이어야 하므로 $D(1, 0)$

이때 두 점 $C(0, -5)$, $D(1, 0)$을 지나는 직선을 그래프로 하는 일차함수의 식은 $y=5x-5$

$\therefore a=5$, $b=-5$

전략

$\triangle ACD$와 $\triangle DCB$의 넓이의 비가 $1:2$가 되려면 $\overline{AD}:\overline{DB}=1:2$이어야 한다.

06 답 $(1-\sqrt{6}, -10)$, $(1+\sqrt{6}, -10)$

$y=x^2+ax+b$의 그래프가 점 $(0, -15)$를 지나므로

$y=x^2+ax+b$에 $x=0$, $y=-15$를 대입하면

$b=-15$

또 $y=x^2+ax-15$의 그래프가 점 $(-3, 0)$을 지나므로

$y=x^2+ax-15$에 $x=-3$, $y=0$을 대입하면

$0=9-3a-15$ $\quad\therefore a=-2$

즉 $y=x^2-2x-15$에 $y=0$을 대입하면

$x^2-2x-15=0$, $(x+3)(x-5)=0$

$\therefore x=-3$ 또는 $x=5$

즉 점 B의 좌표는 $B(5, 0)$이므로

$\overline{AB}=5-(-3)=8$

점 C의 좌표를 $C(t, t^2-2t-15)$라 하면

$\triangle ABC$의 넓이가 40이 되어야 하므로

$\frac{1}{2}\times 8\times\{-(t^2-2t-15)\}=40$

$t^2-2t-15=-10$, $t^2-2t-5=0$

$\therefore t=-(-1)\pm\sqrt{(-1)^2-1\times(-5)}=1\pm\sqrt{6}$

따라서 구하는 점 C의 좌표는 $(1-\sqrt{6}, -10)$, $(1+\sqrt{6}, -10)$이다.

전략

먼저 점 B의 좌표를 구하고, $\triangle ABC$의 넓이를 이용하여 점 C의 좌표를 구한다.

07 답 $-\frac{3}{8}$

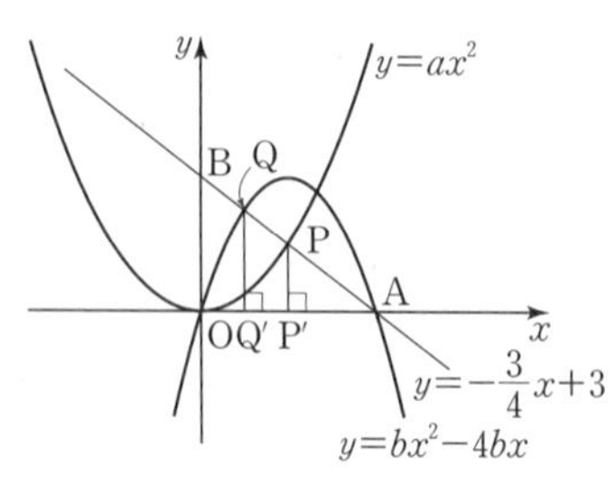

오른쪽 그림과 같이 두 점 P, Q에서 x축에 내린 수선의 발을 각각 P′, Q′이라 하면

$\overline{AP}:\overline{PQ}:\overline{QB}=2:1:1$에서

$\overline{AP'}:\overline{P'Q'}:\overline{Q'O}=2:1:1$ $\quad\cdots\cdots$ ㉠

$y=-\frac{3}{4}x+3$에 $y=0$을 대입하면

$-\frac{3}{4}x+3=0$ $\quad\therefore x=4$, 즉 $A(4, 0)$ $\quad\cdots\cdots$ ㉡

㉠, ㉡에서 $P'(2, 0)$, $Q'(1, 0)$

이때 점 P는 $y=ax^2$의 그래프 위에 있으므로 $P(2, 4a)$

점 Q는 $y=bx^2-4bx$의 그래프 위에 있으므로 $Q(1, -3b)$

또 두 점 P, Q는 $y=-\frac{3}{4}x+3$의 그래프 위에 있으므로

$4a=-\frac{3}{4}\times 2+3$ $\quad\therefore a=\frac{3}{8}$

$-3b=-\frac{3}{4}\times 1+3$ $\quad\therefore b=-\frac{3}{4}$

$\therefore a+b=\frac{3}{8}+\left(-\frac{3}{4}\right)=-\frac{3}{8}$

전략

두 점 P, Q에서 x축에 내린 수선의 발을 각각 P′, Q′이라 할 때, $\overline{AP}:\overline{PQ}:\overline{QB}=2:1:1$이면 $\overline{AP'}:\overline{P'Q'}:\overline{Q'O}=2:1:1$이다.

08 답 제4사분면

이차함수 $y=ax^2-bx-c$에서

그래프가 위로 볼록하므로 $a<0$

축이 y축의 왼쪽에 있으므로 a와 $-b$의 부호는 같다.

$\therefore -b<0$, 즉 $b>0$

y축과 만나는 점이 x축의 위쪽에 있으므로 $-c>0$ $\quad\therefore c<0$

이때 $ax+by+c=0$에서 $y=-\frac{a}{b}x-\frac{c}{b}$이고

$-\frac{a}{b}>0$, $-\frac{c}{b}>0$

따라서 직선 $ax+by+c=0$은 오른쪽 그림과 같으므로 제4사분면을 지나지 않는다.

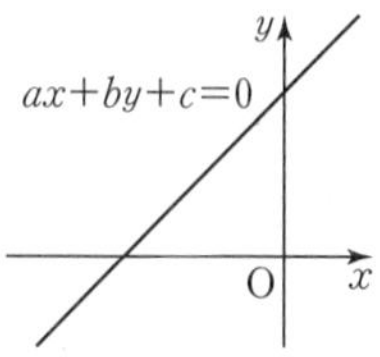

전략
먼저 주어진 이차함수의 그래프를 이용하여 a, b, c의 부호를 결정한다.

09 답 ④

이차함수 $y=ax^2-bx+c$에서
그래프가 위로 볼록하므로 $a<0$
축이 y축의 오른쪽에 있으므로 a와 $-b$의 부호는 다르다.
$\therefore -b>0$, 즉 $b<0$
y축과 만나는 점이 x축보다 위쪽에 있으므로 $c>0$
① $a<0, b<0, c>0$이므로 $a+b-c<0$
② x축과 만나는 두 점의 좌표 중 $(2, 0)$이 아닌 다른 한 점의 좌표를 $(t, 0)$이라 하면
$\frac{1}{2}-t=2-\frac{1}{2}, -t=1 \quad \therefore t=-1$, 즉 $(-1, 0)$
$x=-1$일 때, $y=0$이므로 $a+b+c=0$
③ $x=-2$일 때, $y<0$이므로 $4a+2b+c<0$
$\therefore a+\frac{b}{2}+\frac{c}{4}<0$
④ $x=4$일 때, $y<0$이므로 $16a-4b+c<0$
$\therefore a-\frac{b}{4}+\frac{c}{16}<0$
⑤ $x=-\frac{1}{2}$일 때, $y>0$이므로 $\frac{1}{4}a+\frac{1}{2}b+c>0$
$\therefore a+2b+4c>0$
따라서 옳은 것은 ④이다.

전략
이차함수 $y=ax^2+bx+c$의 그래프에서 $x=t_1$일 때 $y>0$이면 $at_1^2+bt_1+c>0$이고, $x=t_2$일 때 $y<0$이면 $at_2^2+bt_2+c<0$이다.

10 답 ②

이차함수 $y=ax^2+bx+c$에서
그래프가 위로 볼록하므로 $a<0$
축이 y축의 오른쪽에 있으므로 a와 b의 부호는 다르다.
$\therefore b>0$
y축과 만나는 점이 x축의 위쪽에 있으므로 $c>0$
또 $x=-1$일 때, $y=0$이므로 $a-b+c=0$
이때 $y=(ab-c)x^2+(b^2-4ac)x+(a-b+c)$의 그래프는
$ab-c<0$이므로 위로 볼록하다.
$b^2-4ac>0$이므로 축은 y축의 오른쪽에 있다.
$a-b+c=0$이므로 y축과 만나는 점은 원점이다.
따라서 이차함수
$y=(ab-c)x^2+(b^2-4ac)x+(a-b+c)$
의 그래프는 오른쪽 그림과 같다.

전략
먼저 주어진 이차함수의 그래프를 이용하여 a, b, c의 부호를 결정한다.

11 답 ④

두 일차함수 $y=ax+b, y=cx+d$에서
두 그래프 모두 오른쪽 아래로 향하므로
$a<0, c<0$
y축과 만나는 점이 x축의 위쪽에 있으므로
$b>0, d>0$
이때 $y=(ax+b)(cx+d)=acx^2+(ad+bc)x+bd$의 그래프는
$ac>0$이므로 아래로 볼록하다.
$ad+bc<0$이므로 축은 y축의 오른쪽에 있다.
$bd>0$이므로 y축과 만나는 점은 x축의 위쪽에 있다.
따라서 이차함수 $y=(ax+b)(cx+d)$의 그래프는 오른쪽 그림과 같다.

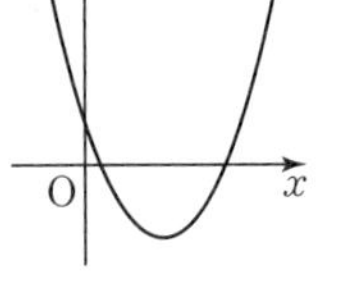

전략
일차함수 $y=ax+b$의 그래프가 오른쪽 아래로 향하면 $a<0$이다.

12 답 $a=14, b=3$

$y=3x^2-6x+5$를 x축에 대칭이동한 그래프의 식은
$-y=3x^2-6x+5 \quad \therefore \text{Q} : y=-3x^2+6x-5$
이때
$y=-3x^2+6x-5=-3(x^2-2x+1-1)-5$
$=-3(x-1)^2-2$
의 그래프를 y축의 방향으로 a만큼 평행이동한 그래프의 식은
$y=-3(x-1)^2-2+a \quad \therefore \text{R} : y=-3(x-1)^2-2+a$
포물선 R와 x축이 만나는 두 점 중 한 점의 좌표가 $(-1, 0)$이므로
$y=-3(x-1)^2-2+a$에 $x=-1, y=0$을 대입하면
$0=-3\times(-1-1)^2-2+a \quad \therefore a=14$
즉 $y=-3(x-1)^2+12$에 $y=0$을 대입하면
$-3(x-1)^2+12=0, (x-1)^2=4$
$x-1=\pm2 \quad \therefore x=-1$ 또는 $x=3$
$\therefore b=3$

전략
이차함수 $y=ax^2+bx+c$의 그래프를 x축에 대칭이동한 그래프의 식을 구하려면 y 대신 $-y$를 대입한다.

13 답 -3

$y=x^2-6x+8$에 $y=0$을 대입하면
$x^2-6x+8=0, (x-2)(x-4)=0$
$\therefore x=2$ 또는 $x=4$
즉 $y=x^2-6x+8$의 그래프가 x축과 만나는 두 점의 좌표는 $(2, 0), (4, 0)$이므로 두 점 사이의 거리는 $4-2=2$

$y=x^2-6x+8=(x-3)^2-1$의 그래프를 y축의 방향으로 n만큼 평행이동한 그래프의 식은

$y=(x-3)^2-1+n$

이때 이 그래프의 축의 방정식은 $x=3$이고 이 그래프가 x축과 만나는 두 점 사이의 거리는 4이어야 하므로 두 점의 좌표는 각각 $(1, 0)$, $(5, 0)$이다.

따라서 $y=(x-3)^2-1+n$에 $x=1$, $y=0$을 대입하면

$0=(1-3)^2-1+n \qquad \therefore n=-3$

전략

이차함수 $y=x^2-6x+8$의 그래프가 x축과 만나는 두 점 사이의 거리를 구하려면 $y=0$을 대입하여 이차방정식을 푼다.

14 답 10001

$f(x)=x^2+2x+2=x^2+2x+1-1+2=(x+1)^2+1$

$g(x)=x^2-2x+2=x^2-2x+1-1+2=(x-1)^2+1$

즉 $y=g(x)$의 그래프는 $y=f(x)$의 그래프를 x축의 방향으로 2만큼 평행이동한 것이므로 $g(x)=f(x-2)$

$$\therefore \frac{f(1)f(3)f(5)\cdots f(99)}{g(1)g(3)g(5)\cdots g(99)}=\frac{f(1)f(3)f(5)\cdots f(99)}{f(-1)f(1)f(3)\cdots f(97)}=\frac{f(99)}{f(-1)}=\frac{(99+1)^2+1}{(-1+1)^2+1}=10001$$

전략

두 이차함수 $f(x)$와 $g(x)$의 식을 $y=a(x-p)^2+q$의 꼴로 바꾸어 $f(x)$와 $g(x)$의 관계를 파악한다.

15 답 ⑤

조건 (가)에 의해 $y=a(x-1)^2$으로 놓을 수 있다.

조건 (나)에 의해 $a>0$

조건 (다)에 의해 $|a|>1$

따라서 주어진 조건을 모두 만족하는 것은 ⑤이다.

전략

모든 x의 값에 대하여 $y\ge0$을 만족하는 이차함수 $y=f(x)$의 그래프는 아래로 볼록하고, (꼭짓점의 y좌표)≥0이다.

16 답 $y=-x^2+6x-5$

두 점 $(1, 0)$, $(5, 0)$을 지나므로 이차함수의 식을

$y=a(x-1)(x-5)$로 놓으면

$y=a(x-1)(x-5)=ax^2-6ax+5a$

$=a(x-3)^2-4a$

이때 꼭짓점의 y좌표는 4이므로

$-4a=4 \qquad \therefore a=-1$

$\therefore y=-x^2+6x-5$

다른 풀이

두 점 $(1, 0)$, $(5, 0)$을 지나므로 축의 방정식은

$x=\frac{1+5}{2}=3$

즉 꼭짓점의 좌표는 $(3, 4)$이므로 이차함수의 식을

$y=a(x-3)^2+4$로 놓고 $x=1$, $y=0$을 대입하면

$0=4a+4 \qquad \therefore a=-1$

$\therefore y=-(x-3)^2+4=-x^2+6x-5$

전략

이차함수의 식을 $y=a(x-1)(x-5)$로 놓고 식을 변형하여 꼭짓점의 좌표를 구해 본다.

17 답 -4

두 점 $(m, 0)$, $(2m, 0)$을 지나므로 이차함수의 식을

$f(x)=a(x-m)(x-2m)$으로 놓으면

$f(-1)=f(4)$이므로

$a(-1-m)(-1-2m)=a(4-m)(4-2m)$

$1+3m+2m^2=16-12m+2m^2$ ($\because a\neq0$)

$15m=15 \qquad \therefore m=1$

$\therefore f(x)=a(x-1)(x-2)=ax^2-3ax+2a$

이때 $f(x)=ax^2+bx+4$이므로

$-3a=b$, $2a=4$에서 $a=2$, $b=-6$

$\therefore a+b=2+(-6)=-4$

전략

먼저 이차함수의 식을 $f(x)=a(x-m)(x-2m)$으로 놓는다.

18 답 $y=x^2-3x+3$

이차함수의 식을 $y=ax^2+bx+c$로 놓으면

두 점 $(1, 1)$, $(2, 1)$을 지나므로

$1=a+b+c$ …… ㉠

$1=4a+2b+c$ …… ㉡

㉡$-$㉠을 하면

$3a+b=0 \qquad \therefore b=-3a$ …… ㉢

㉠에 ㉢을 대입하면

$1=a+(-3a)+c \qquad \therefore c=2a+1$ …… ㉣

즉 $y=ax^2-3ax+2a+1$의 그래프가 직선 $y=x-1$에 접하므로

이차방정식 $ax^2-3ax+2a+1=x-1$, 즉

$ax^2-(3a+1)x+2a+2=0$이 중근을 갖는다.

$\{-(3a+1)\}^2-4a(2a+2)=0$에서

$9a^2+6a+1-8a^2-8a=0$, $a^2-2a+1=0$

$(a-1)^2=0 \qquad \therefore a=1$

㉢, ㉣에 각각 $a=1$을 대입하면

$b=-3$, $c=3$

$\therefore y=x^2-3x+3$

전략

이차함수의 그래프가 지나는 두 점의 좌표를 이용하여 b, c를 a에 대한 식으로 나타내 본다.

19 답 -8

$x^2-2x-8=0$에서 $(x+2)(x-4)=0$

$\therefore x=-2$ 또는 $x=4$

이때 $p<q$이므로 $p=-2,\ q=4$

즉 꼭짓점의 좌표는 $(-2, 4)$이므로 이차함수의 식을 $y=a(x+2)^2+4$로 놓을 수 있다.

이 이차함수의 그래프의 축의 방정식은 $x=-2$이고, 그래프가 x축과 만나는 두 점 A, B에 대하여 $\overline{AB}=6$이므로

A$(-5, 0)$, B$(1, 0)$ 또는

A$(1, 0)$, B$(-5, 0)$

$y=a(x+2)^2+4$에 $x=1,\ y=0$을 대입하면

$0=9a+4 \qquad \therefore a=-\frac{4}{9}$

$\therefore y=-\frac{4}{9}(x+2)^2+4=-\frac{4}{9}x^2-\frac{16}{9}x+\frac{20}{9}$

따라서 $a=-\frac{4}{9},\ b=-\frac{16}{9},\ c=\frac{20}{9}$이므로

$9a+6b+3c=9\times\left(-\frac{4}{9}\right)+6\times\left(-\frac{16}{9}\right)+3\times\frac{20}{9}=-8$

전략
$y=ax^2+bx+c$의 그래프의 꼭짓점의 좌표를 구하고, 축의 방정식과 $\overline{AB}=6$임을 이용하여 두 점 A, B의 좌표를 각각 구해 본다.

참고
축의 방정식이 $x=-2$이고, 이차함수의 그래프가 x축과 만나는 두 점 A, B에 대하여 $\overline{AB}=6$이므로 두 점 A, B의 x좌표는
$-2+\frac{6}{2}=1,\ -2-\frac{6}{2}=-5$

20 답 8

[그림 1]의 이차함수의 그래프의 꼭짓점의 좌표가 $(3, 1)$이므로 $y=a(x-3)^2+1$로 놓고 $x=2,\ y=0$을 대입하면

$0=a+1 \qquad \therefore a=-1$

$\therefore y=-(x-3)^2+1$

[그림 2]의 이차함수의 그래프는 [그림 1]의 이차함수의 그래프를 y축의 방향으로 3만큼 평행이동한 것이므로

$y=-(x-3)^2+1+3=-(x-3)^2+4$

$\therefore$ A$(3, 4)$

또 $y=-(x-3)^2+4$에 $y=0$을 대입하면

$-(x-3)^2+4=0,\ (x-3)^2=4$

$x-3=\pm2 \qquad \therefore x=1$ 또는 $x=5$, 즉 B$(1, 0)$, C$(5, 0)$

따라서 $\triangle$ABC의 넓이는

$\frac{1}{2}\times(5-1)\times4=8$

전략
[그림 1]에서 이차함수의 그래프가 x축과 만나는 점의 x좌표가 2, 4이므로 축의 방정식은 $x=\frac{2+4}{2}=3$이다. 따라서 꼭짓점의 x좌표는 3이다.

STEP 3 전교 1등 확실하게 굳히는 문제 pp. 108~110

1 $(-2, 0)$	**2** $\frac{24}{25}$	**3** D$(-1, 4)$
4 14	**5** $\frac{9}{2}$	**6** $\frac{5}{32}$ m

1 답 $(-2, 0)$

$y=x^2+px+p=x^2+px+\left(\frac{p}{2}\right)^2-\left(\frac{p}{2}\right)^2+p$

$=\left(x+\frac{p}{2}\right)^2-\frac{p^2}{4}+p$

이므로 꼭짓점 A의 좌표는 A$\left(-\frac{p}{2}, -\frac{p^2}{4}+p\right)$이고, y축과 만나는 점 B의 좌표는 B$(0, p)$이다.

이때 두 점 A, B를 지나는 직선 l의 기울기는

$$\frac{p-\left(-\frac{p^2}{4}+p\right)}{0-\left(-\frac{p}{2}\right)}=\frac{\frac{p^2}{4}}{\frac{p}{2}}=\frac{p}{2}\ (\because p\neq0)$$

이므로 직선 l의 방정식은

$y=\frac{p}{2}x+p$

$y=\frac{p}{2}x+p$에 $y=0$을 대입하면

$\frac{p}{2}x+p=0 \qquad \therefore x=-2$

따라서 직선 l이 x축과 만나는 점의 좌표는 $(-2, 0)$이다.

전략
두 점 A, B를 지나는 직선 l의 방정식을 구해 본다.

2 답 $\frac{24}{25}$

$y=x^2-\frac{2n+1}{n(n+1)}x+\frac{1}{n(n+1)}$에 $y=0$을 대입하면

$x^2-\frac{2n+1}{n(n+1)}x+\frac{1}{n(n+1)}=0$

$\left(x-\frac{1}{n}\right)\left(x-\frac{1}{n+1}\right)=0$

$\therefore x=\frac{1}{n}$ 또는 $x=\frac{1}{n+1}$ …… 30%

따라서 P$\left(\frac{1}{n}, 0\right)$, Q$\left(\frac{1}{n+1}, 0\right)$ 또는 P$\left(\frac{1}{n+1}, 0\right)$, Q$\left(\frac{1}{n}, 0\right)$이다. …… 10%

이때 n은 자연수이므로

$\frac{1}{n}>\frac{1}{n+1}$, 즉 $d(n)=\frac{1}{n}-\frac{1}{n+1}$ …… 30%

$\therefore d(1)+d(2)+d(3)+\cdots+d(24)$

$=\left(\frac{1}{1}-\frac{1}{2}\right)+\left(\frac{1}{2}-\frac{1}{3}\right)+\left(\frac{1}{3}-\frac{1}{4}\right)+\cdots+\left(\frac{1}{24}-\frac{1}{25}\right)$

$=1-\frac{1}{25}=\frac{24}{25}$ …… 30%

전략
주어진 이차함수의 그래프가 x축과 만나는 두 점 P, Q의 좌표를 각각 구해 본다.

3 답 D$(-1, 4)$

$y=\frac{2}{3}x^2+\frac{2}{3}x-4$에 $y=0$을 대입하면

$\frac{2}{3}x^2+\frac{2}{3}x-4=0$, $x^2+x-6=0$

$(x+3)(x-2)=0$　　$\therefore x=-3$ 또는 $x=2$

$\therefore$ A$(-3, 0)$, C$(2, 0)$

$y=\frac{2}{3}x^2+\frac{2}{3}x-4$에 $x=0$을 대입하면 $y=-4$　　$\therefore$ B$(0, -4)$

□ABCD가 평행사변형이 되려면 $\overline{AB}/\!/\overline{DC}$, $\overline{AD}/\!/\overline{BC}$이어야 하므로 점 D의 좌표를 D$(a, b)$라 하면

($\overline{AB}$의 기울기)$=\frac{-4-0}{0-(-3)}=-\frac{4}{3}$

($\overline{DC}$의 기울기)$=\frac{0-b}{2-a}=\frac{-b}{2-a}$

즉 $-\frac{4}{3}=\frac{-b}{2-a}$에서 $4(2-a)=3b$　　$\therefore 4a+3b=8$ …… ㉠

($\overline{AD}$의 기울기)$=\frac{b-0}{a-(-3)}=\frac{b}{a+3}$

($\overline{BC}$의 기울기)$=\frac{0-(-4)}{2-0}=2$

즉 $\frac{b}{a+3}=2$에서 $2(a+3)=b$　　$\therefore 2a-b=-6$ …… ㉡

㉠, ㉡을 연립하여 풀면 $a=-1$, $b=4$

$\therefore$ D$(-1, 4)$

전략
□ABCD가 평행사변형이 되려면 $\overline{AB}/\!/\overline{DC}$, $\overline{AD}/\!/\overline{BC}$이어야 한다.

4 답 14

$y=a(x+1)(x-3)$으로 놓고 $x=0$, $y=-2$를 대입하면

$-2=-3a$　　$\therefore a=\frac{2}{3}$, 즉 $y=\frac{2}{3}(x+1)(x-3)$

오른쪽 그림과 같이 이차함수 $y=\frac{2}{3}(x+1)(x-3)$의 그래프 위에 점 D(p, q)를 잡으면

$q=\frac{2}{3}(p+1)(p-3)$

$\therefore 3q=2(p+1)(p-3)$ …… ㉠

또 △ABC=△BCD이려면 $\overleftrightarrow{AD}/\!/\overleftrightarrow{BC}$이어야 하므로

$\frac{q-0}{p-(-1)}=\frac{0-(-2)}{3-0}$에서 $\frac{q}{p+1}=\frac{2}{3}$

$\therefore 3q=2(p+1)$ …… ㉡

㉠에 ㉡을 대입하면 $2(p+1)=2(p+1)(p-3)$

이때 점 D가 제1사분면 위의 점이므로 $p+1\neq0$이다.

즉 $p-3=1$에서 $p=4$

㉡에 $p=4$를 대입하면 $3q=2\times(4+1)=10$

$\therefore p+3q=4+10=14$

전략
△ABC=△BCD이려면 $\overleftrightarrow{AD}/\!/\overleftrightarrow{BC}$이어야 한다.

5 답 $\frac{9}{2}$

이차함수 $y=f(x)$의 그래프의 꼭짓점의 좌표를 (t, kt)라 하면

$f(x)=(x-t)^2+kt$

한편 이차함수 $y=f(x)$의 그래프와 직선 $y=kx+5$가 만나는 두 점의 x좌표인 α, β는 이차방정식 $(x-t)^2+kt=kx+5$의 두 근이므로

$x^2-(2t+k)x+t^2+kt-5=0$에서 근과 계수의 관계에 의해

$\alpha+\beta=2t+k$ …… ㉠

$\alpha\beta=t^2+kt-5$ …… ㉡

또 이차함수 $y=f(x)$의 그래프의 축의 방정식이

$x=\frac{\alpha+\beta}{2}-\frac{1}{4}$이므로

$\frac{\alpha+\beta}{2}-\frac{1}{4}=t$

$\therefore \alpha+\beta=2t+\frac{1}{2}$ …… ㉢

㉠, ㉢에서 $2t+k=2t+\frac{1}{2}$이므로 $k=\frac{1}{2}$

㉡에서 $\alpha\beta=t^2+kt-5=t^2+\frac{1}{2}t-5$

$$\therefore |\alpha-\beta|=\sqrt{(\alpha-\beta)^2}=\sqrt{(\alpha+\beta)^2-4\alpha\beta}=\sqrt{\left(2t+\frac{1}{2}\right)^2-4\left(t^2+\frac{1}{2}t-5\right)}=\sqrt{\frac{81}{4}}=\frac{9}{2}$$

전략
α, β는 이차방정식 $(x-t)^2+kt=kx+5$의 두 근임을 이용한다.

6 답 $\frac{5}{32}$ m

오른쪽 그림과 같이 좌표평면 위에 다리의 시작 지점과 끝 지점이 x축 위에 놓이도록 다리를 이차함수의 그래프로 나타내면 이차함수의 식은

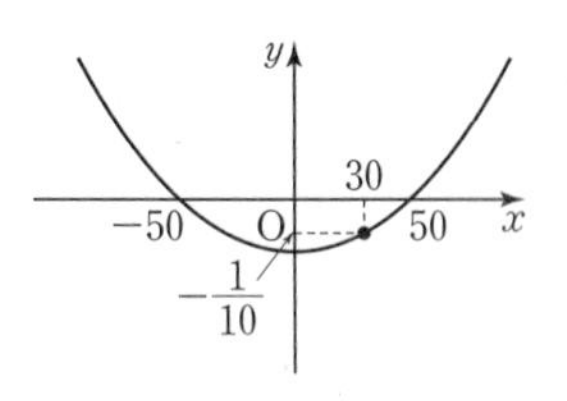

$y=a(x-50)(x+50)$

이 그래프가 점 $\left(30, -\frac{1}{10}\right)$을 지나므로

$-\frac{1}{10}=-1600a$　　$\therefore a=\frac{1}{16000}$

즉 $y=\frac{1}{16000}(x-50)(x+50)$에 $x=0$을 대입하면

$y=\frac{-2500}{16000}=-\frac{5}{32}$

따라서 다리의 중간 지점은 $\frac{5}{32}$ m 낮아졌다.

전략
다리의 시작 지점과 끝 지점이 x축 위에 놓이도록 다리의 모양을 좌표평면 위에 포물선으로 나타낸다.

배움으로 행복한 내일을 꿈꾸는

천재교육 커뮤니티 안내

교재 안내부터 구매까지 한 번에!

천재교육 홈페이지

자사가 발행하는 참고서, 교과서에 대한 소개는 물론
도서 구매도 할 수 있습니다. 회원에게 지급되는 별을 모아
다양한 상품 응모에도 도전해 보세요!

다양한 교육 꿀팁에 깜짝 이벤트는 덤!

천재교육 인스타그램

천재교육의 새롭고 중요한 소식을 가장 먼저 접하고 싶다면?
천재교육 인스타그램 팔로우가 필수!
깜짝 이벤트도 수시로 진행되니 놓치지 마세요!

수업이 편리해지는

천재교육 ACA 사이트

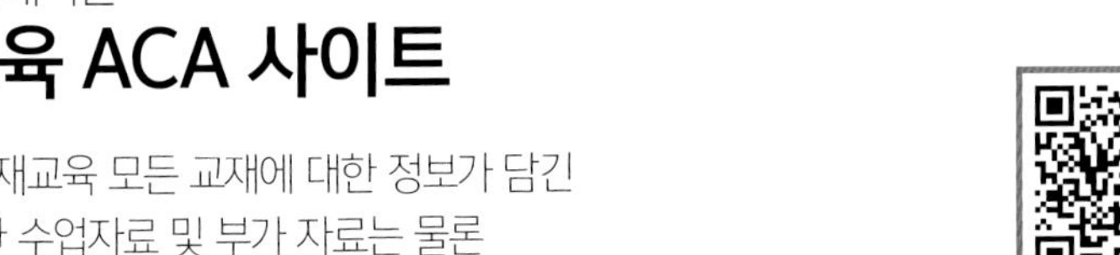

오직 선생님만을 위한, 천재교육 모든 교재에 대한 정보가 담긴
아카 사이트에서는 다양한 수업자료 및 부가 자료는 물론
시험 출제에 필요한 문제도 다운로드하실 수 있습니다.

https://aca.chunjae.co.kr

천재교육을 사랑하는 샘들의 모임

천사샘

학원 강사, 공부방 선생님이시라면 누구나 가입할 수 있는 천사샘!
교재 개발 및 평가를 통해 교재 검토진으로 참여할 수 있는 기회는 물론
다양한 교사용 교재 증정 이벤트가 선생님을 기다립니다.

아이와 함께 성장하는 학부모들의 모임공간

튠맘 학습연구소

튠맘 학습연구소는 초·중등 학부모를 대상으로 다양한 이벤트와 함께
교재 리뷰 및 학습 정보를 제공하는 네이버 카페입니다.
초등학생, 중학생 자녀를 둔 학부모님이라면 튠맘 학습연구소로 오세요!

최강

TOT

정답과 풀이

최강
TOT

피곤한 눈을 맑고 개운하게! 눈 스트레칭

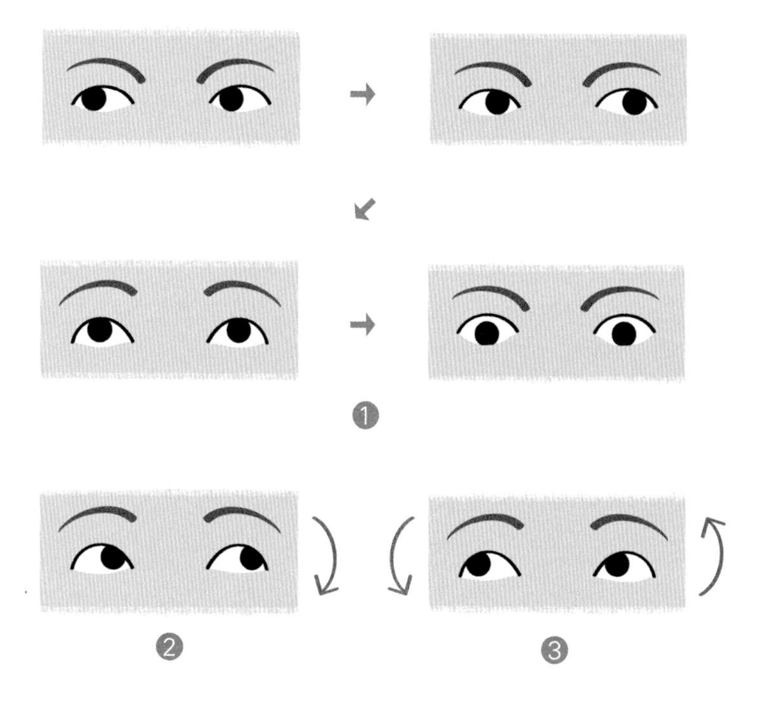

눈이 피곤하면 집중력도 떨어지고, 심한 경우 두통이 생기기도 합니다. 꾸준한 눈 스트레칭으로 눈의 피로를 꼭 풀어 주세요. 눈 스트레칭을 할 때 목은 고정하고 눈동자만 움직여야 효과가 좋아진다는 것! 잊지 마세요.

❶ 눈동자를 다음과 같은 순서로 움직여 보세요. 한 방향당 10초간 머물러야 합니다.
왼쪽 ➞ 오른쪽 ➞ 위쪽 ➞ 아래쪽

❷ 눈동자를 시계 방향으로 한 바퀴 돌려 주세요.

❸ 눈동자를 시계 반대 방향으로 한 바퀴 돌려 주세요.

※ 스트레칭 후에도 눈에 피곤함이 남아 있다면, 2~3회 반복해 주세요.